SPANISH FOUR YEARS

Advanced Spanish with AP Component

Third Edition

JANET F. HILLER, PH.D.

Associate Professor
Long Island University

AMSCO

AMSCO SCHOOL PUBLICATIONS, INC.,

a division of Perfection Learning®

To my parents,
Helen and Harry Prus,
who showed me the power and
beauty of languages.

Text Design by Merrill Haber

Text Illustrations by Ed Malsberg

Composition by Monotype, LLC

Copyright © 2016 by Perfection Learning®

Please visit our Web sites at:

www.amscopub.com and *www.perfectionlearning.com*

When ordering this book, please specify:

ISBN 978-1-62974-667-8 or **1486201**

9 10 11 12 13 PP 24 23 22 21 20

Printed in the United States of America

Preface

SPANISH FOUR YEARS is designed to build the proficiency of intermediate to advanced learners of Spanish. The first chapter provides students with strategies for language learning, which they can implement through the readings and activities in this book and also through the use of additional authentic texts and materials simultaneously and in the future.

In Chapters 2 through 17, grammar explanations are provided along with practice exercises using communicative activities and authentic texts. Each chapter explores a particular topic, which reflects the themes of the Advanced Placement examination. The readings in these chapters are identified by theme.

Part Four presents assessments in the Interpersonal, Interpretive, and Presentational modes of communication, which are modeled after the corresponding sections of the Advanced Placement Spanish Language and Culture Examination. Strategies for taking each of these sections of the examination are also provided. Essay questions reflect the themes and topics found in the text and are representative of the types of questions on the Essay section of the original examination.

Each grammar chapter contains authentic assessments, which correspond to the themes of the chapter.

The Appendix presents a set of rubrics for the performance assessments. It also contains verb charts, a guide to the placement of accent marks, a word-building guide, and cultural/ historical timelines; all of these are valuable reference tools for the intermediate-to-advanced student of Spanish.

This book is intended as a resource to be utilized by students and teachers. It aims to encourage students' independent exploration and learning to help them become lifelong learners of Spanish. It can be used by teachers as a text for a high intermediate or advanced-level course or to supplement or accompany other advanced-level materials. SPANISH FOUR YEARS is meant to prepare students for the Advanced Placement Spanish Language and Culture Examination. And most importantly, it familiarizes and prepares them for the challenges of communication in the real world: for higher education, for the workplace, and for lifelong language and culture enrichment through Spanish literature, the arts, and the media.

JANET F. HILLER

Contents

Part Four: Preparing for the AP Spanish Language and Culture Examination

PART ONE

LANGUAGE-LEARNING STRATEGIES

1

Language-Learning Strategies

Learning a language is a lifelong journey enhanced by goals, openness to new experiences and cultures, and knowledge of your unlimited potential. It is made up of many possible directions and strategies that can be learned and implemented in numerous ways. In this section, strategies are suggested to help the student focus on the learning process. Since every learner is different and has particular talents, needs, and abilities in various combinations, she or he should choose, experiment, and develop individual learning approaches or plans from among the many strategies available.

By the intermediate and advanced levels of language learning, students should already have a preferred language, learning style. For example, visual learners might prefer using flash cards, while auditory learners would probably choose to listen to tapes. Yet it is important to remember that language learning entails all of the four skills: listening, speaking, reading, and writing. They must all be developed for effective language learning to take place. The following selection of strategies is offered to help students broaden their language learning repertory and take charge of their own learning. By personalizing and combining successful strategies and the activities in SPANISH FOUR YEARS, students can build advanced communicative proficiency, gaining the tools and confidence needed for a lifetime of language learning.

1.1. BUILDING LISTENING SKILLS

Listening is a primary and crucial language skill in that it determines comprehension and appropriate responses to achieve communication. At the advanced level the learner must comprehend authentic materials from the target cultures. These include tapes, radio and television broadcasts, videos and films, as well as authentic lectures and conversations in Spanish.

The following strategies are suggested to the student:

1. *Identify objectives for each listening task.* What are you listening for, specific information, entertainment? Are you listening to directions? Are there follow-up activities associated with this task? If so, what are they?

2. *Identify the genre of a listening selection.* Is it a sports broadcast, a commercial, or a literary lecture?

3. *Identify the organizational framework of the communication.* Is it a narration, a statement of cause and effect, a debate, a list or enumeration?

4. *Identify the topic of the listening selection as soon as possible.* This is generally stated at the beginning. Is it a person, a product, a trip, a performance, a social or political issue, a sports event, a literary theme?

5. *Attempt to situate the topic in a particular place and time.* Note verb endings which indicate present, past, or future tenses. Note specific dates and times if they are mentioned. Does the topic refer to Spain or Spanish America? Note the pronunciation or dialect of the speaker or speakers and any mention of a specific geographical location.

6. *Identify the speaker or speakers.* Are they male, female, teenagers, senior citizens, a married couple, teachers, students, salesclerks, customers, guides, radio announcers, etc.? Are they using **ustedes**? Where are they from? Note their names if they are provided, or any geographic or linguistic clues for example, the use of **vosotros** will most likely indicate that the speaker is from Spain.

7. *Identify the tone of the speaker(s).* Is it serious, light, sarcastic, formal, informal, emotional, critical, emphatic, or matter-of-fact? Attempt to relate the tone to the topic. If the speaker is visible, note any facial expressions or body language that will help you comprehend the tone and the message.

8. *Make connections through personal associations to the topic.* What does it bring to mind? What previous knowledge do you have of this topic that you can relate to this selection? Think of specific contexts and vocabulary. Attempt to visualize these associations in your mind.

9. *Take notes as you listen, if possible.* Try organizing your paper by dividing it into two columns. On one column write main ideas or themes and on the other write specific related details that are mentioned with these ideas. These would include names, dates, places, titles, numbers, colors, or specific objects. Write as much as you can, even if you are not sure of the spelling or significance of a particular word in the context of what you hear. It may be clarified by a particular comprehension question that follows.

10. *Listen repeatedly to the same selection.* Although it is not always possible to hear something again, comprehension can be significantly improved with more than one listening experience. Certainly, if you are listening to a tape or video you can replay it. Ask your teacher to replay selections and/or clarify some vocabulary or the topic, if necessary. If you are having a conversation in Spanish and have difficulty comprehending your partners, tell them, and request that they repeat or clarify their statements.

11. *Keep a Spanish journal.* Note your experiences, successes, and difficulties. Note the different topics you've heard about in the target language. Note what works for you and what hinders your comprehension. If you like, share your journal or only your thoughts with your teacher, who can help guide you.

12. *Immerse yourself in listening experiences in Spanish.* Listen or view radio, TV, and Internet broadcasts in Spanish. Watch news, soap operas, and films in Spanish. Listen to Spanish and Spanish-American music. Make every effort to converse with native speakers, or with fluent classmates and your teacher. Communicate with Spanish-speakers through video conferences. Listen to material that is challenging but not so difficult as to be totally frustrating. As you listen, incorporate the above strategies that you find helpful.

1.2. BUILDING READING SKILLS

Reading at the advanced level implies reading authentic materials written by and for native speakers. These might include magazine and newspaper articles, advertisements, brochures, blogs, wikis, digital media, and Spanish literature. This type of reading is presented throughout this book.

The following strategies are suggested to help build reading skills in Spanish:

1. *Identify your goal or purpose in reading a particular selection.* Are you looking for specific information? Are you reading to get the main idea? Are you reading for entertainment? Do you need to understand every detail of the reading? Remember, reading is an active process that you can control!

2. *Choose your ideal environment for reading.* Where can you relax and concentrate at the same time, in a favorite chair in your room, at the library, at the beach, in a hammock under a tree? Do you prefer absolute quiet while you are reading, or do you concentrate and relax with music playing in the background?

3. *Select a reading approach based on your specific purpose.*

    a. If you are reading to get the main idea or gist, you can read quickly skimming the text to activate your previous knowledge and to identify key words that either help or hinder your comprehension. Use a dictionary to look up any key words that you do not understand.

    b. If you are reading to find particular information, for example if you have multiple choice questions to answer, skim the text first to make sure you have the main idea and that you have activated your knowledge related to the text. Then scan the text for the specific information you need, looking up only key words that interfere with your search.

    c. If you are reading to comprehend details or complex directions, you will need to read intensively looking up any vocabulary that obscures the details. You may want to read the entire selection first, underlining the words you don't know. Then look up these words and read the selection again. As always, activate previous knowledge and find cognates when possible. Follow any diagrams or visual cues if available.

    d. If you are reading a text extensively for pleasure, set your own comfortable reading pace. If you come to a difficult passage, look up a few key words, skim it again and continue your regular pace.

4. *Identify the genre of the text.* Is it expository prose, as in a magazine or newspaper article, or editorial? Is it a literary text? Your approach to comprehension should vary accordingly.

    a. If the text is expository prose, it is generally organized in a specific linear fashion: the introduction presents the main idea; the body develops the main idea and adds subordinate ideas and specific details and/or arguments; and the conclusion summarizes the text, reiterates the main idea, or otherwise concludes the selection. Understanding this organization should help you locate the main idea and supporting information.

        Also, try to identify the tone of the author. Is it critical, sarcastic, emphatic, didactic, or amusing? Look for specific evidence in the language of the text to support your judgment. Connect the tone with the main idea. Try to distinguish between fact, opinion, and propaganda.

b. If you are reading a literary text, the organization may vary significantly because of the inherently creative nature of literature. First, attempt to identify the literary genre of the reading. Is it a selection from a novel or short story, a myth, a poem, or a play? This may be tricky, since sometimes genres are combined, for example, poetry might appear in drama as in plays by Federico García Lorca. Try to divide the selection into a beginning, a middle, and an end. Then attempt to identify the movement in time. Is it linear or circular as in a flashback?

When following a story line, try to identify the setting, important actions or conflicts, a climax, and final consequences or outcomes of these events as they relate to the main character or characters. When you read poetry, ask yourself how the sound, meter or rhythm, and the form combine to convey meaning.

While a major theme is generally not stated specifically, it is implied by the context. Remember, multiple themes and interpretations are possible in literature. Attempt to identify themes based on specific clues in the reading. Basic themes in literature include love, jealousy, honor, death, fate, immortality, and art itself. Attempt to recall other literary works that you have read having the same theme.

List and analyze the characters. Do they resemble particular types you have encountered before in literature or in the Bible, such as Don Juan, Don Quixote, or Cain and Abel? Has the author turned himself into a character as Miguel de Unamuno does in *Niebla*, and Jorge Luis Borges does in *La forma de la espada*? Is the author writing in the first person or is he an omniscient narrator?

Identify the tone of the author. Is it didactic, that is, is she or he teaching a lesson through this literary piece? Is it sarcastic or critical? Is it serious or amusing? Is the language formal, colloquial, figurative, poetic, or a combination of these? Try to connect the tone with the theme and the historical context of the reading.

5. *Identify and use advance organizers, features of the text that can help you predict its genre and content.* Is a title given? Are there illustrations or photos? What does the format tell you?

6. *Identify discourse markers in Spanish like **sin embargo**, **en cambio**, and **a pesar de**), and note how they effect the meaning of the text.*

7. *When you come across a key word that you do not know, attempt to discover the meaning through the context, cognates, or related words.* If you cannot surmise the meaning, look it up in a dictionary. If you are keeping a personal vocabulary list enter it, along with the sentence or phrase where it is found. You may come across colloquial or regional words or expressions that are not in the dictionary. Don't let them interfere with your reading. You can jot them down to ask your teacher or a native speaker for clarification later.

8. *To remember what you have read, apply it to a personally meaningful context.* For example, you've just read *La casa de Bernarda Alba* by Federico García Lorca. If the sisters appeared on a contemporary TV talk show about rebellious children, what would be different? What would be the same?

9. *Visualize what you are reading.* Make associations with previous knowledge to create pictures in your mind or on paper. Draw pictures, diagrams, time-lines, or

semantic maps to help you comprehend what you read. Share or compare these with your classmates and your teacher to get feedback.

10. *Act out or role-play scenes based on the reading.* Write and present a skit about the reading. You can be faithful to the text, or change it based on your personal interpretation. You could change the ending from a sad one to a happy one or viceversa. You could also change the historic context, for example, from the past to the present or the future.

11. *Keep a reading journal or portfolio to summarize what you have read and to record your reactions and creative responses.* Write about the connections you can make to your own life. Write about new cultural insights you have gained. Write about your progress or difficulties. You may want to share your journal with your teacher or peers.

12. *Read regularly.* Read material in Spanish for at least fifteen minutes a day. Along with your required reading, read about topics that you find interesting. Read material that is at a comfortable level of difficulty, but also try more challenging material on topics that you are interested in, and about which you have some knowledge. If you find Spanish-language authors that you enjoy, read more of their works. Obtain their biographies and try to make connections between their lives and their writing. As you read, you will learn more about Spanish culture, which will reinforce your other language learning skills.

1.3. BUILDING SPEAKING SKILLS

Speaking to communicate at the advanced level requires extensive vocabulary and grammatical proficiency. It also implies some knowledge of the communicative conventions and their variations in Spanish and the ability to communicate in a wide range of situations.

The following strategies are suggested to build speaking skills:

1. *Identify short-term and long-term goals.* While your long-term goal may be advanced communicative proficiency, your immediate purpose for speaking will determine your vocabulary and grammatical needs. For example, if you are planning to take a trip, you will need to know expressions for how to ask for directions, how to order in a restaurant, and how to shop in the target language. To prepare for the speaking section of the Advanced Placement Spanish Examination you will need to practice responding to questions in various tenses—in either the indicative or subjunctive mood—and to narrate a story in Spanish based on a picture series.

2. *Always identify your audience and your situation.* To whom, where, and when will you be speaking? Will you be speaking to your class and your teacher, to native speakers, to family members, or to co-workers? It is important to decide appropriately in a given situation, whether to use formal or informal forms of address *Ud.* or *tú*, and use them correctly, since this will effect the quality of your communication and the receptiveness of the listener.

3. *Organize your learning. Keep a speaking notebook or journal.*

    a. For each speaking assignment or topic, which may be determined by both you and your teacher, prepare a personal list of relevant vocabulary and expressions that you will use. Be sure to record a model sentence for each of these. (See Section 1.6.)

    b. Develop a list of words for managing conversations, like the expressions *¿cómo?, ¿ puede ayudarme?, ¿ de veras?* and expressing emotion, like the expressions *¡no me digas!, ¡increíble!, ¿ por supuesto!,* and *¡imposible!*

    c. Develop a list of greetings and expressions of courtesy. There are numerous ways of saying *hello, please, thank you* and *excuse me* in Spanish. Make a list, noting whether the expression is formal or informal.

    d. Make a list of expressions that you can use to ask for clarification or repetition when you have difficulty comprehending a speaker, for example: *perdóneme, no comprendí; ¿ puede repetir la pregunta, por favor?*

    e. Make a list of expressions that you can use as appropriate connecting words or fillers, when you have to pause to think and clarify what you are saying, for example: *pues, entonces, lo que quiero decir es que, en cambio, por ejemplo.*

    f. Note grammar points that you need to focus on. For example, if you need to narate a story in the past and are having difficulty remembering past tense endings for certain verbs, review them in SPANISH FOUR YEARS, write them in your notebook, and do a related exercise or segments of several exercises for practice. Find (or ask your teacher for) a computer program that you can use to drill grammar forms. (See Section 1.5.)

4. *Work to improve your pronunciation.*

    a. Make sure to review or learn the letter sound correspondences in Spanish and the rules for stress and accent marks. (They are found in the Appendix.)

    b. Listen to songs in Spanish and learn to sing the lyrics. The sounds and rhythms will stay with you.

    c. Record a speaking portfolio to monitor and document your progress. Try listening to a recording of a native speaker for which you have the script. Then record yourself reading the script and compare. You may want to have your teacher review the recording and note any pronunciation difficulties you might have. Record yourself again focusing on those areas that need improvement. Also, record yourself speaking extemporaneously. You may use the activities found in SPANISH FOUR YEARS as stimuli for speaking. After you and your teacher review the recording and note errors in grammar, vocabulary, or pronunciation, record the same or a similar assignment again, this time correcting your mistakes. Improvement should be your goal.

5. *Develop compensation skills.* You may sometimes find yourself in a situation where you cannot think of a specific word or expression in Spanish. Since communication is your ultimate goal, try to communicate your message in some other way, using words or expressions that you do know. This is called circumlocution (speaking in a roundabout way.) For example, a picture of aliens appeared one year on the picture sequence of the Advanced Placement Spanish Examination. Most students did not know the word **extraterrestre**, but they could say "**gente de otro planeta**" or some other descriptive phrase to tell the story and they therefore received credit for communicating.

6. *Practice speaking Spanish whenever you have the opportunity.* Seek out communicative situations that are meaningful and challenging.

a. Volunteer to speak in your Spanish class as much as possible.

b. Seek out native speakers in your school or community and speak to them in person or on the phone.

c. If possible, take a trip to a Spanish-speaking country to practice in the context of the culture. Video-conference with a student from the target culture and share information on topics of mutual interest that help you learn about similarities and differences between cultures.

d. Even though you may make mistakes, you can learn from them. Be open to feedback and corrections from your teacher, other students or native speakers. Listen to them as they model appropriate language, and ask them to help you say what you need to say.

1.4. BUILDING WRITING SKILLS

Writing at the advanced level requires organizational skills, command of the written conventions of the language, knowledge of complex grammar and syntax, and extensive vocabulary.

The following strategies are recommended to help students improve their writing ability in Spanish.

1. *Identify your objectives for every writing task.* Will you be writing essays on contemporary themes and issues and/or literary topics, as in the Advanced Placement Spanish Language and Literature Examinations? Will you be writing reports and papers in Spanish? Will you be writing business letters, or filling out forms? Are you writing letters or e-mail to a Spanish-speaking friend? Your goals will determine your writing style and the vocabulary that you need to develop and incorporate into your writing.

2. *Identify your audience.* Who will be reading your work? Your teacher, classmates, friends, an e-pal, someone you've never met? Your tone and the formality of your language should differ based on the relationship and situation between you and the reader.

3. *Obtain and become familiar with guidelines or rubrics for excellence that have been established to measure your achievement in writing.* For example, the rubrics estab lished by the College Board for the Advanced Placement Spanish Examinations are available along with sample essays.

4. *Organize your writing.* Plan the steps that you will take to prepare and present your piece. Of course if you are writing an informal note, letter, or e-mail, one step may be sufficient. Essays and papers, however, require planning.

    a. Activate prior knowledge. Once your topic has been identified, you will need to associate what you know with what you want to say. If you are writing about something you have read about, you might want to review any notes you have. You might try free writing to jot down your thoughts. You could discuss ideas with your teacher or classmates. You could draw a semantic map to help you recall and associate ideas. As necessary, reread related materials and/or do research to help you better understand the topic.

    b. Write a first draft to help you organize your thoughts and ideas.

    c. Discuss your first draft with classmates or your teacher and ask for feedback to improve your writing as to content and organization. Repeat the process with a second draft if necessary.

    d. Revise for organization and content. First focus on your message.

    e. Then edit your work to correct vocabulary and grammar. Learn to self-correct. Try using a correction key, to identify common types of errors, such as errors in agreement, and proofread your text looking for these. If you are not sure about a verb ending or other grammatical points, look them up in SPANISH FOUR YEARS. Use a Spanish dictionary to verify appropriate vocabulary and spelling. Use a Spanish spell-checker if you are using a computer and have it available. Check to see if you have included appropriate connecting words and transitional expressions. (See the list in Chapter 18.)

    f. Display, publish, present, or otherwise share your work with others. Look for opportunities to share your finished work in school publications, bulletin boards, websites, blogs, wikis or by reading it aloud to your class, teacher, friends and family. Writing is meant for an audience: you should welcome feedback and enjoy the intrinsic reward of communicating what you have written, noting the effect you can have on others.

5. *Keep a writing journal in Spanish to write freely about topics of your choice.* You can share your journal with your teacher or peers or decide to keep it private.

6. *Keep a portfolio of your work.* This can be a record of your progress as well as evidence of your best work. Review your portfolio regularly to evaluate your growth as a writer. Use it as evidence to showcase your writing skill for employment or placement in high school or college language courses.

1.5. BUILDING GRAMMAR SKILLS

Grammatical accuracy in speaking and writing is a significant goal for advanced level students. While instruction at the beginning level and perhaps even at the intermediate level emphasizes communication over accuracy, at the advanced level students must focus on communicating as correctly as possible. This means mastering verb tenses and grammatical structures and being able to use them appropriately in a meaningful context.

    The following strategies are recommended:

1. *Immerse yourself in authentic language.* Read Spanish-language newspapers, magazines, and literature. Watch Spanish-language programs and videos. Access authentic resources online used by native speakers for everyday or special purposes, such as shopping or research. Note how the grammatical forms you learned in class are applied in real contexts. While specific forms are often isolated in the classroom for instructional purposes, in authentic materials, this is not the case. Note the variety and interplay of tenses and forms and attempt to distinguish among them to ensure comprehension.

2. *Set specific goals to improve your grammar.* For example, if you are having difficulty remembering preterit tense endings and you need to be able to narrate stories in the past, develop a study plan and a time frame. Be sure to recycle your learning activities over an extensive time period to ensure retention in long-term memory. Keep a diary or journal of your goals, plans and achievements.

3. *To master verb tenses and corresponding endings you must practice using them.* Try to use an appropriate variety of tenses in your speaking and writing.

   a. As necessary, review the verb charts in this book, and do some corresponding review exercises from the book for practice.

   b. Try to visualize the verb forms as they appear on these charts to help you remember them when you can't have them in front of you.

   c. Try putting verb endings for a particular tense that you need to review on some flash cards and verb stems on other flash cards. Group stems with similarities together, for example, *pud, tuv, pus,* and *estuv* all have the letter *u.* Drill yourself or work with a friend combining endings with verbs and creating sentences on a particular topic of interest.

   d. Categorize new verbs as you learn them. For example, if you come across the verb *compadecer* for the first time, you should note that it is a *-cer* verb like *conocer* and therefore has the same endings.

   e. Try chanting verb forms out loud, or make up a song using the verbs that you are trying to master. Incorporate body movement such as clapping or tapping to help you remember.

   f. Record verb forms in context to build connections and listen and repeat them when you can.

   g. Continue to review these forms in any way that you find pleasant and effective and use them as often as you can till they become internalized and automatic.

4. *Learn the principal parts of common regular and irregular verbs.* They are the infinitive, the present participle and the past participle. These are building blocks for all the tenses, for example, *escribir, escribiendo, escrito.* Keep them in your notebook or on flash cards.

5. *Identify and use subjunctive forms appropriately.* This will show that you are at the advanced level of Spanish proficiency. Since the subjunctive is very common in Spanish but not common at all in English, you have to make a special effort to understand the differences in tone between the subjunctive and indicative moods. Note how the subjunctive is used as you listen and read. Sensitize yourself to expressions that require the subjunctive like emotions, desires, and uncertainties. Learn mnemonics to help you remember them such as *WEIRD: Wish, Emotion, Impersonal Expression, Request, Doubt.* (See Chapter 12.)

6. *Identify and study the cues for determining gender in Spanish.* Some endings, like *-ción* and *-dad* always signal a feminine word. Compound words, like *rascacielos* and *abrelatas,* are generally masculine. Knowing these and other rules will help you avoid errors in gender and agreement. (See Chapter 14.)

7. *Be sure to master the rules for agreement of nouns, pronouns, and adjectives.* Errors in agreement are very common for native English speakers, since there is no equivalent in English. Study the rules for Spanish agreement and internalize them through practice, always monitoring or double-checking your speaking and writing. (See Chapters 14–16.)

8. *Learn to identify the different parts of speech and the cues that signal them.* Many suffixes in Spanish indicate parts of speech. For example, *-mente* as in *lentamente*

is equivalent to *-ly* in English and indicates an adverb; *-ción* as in **canción** are equivalent to *-tion* in English and indicates a noun; *-oso* as in **ambicioso** is equivalent to *-ous* in English and indicates an adjective. Knowing these and other cues and their corresponding parts of speech will help you comprehend and write correctly. (See Word Building in the Appendix.)

9. *Learn to differentiate the many types of pronouns in Spanish, and always try to identify the noun or nouns that are referred to in the context of what you hear or read.* This will help you to use pronouns correctly. (See Chapter 15.)

10. *Remember that you can't translate word to word from English to Spanish.* Note differences in syntax (word order) and tenses. For example, expressions such as "I have been living in Costa Rica for three months" become "***Hace tres meses que vivo en Costa Rica.***" Both the tense and word order are different. Keep a list of these expressions in your notebook.

11. *Ask for help.* Try to seek and be open to corrections and feedback on grammar and syntax from your teacher, peers or native speakers. A positive attitude to accepting correction will encourage others to help you.

12. *Work at developing an internal monitor.* Review in your mind what you say and write trying to incorporate the many rules and guidelines you've learned, and self-correct when you note an error. Although this may seem overwhelming at first, as you develop more experience with the language you will begin to monitor yourself automatically. Others will appreciate your efforts to express yourself correctly, since this shows your respect for the Spanish language and for the people who speak it.

1.6. BUILDING VOCABULARY

Building vocabulary is essential to achieving proficiency in the four basic language skills of listening, speaking, reading, and writing. At the advanced level students need to use a broad range of vocabulary.

The following strategies are recommended to language learners.

1. *Establish goals and objectives for vocabulary learning.* Identify both long-and-short term goals, and organize your learning to achieve both. Do you need to learn specific vocabulary for a job or travel? Are you preparing to speak or write on given topics for your class? To prepare for the AP Spanish Language and Culture Examination, you need to build vocabulary related to the six themes: Global Challenges, Science and Technology, Families and Communities, Contemporary Life, Personal and Public Identities and Beauty and Aesthetics. The activities in this book provide contexts and activities to build vocabulary for these aforementioned themes. Determine your needs and develop a plan.

2. *As you learn new vocabulary related to particular contexts, keep a record by topic in a journal, on flashcards, or on your computer.* You might also classify words into subgroups such as verbs, nouns, adverbs, and so on. To help clarify the meaning, you might want to include the original phrase or sentence where you encountered the new word in your notes.

3. *Always look for cognates.* There are many words in Spanish and English that sound similar because they are derivations of a word in Latin, for example, Spanish **amor** and English *amorous*. Generally, if you think you can relate a Spanish word to its English cognate, you will be correct. There are however, false cognates that you must look out for, like **actualmente**, which means *currently*, not *actually*.

4. *Use memory strategies to retain new vocabulary.* In order to remember new vocabulary you must relate it to previous knowledge and apply it to meaningful situations.

   a. Try creating a semantic map or other diagrams grouping new words with other words that you know, and with which you can associate them in some personally meaningful way.

   b. Use rhyme, rhythm, and/or songs to help you remember words or groups of words. While your teacher may know some, you can also create your own with any group of words. The rhyme, rhythm, and music will help you remember new words.

   c. Use acronyms, that is, words formed from the initial letters of other words to remember new vocabulary.

   d. Visualize new words or groups of words in a personally meaningful context or location. For example, if you are learning house vocabulary, label different rooms and objects in Spanish with self-adhesive notes, or draw a picture of your room (on paper or in your mind) and then label all the furniture. Connect a familiar visual image with a sound similar to the new word, for example, visualize a mirror to remember ***mirar***.

   e. Repetition of new words will help you retain them in memory. Write and/or say new words in a comprehensible context or with their meanings several times for a few minutes a day, and repeat this process for a few days until you retain the new vocabulary in memory.

   f. Physically contact or act out new vocabulary. Acting out words and phrases in a real context will help reinforce their meaning. You might play "Simon Says" or "Charades" using Spanish words and expressions that you are learning. Demonstrate following a recipe or following directions. Make a shopping list in Spanish and try to find all the items in the supermarket. Order from a Spanish menu and enjoy the food. Dress up in clothing vocabulary that you are trying to learn. Organize a scavenger hunt to find new vocabulary items.

5. *Learn to recognize related words with the same root by identifying particular endings which indicate parts of speech.* For example, you know that regular verbs end in *-ar*, *-er*, or *-ir*. You know that the verb ***diseñar***—a cognate—means "to design," therefore you can surmise that the noun ***el diseño*** means "the design" and ***el diseñador*** or ***la diseñadora*** means "the designer." The endings reveal the part of speech and the root reveals the related meaning. (See Word Building in the Appendix.)

6. *Always try to guess the meaning of new words from the context.* However, if you come across a key word and add it to your personal vocabulary journal or lists, try to use it as soon as you can in a meaningful context.

7. *Try looking up words in a Spanish to Spanish dictionary.* Record Spanish definitions of new vocabulary to build your comprehension.

8. *Search continuously for opportunities to build vocabulary.* Vocabulary building in Spanish should be an ongoing and active process. Read, watch TV and films, listen to radio and online broadcasts and programs on both familiar and unfamiliar topics. Continue to challenge your level of comprehension building on what you know and

seeking clarification of what you don't know from your teachers and the materials available to you. Use SPANISH FOUR YEARS as a resource to answer your questions and to provide practice activities.

1.7. BUILDING CROSS-CULTURAL SKILLS

As you learn a new language you also learn the cultural conventions and the valued knowledge of the people who speak it. You will realize that different civilizations have developed different ways of meeting common needs. The following strategies are suggested to help students become aware of similarities and differences between the target culture and their own.

1. *Immerse yourself in authentic materials and experiences from the target culture.* These should include magazines, newspapers, radio, television and online broadcasts, films, literature, art, and music. If possible attend live theater, dance presentations, and concerts from the target culture. If you sing, dance, or play an instrument, practice pieces or dance steps from Spain or Spanish America. Experience the richness and variety of Spanish culture first hand.

2. *Compare the topics presented in the media and the way they are approached in your country and in the different Spanish-speaking countries.* You could compare headlines and articles on the same international topic or event that appear in media broadcasts or editorials, in Madrid, Caracas, Bogotá, Mexico City, Miami, Havana, and New York. For example, compare articles or obituaries written after the death of Hugo Chávez of Venezuela. How are the perspectives different or similar? What might be some reasons for these differences or similarities?

3. *Communicate with native-speakers personally or online.* Discuss and compare daily customs and routines, activities, interests, and concerns. Examine differences and similarities.

4. *Note cultural differences and similarities in the literature that you read.* Note the historical and political context and social positions of the characters in relation to it. What universal characteristics do they embody? How are their actions and/or reactions different from characters in American life and literature?

5. *Realize that similar events can have totally different meanings in different cultures, so be careful not to judge.* For example, in the U.S. we might not enter a restaurant that has napkins thrown all over the floor, whereas in Spain napkins on the floor are a common sight in a restaurant serving **tapas**. As you may know, after eating their **tapas** customers are expected to drop their napkins on the floor, which is routinely swept at the end of the evening.

6. *Be aware that the same Spanish words have different meanings and connotations in different Spanish-speaking countries.* For example, a **tortilla** in Mexico is made from corn meal, but the **tortilla** in Spain is an omelet. Note the reciprocal influences between Spain and Spanish America.

7. *As you listen to the different types of Spanish music, note the rhythms and the instruments.* Which sounds are uniquely Spanish or Latin and which sounds show influences from other countries or cultures? What are the themes of the songs? Are they universal or unique?

8. *Pay close attention to the rules and customs of formality and informality as they exist in Spanish-speaking countries, and realize that what is acceptable in the U.S. may be considered rudeness in another country.*

9. *Learn to identify body language, gestures and note distance between speakers as you observe native speakers or videos and films from Spanish America or Spain. Note similarities and differences.*

10. *Learn to respect and value diversity.* As you learn more about different cultures you will understand and appreciate the richness that comes with differences, and you will better understand your home culture.

11. *Use the cultural readings in SPANISH FOUR YEARS as a resource and as a basis for further research.* (See the timeline in the Appendix of this book for chronological references.)

REFERENCES

Caine, R.N., and G. Caine. (1991) *Making Connections: Teaching and the Human Brain.* Alexandria, VA: Association for Supervision and Curriculum Development.

Hyerle, David. (1996) *Visual Tools for Constructing Knowledge.* Alexandria, VA: Association for Supervision and Curriculum Development.

Oxford, Rebecca L. (1990) *Language Learning Strategies, What Every Teacher Should Know.* Boston, MA: Heinle & Heinle.

Reid, Joy M. (1995) *Learning Styles in the ESL/EFL Classroom.* Boston, MA: Heinle & Heinle.

Rubin, Joan and Thompson, Irene. (1994) *How to Be a More Successful Language Learner.* Boston, MA: Heinle & Heinle.

PART TWO

VERBS

2

Hoy en día:
Triunfos y problemas actuales
The Present Tense

2.1. USES OF THE PRESENT TENSE

Present tense verb forms are used to express the following communicative functions in the present:

1. Describing or introducing people or events.
   Quiero presentarle a mi amigo Carlos. *Tiene* los ojos azules y el pelo negro.

2. Narrating or informing about events taking place.
   Carlos y Elena *asisten* a la fiesta.

3. Reporting about habitual actions.
   ***Camino* a la escuela todos los días.**

4. Informing about events that will take place in the near future.
   Te *llamo* mañana.

5. Expressing or questioning current attitudes, feelings, or opinions.
   No me *gusta* la violencia en las programas de televisión. ¿Qué *piensa* Ud.?

6. Retelling a historical event or telling a story in the historical present.
   Cenicienta, además de cocinar, *limpia* los pisos y las escaleras de la casa.

7. Expressing a past idea or action that continues in the present.
   ***Hace* tres años que *vivo* aquí.**

PRUEBA PRELIMINAR

Para comprobar su dominio del tiempo presente, lea el siguiente artículo y luego escriba en el presente las formas de los verbos que completen correctamente esta lectura.

Áreas con mayor diversidad de especies necesitan más protección

(Tema curricular: Los desafíos mundiales)

VOCABULARIO

albergar harbor, accommodate	**involucrar** to involve
el conjunto the group, whole	**los mamíferos** mammals
las cimas the summits, tops	**las metas** the aims, the goals
encarar to face	**retrasar to delay,** slow down
la franja the strip, fringe	**la superficie** the surface

Los Andes norteños, el istmo centroamericano y las islas del Caribe _____ entre las regiones con mayor biodiversidad en el planeta que no
1. (contarse)

siempre _____ con parques nacionales y otras áreas que _____
2. (coincidir)   *3. (necesitar)*

protección, según un artículo que _____ hoy la revista *Science*.
4. (publicar)

Investigadores en el Reino Unido y en Estados Unidos analizaron si podrán cumplirse hacia 2020 los compromisos internacionales para dar protección a una sexta parte de la superficie terrestre del planeta y de conservar seis décimos de las especies vegetales dentro de estas áreas protegidas.

Mediante modelos por computadora identificaron el conjunto más pequeño de regiones que podría contener el mayor número de especies de plantas y descubrieron que alrededor de siete décimas de todas las plantas del mundo _____ solamente
5. (existir)

en un sexto del globo y que menos de una sexta parte del área _____
6. (estar)

actualmente protegida.

La porción del planeta que los investigadores identificaron como particularmente ricas en especies _____ alrededor de tres cuartos de todas las especies de
7. (incluir)

plantas del planeta, así como la mayoría de las especies de aves, mamíferos y anfibios.

Está formada por varias islas tropicales y subtropicales, así como los Andes del norte, el Caribe, América Central y partes de África y Asia.

«El mundo ha protegido un pedazo sustancial de tierra, lo cual _____ 8. (ser) bueno.» Señaló Stuart Pimm de la Universidad de Duke en Durham, Carolina del Norte,…«Y la mejor noticia, sin duda, es que estas áreas, protegidas _____: sus fronteras _____ a permanecer intactas y 9. (funcionar) 10. (tender) _____ la pérdida de biodiversidad.» 11. (retrasar)

El problema que _____ los científicos es que la protección de algunos 12. (encarar) ecosistemas es más difícil que la de otros.

«Es fácil proteger el hielo y la arena —las altas cimas de montañas y desiertos remotos— pero necesitamos proteger más áreas en los lugares donde _____ 13. (concentrarse) las especies vegetales», continuó.

El artículo _____ mapas en los que _____ que todo 14. (incluir) 15. (mostrarse) México, América Central y el Caribe, una ancha franja en el este de Brasil y otra que _____ desde las Guayanas e incluye a Venezuela, Colombia y todos los 16. (ir) Andes, _____ entre las regiones con más diversidad de especies de aves… 17. (contarse)

En términos generales las áreas de tierra actualmente protegidas _____ menos de un séptimo de la superficie y eso está próximo a la meta 18. (cubrir) de la convención, apuntaron los autores.

Pero de menos de una quinta parte del planeta que _____ más 19. (contener) de la mitad de todas las especies de plantas en el mundo, sólo una séptima parte _____ protección… 20. (tener)

«Necesitamos volcar nuestra atención a estas áreas importantes definidas ahora cuantitativamente y necesitamos proteger islas e involucrar a gente indígena alrededor del mundo…» concluyó.

(http://www.informador.com.mx/tecnologia/2013/483719/6/areas-con-mayor-diversidad-de-especies-necesitan-mas-proteccion.htm)

Preguntas

1. ¿Cuál es el problema que identifican los investigadores?
2. ¿Qué recomienda Stuart Pimm?

2.2. REGULAR VERBS

The present tense of regular verbs is formed by dropping the *-ar*, *-er*, or *-ir* endings of the infinitive and adding the corresponding endings. Subject pronouns are generally omitted in Spanish, unless they are not implied.

HABLAR	COMER	ESCRIBIR
hablo	como	escribo
hablas	comes	escribes
habla	come	escribe
hablamos	comemos	escribimos
habláis	coméis	escribís
hablan	comen	escriben

2.3. VERBS IRREGULAR IN THE PRESENT INDICATIVE

Irregularities are found in the stems of many of the most common verbs in the present tense. This makes sense when you consider that words used most often have historically evolved the most.

The following verbs are grouped by their common irregularities.

1. Verbs irregular only in the first person, *yo* form of the present indicative:

caber	*quepo*	hacer	*hago*	salir	*salgo*
caer	*caigo*	poner	*pongo*	traer	*traigo*
dar	*doy*	saber	*sé*	valer	*valgo*

2. Verbs irregular in all forms of the present indicative except *nosotros* and *vosotros*.

ESTAR	DECIR	OÍR	TENER	VENIR
estoy	*digo*	*oigo*	*tengo*	*vengo*
estás	*dices*	*oyes*	*tienes*	*vienes*
está	*dice*	*oye*	*tiene*	*viene*
estamos	decimos	oímos	tenemos	venimos
estáis	decís	oís	tenéis	venís
están	dicen	oyen	tienen	vienen

3. Verbs irregular in all forms of the present indicative:

HABER	IR	SER
he	*voy*	*soy*
has	*vas*	*eres*
ha	*va*	*es*
hemos	*vamos*	*somos*
habéis	*vais*	*sois*
han	*van*	*son*

NOTE: **Haber** is a helping verb used in compound tenses. **Hay** is the impersonal form of **haber**. It means *there is* or *there are*.

2.4. STEM-CHANGING VERBS IN THE PRESENT TENSE

In the present tense, some verbs change their stem from *e* to *ie* or from *o* to *ue*. These changes take place in all forms of the present except **nosotros** and **vosotros**. Note the following examples:

1. *e* to *ie* verbs

CERRAR	ENTENDER	PREFERIR
c*ie*rro	ent*ie*ndo	pref*ie*ro
c*ie*rras	ent*ie*ndes	pref*ie*res
c*ie*rra	ent*ie*nde	pref*ie*re
cerramos	entendemos	preferimos
cerráis	entendéis	preferís
c*ie*rran	ent*ie*nden	pref*ie*ren

Common *e* to *ie* stem-changing verbs:

-AR

apretar	confesar	negar
atravesar	despertar(se)	pensar
calentar	empezar	temblar
comenzar	gobernar	tropezar

-ER

defender	perder	querer

-IR

diferir	mentir	sentir(se)
herir	referir	sugerir

2. **o** to **ue** verbs.

CONTAR	VOLVER	DORMIR
c**ue**nto	v**ue**lvo	d**ue**rmo
c**ue**ntas	v**ue**lves	d**ue**rmes
c**ue**nta	v**ue**lve	d**ue**rme
contamos	volvemos	dormimos
contáis	volvéis	dormís
c**ue**ntan	v**ue**lven	d**ue**rmen

Common **o** to **ue** stem-changing verbs:

-AR

acordar(se)	encontrar	probar
acostar(se)	mostrar	recordar

-ER

soler	morder	poder
devolver	mover	

-IR

morir

NOTE: The verb **jugar** changes from **u** to **ue** in all forms of the present tense except **nosotros** and **vosotros**.

j**ue**go	jugamos
j**ue**gas	jugáis
j**ue**ga	j**ue**gan

3. **e** to **i** stem-changing verbs

This change occurs only in **-ir** verbs.

PEDIR	
p**i**do	pedimos
p**i**des	pedís
p**i**de	p**i**den

Common **-ir** verbs that change stem from **e** to **i:**

conseguir	perseguir	seguir
despedir(se)	reír	servir
elegir	reñir	sonreír
impedir	repetir	vestir(se)
medir		

2.5. CONSONANT-CHANGING VERBS

The following verbs change only in the *yo* form of the present indicative. The change occurs before the *-o* ending.

Ending	Change	Infinitive	*yo* Form
-ger	**g** to **j**	escoger coger proteger recoger	esco*j*o co*j*o prote*j*o reco*j*o
-gir	**g** to **j**	afligir corregir dirigir elegir exigir fingir	afli*j*o corri*j*o diri*j*o eli*j*o exi*j*o fin*j*o
Ending	Change	Infinitive	*yo* Form
-guir	**gu** to **g**	distinguir conseguir extinguir perseguir seguir	distin*g*o consi*g*o extin*g*o persi*g*o si*g*o
vowel + **cer**	**c** to **zc**	conocer aparecer carecer merecer obedecer ofrecer padecer parecer permanecer pertenecer	cono*zc*o apare*zc*o care*zc*o mere*zc*o obede*zc*o ofre*zc*o pade*zc*o pare*zc*o permane*zc*o pertene*zc*o

NOTE: *Cocer* becomes *cuezo, cueces, cuece, cocemos, cocéis, cuecen.*

Ending	Change	Infinitive	*yo* Form
consonant + **cer**	**c** to **z**	vencer convencer ejercer torcer	ven*z*o conven*z*o ejer*z*o tor*z*o
vowel + **cir**	**c** to **zc**	traducir conducir producir	tradu*zc*o condu*zc*o produ*zc*o

2.6. *-UIR, -UAR,* AND *-IAR* VERBS

1. Verbs that end in *-uir* add a *y* in all forms of the present indicative except the *nosotros* and *vosotros*.

HUIR	
hu*y*o	huimos
hu*y*es	huís
hu*y*e	hu*y*en

Common *-uir* verbs:

concluir	distribuir	influir
construir	destruir	sustituir
contribuir	incluir	

2. Verbs ending in *-uar* (except for those ending in *-guar*) have a written accent on the *u* in all forms of the present tense except *nosotros* and *vosotros*. The accent is needed to stress the vowel.

CONTINUAR	
contin*ú*o	continuamos
contin*ú*as	continu*á*is
contin*ú*a	contin*ú*an

NOTE: Other *-uar* verbs are: *acentuar* and *graduarse*.

3. Some verbs ending in *-iar* have a written accent on the *i* in all forms of the present indicative except *nosotros* and *vosotros*. The accent is needed to stress the vowel.

ENVIAR	
env*í*o	enviamos
env*í*as	env*í*as
env*í*a	env*í*an

NOTE: Other verbs like *enviar* are: *fiar(se), confiar,* and *guiar.*

E J E R C I C I O S

Lea el siguiente artículo sobre una escuela innovadora. Busque y escriba la forma del tiempo presente que corresponda con el infinitivo en la lista. Luego, conteste las preguntas al respecto.

El aula inteligente

(Tema curricular: La ciencia y la tecnología)

VOCABULARIO

afianzar to ensure	**el foro** forum
avalado endorsed	**el perfil** profile
el enlace connection, link	**potenciar** to give power, strength to
fomentar, promover to foster, promote	**rentabilizar** to profit

---

¡Tú eres el protagonista!

El *Aula Inteligente* es una comunidad de aprendizaje cuyo objetivo principal es el desarrollo de la inteligencia y de los valores de los alumnos, que planifican, realizan y regulan su propio trabajo, bajo la mediación de los profesores, con métodos didácticos diversificados, y tareas auténticas, evaluadas por alumnos y profesores, en un espacio multiuso abierto y tecnológicamente equipado según los principios de la calidad y la mejora continua.

La Educación Secundaria Obligatoria se desarrolla entre los 12 y los 16 años. Su finalidad es conocer los elementos básicos de la cultura, especialmente en los aspectos científico, tecnológico y humanístico, afianzar los hábitos de estudio y de trabajo para el aprendizaje autónomo y el desarrollo de las capacidades personales, y formar a los estudiantes para que asuman responsablemente sus derechos y obligaciones.

En la Educación Secundaria Obligatoria se desarrolla plenamente el Sistema Educativo SEK-Aula Inteligente, fruto de la más avanzada investigación didáctica y avalado por los mejores expertos nacionales e internacionales.

Los conceptos fundamentales que se trabajan son:

- Aprendizaje holístico: todos los conocimientos están interrelacionados y el currículo debe favorecer el desarrollo integral del alumno.
- **Conciencia intercultural:** las comunidades escolares deben fomentar y promover la mentalidad internacional mediante el conocimiento y el estudio de otras culturas.
- **Comunicación:** se debe fomentar la comunicación abierta y eficaz, importante habilidad quecontribuye al entendimiento internacional.
- Estos tres conceptos se basan en los atributos que se describen en el perfil de la comunidad deaprendizaje, que ofrece una visión a largo plazo de la educación: «el conjunto de objetivos deaprendizaje para el siglo XXI».

En el aula inteligente los recursos tecnológicos encuentran su hábitat natural y adquieren sentido de herramienta de trabajo.

El uso sistemático del ordenador potencia la interactividad y fomenta el aprendizaje activo y en equipo. La consulta, en red, de materiales propios de nuestro Sistema Educativo, de unidades de trabajo y de autoevaluaciones hace operativo el uso del ordenador en el aula. Su capacidad para archivar datos, y como fuente de investigación y consulta, permite a los alumnos no tener que concentrarse en tareas de memorización y poder adoptar un papel más activo con procesos mentales de mayor calidad, rentabilizando el uso de lo aprendido y transfiriéndolo a otras áreas de conocimiento.

(http://www.sek.es/index.php?section=conocenos/sistema-educativo/educacion-secund-aria)

A. Localice en el artículo previo las formas del tiempo presente de los siguientes verbos y escríbalas en el espacio indicado.

1. ser _____

2. planificar _____

3. realizar _____

4. regular _____

5. desarrollarse _____

6. encontrar _____

7. adquirir _____

8. potenciar _____

9. fomentar _____

10. hacer _____

11. permitir _____

12. deber _____

13. contribuir _____

14. basarse _____

15. describir _____

16. ofrecer _____

Preguntas

1. ¿Se parece esta escuela a la suya o es muy diferente? Explique.
2. ¿Cómo prepara para el futuro esta escuela a sus estudiantes?
3. ¿Cuál es su opinión sobre este método de enseñanza?

B. Unos alumnos de un colegio español le escriben por correo electrónico para aprender más de su colegio y su vida diaria. Responda a las preguntas.

EJEMPLO: Nosotros llegamos a la escuela a las ocho. ¿Y tú?
Llego a la escuela a las siete y media.

1. Tenemos diez asignaturas este semestre. ¿Y tú?

_____

2. Preferimos las matemáticas y la literatura. ¿Y tú?

_____

3. Almorzamos entre la una y las tres. ¿Y tú?

_____

4. Volvemos a la escuela a las tres. ¿Y tú?

_____

5. Jugamos al fútbol o al baloncesto después de las clases. ¿Y tú?

_____

6. Hacemos dos horas de tarea todos los días. ¿Y tú?

_____

7. Vamos a fiestas y a clubes los fines de semana. ¿Y tú?

_____

8. Solemos escuchar música rock. ¿Y tú?

_____

9. Asistimos a conciertos de grupos populares. ¿Y tú?

_____

10. Conducimos motos. ¿Y tú?

_____

11. Nos acostamos a las once y media los días de la semana. ¿Y tú?

_____

12. En nuestra escuela conseguimos el bachillerato internacional. ¿Y tú?

_____

C. Quieres saber más de la vida de estos alumnos y les envías preguntas usando los siguientes verbos en el presente.

EJEMPLO: (despertarse) ¿A qué hora se despiertan los fines de semana?

1. (divertirse) _____

2. (ir de compras) _____

3. (vestirse)   _____

4. (reunirse)   _____

5. (graduarse)   _____

T R A B A J O   C O O P E R A T I V O

A. Los dos siguientes fragmentos de artículos presentan varios puntos de vista sobre los libros y las computadoras. Formen grupos cooperativos de cuatro alumnos para leer y discutir los artículos. Usen el tiempo presente del indicativo lo más posible.

- En cada grupo, el líder organiza el trabajo y ayuda a los otros.
- Una pareja del grupo lee «Libros electrónicos o impresos: ¿cuáles predominan en la actualidad?».
- Otra pareja del grupo lee «Destacan valor del libro impreso sobre el digital».
- Cada pareja escribe su opinión acerca de la lectura y se la presenta al grupo.
- El grupo prepara una encuesta para investigar: (a) cómo y por cuánto tiempo al día sus compañeros de clase usan los ordenadores para conseguir información o divertirse y (b) cómo y por cuánto tiempo al día usan libros, revistas y otros medios tradicionales.
- El grupo prepara una gráfica que compara los resultados y se la presenta a la clase. Presenten también sus conclusiones al respecto.

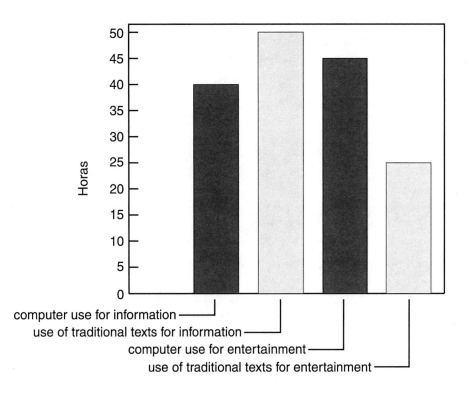

Fragmento 1

Libros electrónicos o impresos ¿cuáles predominan en la actualidad?

(Tema curricular: La vida contemporánea)

VOCABULARIO

acceder accede, consent	**inigualable** unequal
ajeno foreign, unfamiliar	**el lanzamiento** launch
la derrota defeat	**el olfato** smell
descargar unload, discharge	**el peluche** stuffed toy
despejar to clear (up)	**perjudicial** harmful
dispositivo device	**el pliego** fold, crease
endeble feble, flimsy	**el tacto** touch
las entrañas entrails	**la telaraña** spiderweb

Ernie es un joven de 28 años, que a pesar de reconocer las ventajas de un libro impreso, prefiere su versión digital, porque considera que no sólo es más cómodo llevar un Kindle; evitando así el peso de un libro o de varios, en caso de tener que consultar más de uno, sino que además el costo que tienen actualmente los digitales a diferencia de los impresos, es de hasta un 40% menos. Incluso, en muchos casos son gratuitos.

Asimismo, él considera que la tecnología ha evolucionado mucho con el tiempo, pues las incomodidades que tenía un dispositivo electrónico, como lo es la luz que molesta tanto para leer ha sido superada, creando dispositivos exclusivos para el acto de leer.

Y esta tendencia que va cada vez más en aumento, se ve ejemplificada por el hecho que desde hace cuatro años, con el lanzamiento de Amazon del dispositivo electrónico *Kindle* —desde noviembre del 2007— la venta de libros digitales ha superado a los impresos, que la empresa vende desde hace 15 años, y que para el 2011 ya vendían un millón de unidades semanalmente.

Pero, ¿los libros electrónicos llegarán a sustituir a los libros impresos?

Algunos consideran que sí también por razones ecológicas, pues estamos en un tiempo donde el uso del papel se está volviendo un lujo perjudicial.

No obstante, los libros digitales aún no logran igualar algunos beneficios de los impresos, por ejemplo, los que disfrutan de subrayar, hacer anotaciones en los márgenes; aún estas herramientas no están desarrolladas en los libros electrónicos. A pesar de que la mayoría de ellos permiten subrayar una sección, aún no integran la tecnología necesaria para que se pueda manipularlos como lo haría con un ejemplar físico.

Según un estudio reciente de Sandra Amodt, coautora del libro *Bienvenido a tu cerebro*, la lectura en los e-books (libros electrónicos) es más lenta: aquellos que leen en un iPad lo hacen a un ritmo 6,2%, los que usan el Kindle lo hacen un 10,7% y en la pantalla de una PC, la lectura llega a ser hasta en un 20% a 30% más lenta.

A lo anterior se agrega que se requiere llevar a cabo una fuerte inversión económica, por parte del comprador para adquirir el lector, además de requerir conexión a Internet para obtener nuevos libros.

Por otra parte, no se tiene la posibilidad de prestarlos, compartirlos o donarlos a una biblioteca y, de forma inevitable, las versiones se volverán obsoletas, conforme avance la tecnología, como ocurrió con los disquetes. Con la amenaza de la obsolescencia programada de los aparatos electrónicos en el Mundo —desde una bombilla hasta una impresora—, el libro pasaría a ser cosa endeble, de corta duración, en comparación con el impreso que dura décadas y hasta más de un siglo.

Con respecto a este punto, parece que los libros de papel, le siguen ganando la partida al tiempo, pues aún hoy conservamos ediciones de más de dos mil años de antigüedad.

Sin embargo, entre los principales beneficios del formato digital, se encuentra la posibilidad de acceder a sitios especializados, que permitan descargar de forma gratuita y rápida muchos libros y documentos digitales, los cuales se pueden leer en nuestros ordenadores, imprimir o incluso cargar a dispositivos electrónicos.

Otro argumento es mucho más subjetivo y difícil de sostener frente a quienes no lo comparten: el placer que provoca el libro al tacto, el olfato y la vista es inigualable, así lo manifiestan muchos lectores de la vieja guardia e incluso jóvenes que prefieren el libro de papel.

(http://www.culturacr.net/12/05/Formatos_digitales_se_vislumbran_como_una_buena_opcion_para_ autores_costarricenses.html#.VP29NvzF-L2)

Fragmento 2

Destacan valor del libro impreso por sobre el digital

(Tema curricular: La vida contemporánea)

El periodista Arcadi Espada subrayó durante el Simposio sobre Libro Electrónico que esa sentimentalidad respecto al objeto es fundamental al momento de abordar la relación entre libro e e-book.

Al dictar esta tarde la conferencia magistral «La lectura, la escritura, la electricidad», el escritor y periodista Arcadi Espada (Barcelona, España, 1957) habló de los muchos lirismos relacionados con el peso, el tacto, el color y, en algunos casos, hasta el sabor, de los libros impresos.

Su ponencia marcó la clausura del Tercer Simposio Internacional sobre Libro Electrónico que inició el pasado día 10 en el Museo Nacional de Antropología e Historia, aunque mañana, viernes 13, todavía se realizarán dos talleres en ese marco, uno en el Museo de Arte Rufino Tamayo y otro en la sede del Conaculta. Ricardo Cayuela, director de Publicaciones del Consejo Nacional para la Cultura y las Artes (Conaculta), presentó a Espada al señalar que el invento de Gutenberg trajo al mundo libertad de expresión, ejercicio que practica el conferencista y periodista experto en la transición del papel a lo electrónico.

Espada despejó telarañas melancólicas. Para ello, mostró un ejemplar impreso, un libro que tiene una característica por encima de cualquier otra cosa: «Es un objeto que no se parece en nada a los 200 titulillos que tengo en mi biblioteca digital en un dispositivo móvil, dijo comparando el libro con su aparato»

«¿Qué diferencia hay entre el objeto concreto que es este libro impreso y el objeto que es este dispositivo que contiene libros? El fundamental, que registra las huellas del tiempo. Tiene pliego donde detuve alguna vez la lectura y la memoria, es decir, es un objeto que he conservado», explicó el periodista.

Luego comparó esa transición del libro con la metamorfosis de los discos de acetato y a la música en medios electrónicos. Por lo tanto, dijo, «antes de entrar en un bosque de melancolía hay que ver que el libro impreso, a diferencia del digital, es un objeto que no cambia con el tiempo; la tecnología, sí evoluciona» .

El autor de libros sobre el tema acotó que los hombres tienen relaciones muy especiales con los objetos. «Los niños no se conforman con los dibujos animados en la televisión, Ipad u otros dispositivos, por eso, también quieren tener el peluche del osito; los libros impresos son los peluches de los adultos».

Subrayó que esa sentimentalidad respecto al objeto es fundamental al momento de abordar la relación entre libro y e-book.

«Esta singularidad que se atribuye al objeto ha sobrevivido a la par que la historia del hombre en un proceso de decadencia que no es ajeno a la vida misma y por lo mismo, a su singularidad».

Pensando en esos términos, la melancolía sobre el objeto es comprensible, subrayó, para añadir que en términos económicos, el hecho de que estemos pasando de una economía de la propiedad a una economía de consumo es evidente cuando nos enfrentamos al paso del libro en papel a lo electrónico.

¿Qué consecuencias tiene todo ésto para la cultura?, se preguntó y él mismo respondió. «Hay dos tipos de melancolía, una, la que reacciona ante la pérdida con una cierta elegancia de derrota, y quienes están en esto seguirán abrazando a su peluche», dijo ante la atención absoluta de cientos de asistentes al foro.

Y la otra, completó la idea, «es la de quienes se manifestaron en su momento de igual manera contra el ferrocarril o el telégrafo, y en los tiempos modernos contra el e-book, porque piensan que esos inventos conllevan eventos que tienen en sus entrañas el fin del mundo, es una melancolía apocalíptica»...

(Notimex| El Universal; Edicion Digital. MÉXICO: Jueves 12 de septiembre de 2013)

B. Formen grupos de cuatro o cinco personas para preparar una encuesta y discutir sobre la natación con delfines. Hagan las preguntas y las presentaciones en el tiempo presente del indicativo. Primero, dividan el trabajo entre los miembros del grupo.

- El líder del grupo organiza el trabajo y ayuda a sus compañeros.
- Todos leen las dos opiniones sobre el tema.
- Un miembro investiga las leyes para la protección de los animales y se las presenta al grupo. Otro miembro investiga el comportamiento de los delfines y escribe una descripción que comparte con el grupo.
- Cada miembro del grupo contribuye una pregunta para una encuesta con relación a la natación con delfines.
- Un miembro del grupo les distribuye la encuesta a sus compañeros de clase y luego recoge las respuestas. Otro miembro distribuye la encuesta en el Internet y recoge las respuestas.
- El grupo presenta los resultados de su encuesta y organiza una discusión en la clase. Luego, redacta un folleto informativo en español sobre la natación con delfines y se lo envía a la Sociedad Humana Internacional.

Opinión 1

Nadar con delfines

(Tema curricular: Los desafíos mundiales)

Las fotos lo dicen todo: chicos o grandes, con una sonrisa de oreja a oreja, abrazados con entusiasmo a un delfín más grande que ellos que también parece sonreír alegremente. Es uno de los recuerdos más populares de una de las actividades más promocionadas en varios destinos del Caribe, desde Jamaica o Barbados hasta las costas mexicanas: el nado con delfines cuidadosamente entrenados, una experiencia única de acercamiento a estos mamíferos marinos que muchos recuerdan como el mejor momento de su viaje.

Antes de intentar la experiencia, sin embargo, hay que tener en cuenta varias cosas. En primer lugar, que no hay total consenso sobre la inocuidad de nadar con delfines: muchas voces defensoras de los animales cuestionan desde los métodos de entrenamiento hasta la existencia misma de delfinarios donde se mantiene a los ejemplares en cautiverio; otros recuerdan que, como todo animal, también los delfines pueden tener reacciones inesperadas, un detalle no menor si se recuerdan el tamaño y el peso de estos mamíferos. Del otro lado, quienes valoran el aspecto positivo de la experiencia, aseguran que el nado se puede realizar con animales nacidos en cautiverio que no soportarían la vida salvaje, y que las personas confrontadas a la interacción con los delfines ganan en conciencia conservacionista, promoviendo incluso su uso terapéutico a través de la "delfinoterapia". Mientras tanto, las propuestas turísticas florecen y convocan de múltiples maneras a los viajeros en busca de un momento único.

(Graciela Cutuli. Nadar con delfines. Página 12; domingo, 24 de julio de 2011)

Opinión 2

Bañarse con delfines en cautividad

(Tema curricular: Los desafíos mundiales)

Las razones en contra del confinamiento de estos cetáceos son irrefutables... y consecuentemente, cualquier propuesta a favor de su cautiverio debería ser rechazada basándose principalmente en el bienestar del animal.

Los riesgos de estas interacciones tanto para los humanos como para los animales incluyen: el riesgo de agresión a personas —sobretodo cuando alcanzan la madurez sexual, el riesgo de dañar la delicada piel de los animales con joyas o irritarla con sustancias químicas de cosméticos, etc. y el alto riesgo de transmisión de enfermedades del humano al delfín y viceversa. Los delfines son animales de gran envergadura, fuertes y perfectamente adaptados a la vida en el vasto océano. Si se les limita a un espacio cerrado y se les somete a interacciones forzadas, pueden desarrollar un comportamiento violento con graves consecuencias. Existen numerosos casos de agresividad hacia los visitantes con amenazas, mordeduras y golpes.

Los delfines pueden verse obligados a interaccionar con los humanos sin ningún descanso alguno; y muchos delfines son capturados de su hábitat natural y transportados durante miles de kilómetros para sufrir posteriormente los efectos de su confinamiento.

(Nadar con delfines, http://turismo-responsable.com/s20)

MASTERY ASSESSMENTS

A. Lea el siguiente artículo y complete las frases con los verbos en el tiempo presente.

El turbio negocio del tráfico de animales

(Tema curricular: Los desafíos mundiales)

> **VOCABULARIO**
>
> **agarrar** to seize   **la selva** jungle
>
> **amordazar** to muzzle   **la soga** rope, cord
>
> **cazar** to hunt   **el vestigio** sign, vestige
>
> **la proa** bow, prow

En el puerto amazónico colombiano de Leticia, Juan, un indio «ticuna» oriundo de la

zona, y su conductor ___carga___ su canoa motorizada bajo los últimos ves-
  1. (cargar)

tigios de la luz del atardecer. Con sólo una lámpara de halógeno y unas cuantas sogas,

___parten___ nosotros en busca de caimanes, un pequeño cocodrilo tropical
  2. (partir)

nativo de América Central y del Sur, y particularmente de la región del alto Amazo-

nas. Una vez alejados del puerto, el motor ___se acelera___ a toda velocidad. Juan...
  3. (acelerarse)

___está___ parado en la proa...
  4. (estar)

Después de casi tres horas de viaje, (nosotros) ___reducimos___ la velocidad del
  5. (reducir)

motor y ___podemos___ escucharse la cacofonía nocturna de la selva...
  6. (poder)

(Nosotros) ___encendemos___ la lámpara, y su luz ___baila___ sobre
  7. (encender)   8. (bailar)

la costa en busca del rojo brillo del ojo de un caimán. En la distancia (nosotros)

___divisamos___ lo que ___parecemos___ la colilla encendida de un cigarrillo...
  9. (divisar)   10. (parecer)

La luz en sus ojos ___vuelve___ al caimán inmóvil e indefenso. Generalmente,
  11. (volver)

eso es lo último que ___ve___; la especie, como muchas otras de la región, ha
  12. (ver)

sido cazada casi hasta la extinción. Este animal, sin embargo, ___es___ uno
13. (ser)

de los pocos afortunados. Juan y sus colegas ___forman___ parte de un singular
14. (formar)

proyecto de conservación.

Al alcanzar nuestra presa, Juan ___mete___ su mano en el agua y ...
15. (meter)

___agarra___ al animal por el cuello y la cola y lo ___coloca___ en la
16. (agarrar)   17. (colocar)

canoa. Con un rápido movimiento lo ___ata___ y ___amordaza___, son-
18. (atar)   19. (amordazar)

riendo todo el tiempo. ___Determina___ el sexo, ___enciende___ el motor y la
20. (determinar)   21. (encender)

___continúa___ búsqueda de más ejemplares.
22. (continuar)

(*«El turbio negocio del tráfico de animales»; Américas, septiembre/octubre de 1996.*)

Preguntas

1. ¿Cómo coge Juan los caimanes?

   Juan coge los caimanes con la luz

   _____

2. ¿Para qué atrapa Juan los caimanes?

   Juan atrapa los caimanes en un canoa
   motorizada.

B. ¿Qué hacemos para proteger el medio ambiente y la biodiversidad? Prepare preguntas y respuestas en el tiempo presente para su amigo por correspondencia.

EJEMPLO: (Llevar) **¿Llevas** siempre una bolsa para la basura en tu coche?

   a. Sí, **llevo** siempre una bolsa para la basura en mi coche.
   b. Mis amigos (**no**) **llevan** siempre una bolsa para la basura en su coche.

1. (Respetar) ¿_Respietas_ siempre la flora y la fauna?

   a. Yo _Respieto siempre la flora y la fauna._ .

   b. Mis amigos _Respietan siempre la flora y la fauna_ .

2. (Evitar) ¿_Evitas_ empaques excesivos?

   a. Yo _Evito empaques excesivo_ .

   b. Mis amigos _Evitan empaques excesivos_ .

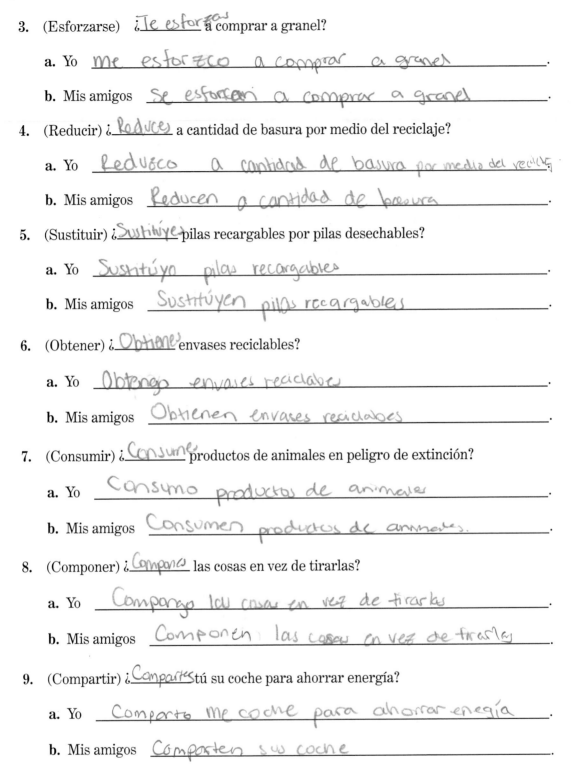

3. (Esforzarse) ¿Te esfor__zas__ a comprar a granel?

    a. Yo _me esforzco a comprar a granel_ .

    b. Mis amigos _se esforzan a comprar a granel_ .

4. (Reducir) ¿_Reduces_ a cantidad de basura por medio del reciclaje?

    a. Yo _Reduzco a cantidad de basura por medio del reciclaje_ .

    b. Mis amigos _Reducen a cantidad de basura_ .

5. (Sustituir) ¿_Sustituye_ pilas recargables por pilas desechables?

    a. Yo _Sustitúyo pilas recargables_ .

    b. Mis amigos _Sustitúyen pilas recargables_ .

6. (Obtener) ¿_Obtiene_ envases reciclables?

    a. Yo _Obtengo envases reciclabes_ .

    b. Mis amigos _Obtienen envases reciclabes_ .

7. (Consumir) ¿_Consume_ productos de animales en peligro de extinción?

    a. Yo _Consumo productos de animales_ .

    b. Mis amigos _Consumen productos de animales._ .

8. (Componer) ¿_Compone_ las cosas en vez de tirarlas?

    a. Yo _Compongo las cosas en vez de tirarlas_ .

    b. Mis amigos _Componen las cosas en vez de tirarlas_ .

9. (Compartir) ¿_Compartes_ tú su coche para ahorrar energía?

    a. Yo _Comparto me coche para ahorrar enegía_ .

    b. Mis amigos _Comparten sus coche_ .

10. (Proteger) ¿_Protege_ los recursos naturales por no malgastarlos?

   a. Yo _Protege los recursos naturales por no malgastarlos_

   b. Mis amigos _Protegen los recursos naturales_.

11. (Conocer) ¿_Conoce_ las reglas de reciclaje y conservación de su vecindario?

   a. Yo _Conozco las reglas de reciclaje y conversación de mi vecindario_

   b. Mis amigos _Conocen las reglas de reciclaje y conservación de mi vecindario_

12. (Contribuir) ¿_Contribuyes_ a organizaciones como Greenpeace?

   a. Yo _Contribuyo a organizaciones como Greenpeace._

   b. Mis amigos _Contribuyen a organizaciones como Greenpeace_

A U T H E N T I C   A S S E S S M E N T S

1. Ud. tiene que escribir un artículo para una publicación de su escuela. El artículo discutirá un invento o avance tecnológico reciente que haya afectado a muchas personas. En su artículo describa la invención o avance tecnológico, su historia, su uso hoy y su potencial para el futuro.

2. Escoja un problema corriente en su escuela o en su comunidad. Cree un informe especial para las noticias diarias en la televisión. Investigue en la biblioteca, en el Internet y conduzca una encuesta en su escuela. Organice la información y sus sugerencias en un video y preséntaselo a la clase.

3

Historia y vida:
Relatos heróicos y cotidianos
The Preterit Tense

3.1. USES OF THE PRETERIT TENSE

The preterit tense is used to express the following communicative functions:

1. Describing an action or event begun at a specific time in the past.
   Empezó a estudiar a las seis.

2. Describing an action or event completed at a specific time in the past.
   El examen *duró* tres horas.

3. Narrating about successive actions or events —fictional or real— within a definite time in the past.
   Se levantó a las siete, *se vistió, desayunó* y *salió* para el trabajo.

4. Providing or obtaining information about events that took place during a specific time in the past.
   ¿A qué hora *llegó* Elena?

NOTE: The English meaning of the following verbs changes in the preterit:

conocer	Pedro lo *conoce.*	*Peter* knows *him.*
	Pedro lo *conoció* anoche.	*Pedro* met *him last night.*
saber	¿ *Sabes* a qué hora llegan?	*Do you* know *at what time they're arriving?*
	¿ *Supiste* a qué hora llegaron?	*Did you* find out *at what time they arrived?*

Notice the uses of the preterit tense as you complete the pre-test that follows, and check your answers as you review the formation of this past tense in the ensuing chapter.

PRUEBA PRELIMINAR

Lea el siguiente artículo y escriba la forma apropiada de los verbos en el pretérito.

Las cosas de Picasso

(Tema curricular: Las identidades personales y públicas)

Cuando _____ la ocupación nazi de Francia, el pintor Pablo Picasso
        1. (ocurrir)

_____ quedarse en París y, aunque los oficiales alemanes a veces registra-
    2. (decidir)

ban su estudio y lo molestaban de vez en cuando, no le _____ nada grave.
                                                                3. (ocurrir)

Una anécdota cuenta que un día un general de la GESTAPO _____ en su
                                                                4. (presentarse)

estudio y _____ a observar detenidamente las obras del Maestro.
            5. (comenzar)

De pronto _____ delante de un boceto del cuadro «Guernica» —el
            6. (pararse)

que Picasso pintara para mostrar las atrocidades cometidas por los Nazis en la Guerra

Civil Española— y le _____ señalando el dibujo del cuadro: «Usted
                        7. (preguntar)

_____ esto?» A lo que Picasso le _____ sin parpadear: «No,
    8. (hacer)   *9. (responder)*

yo no... ¡ustedes!» Aun así, Picasso era un hombre de suerte... y su fama de pintor de

vanguardia era muy respetada... y ... _____ la ocupación sin problema
                                        10. (sobrevivir)

alguno...

(«Las cosas de Picasso», adaptado de *Vanidades de México*, Año 36, no. 20, p.34.)

3.2. REGULAR VERBS IN THE PRETERIT TENSE

The preterit tense of regular verbs is formed by dropping the infinitive ending (*-ar, -er,* or *-ir*) of and adding the appropriate endings. Note that regular *-er* and *-ir* verbs have the same endings in the preterit.

HABLAR		COMER		ESCRIBIR	
hablé	hablamos	comí	comimos	escribí	escribimos
hablaste	hablasteis	comiste	comisteis	escribiste	escribisteis
habló	hablaron	comió	comieron	escribió	escribieron

3.3. VERBS IRREGULAR IN THE PRETERIT TENSE

Verbs irregular in the preterit may be grouped by their common irregularities to facilitate learning and review. For the following groups of verbs 1 through 5, the irregular endings are the same. They are:

-e   -imos

-iste   -isteis

-o   -ieron (-jeron if the stem ends in **j**)

1. Verbs with **-u-** in the preterit stem:

PONER		SABER		CABER	
p*u*se	p*u*simos	s*u*pe	s*u*pimos	c*u*pe	c*u*pimos
p*u*siste	p*u*sisteis	s*u*piste	s*u*pisteis	c*u*piste	c*u*pisteis
p*u*so	p*u*sieron	s*u*po	s*u*pieron	c*u*po	c*u*pieron

PONER		HABER*	
p*u*de	p*u*dimos	h*u*be	h*u*bimos
p*u*diste	p*u*disteis	h*u*biste	h*u*bisteis
p*u*do	p*u*dieron	h*u*bo	h*u*bieron

*Used as a helping verb in compound tenses.

2. Verbs with **-i-** in the preterit stem:

DECIR		VENIR		QUERER	
d*i*je	d*i*jimos	v*i*ne	v*i*nimos	qu*i*se	qu*i*simos
d*i*jiste	d*i*jisteis	v*i*niste	v*i*nisteis	qu*i*siste	qu*i*sisteis
d*i*jo	d*i*jeron	v*i*no	v*i*nieron	qu*i*so	qu*i*sieron

HACER		SATISFACER	
h*i*ce	h*i*cimos	satisf*i*ce	satisf*i*cimos
h*i*ciste	h*i*cisteis	satisf*i*ciste	satisf*i*cisteis
h*i*zo*	h*i*cieron	satisf*i*zo*	satisf*i*cieron

*The **c** becomes **z** before **o** to maintain the original sound of the verb.

3. Verbs with **-uv-** in the preterit stem:

ESTAR		TENER		ANDAR	
est*uv*e	est*uv*imos	t*uv*e	t*uv*imos	and*uv*e	and*uv*imos
est*uv*iste	est*uv*isteis	t*uv*iste	t*uv*isteis	and*uv*iste	and*uv*isteis
est*uv*o	est*uv*ieron	t*uv*o	t*uv*ieron	and*uv*o	and*uv*ieron

4. Verbs with **-j-** in the preterit stem (including **-ducir** verbs):

DECIR		TRAER	
di*j*e	di*j*imos	tra*j*e	tra*j*imos
di*j*iste	di*j*isteis	tra*j*iste	tra*j*isteis
di*j*o	di*j*eron	tra*j*o	tra*j*eron

TRADUCIR		PRODUCIR	
traduje	tradujimos	produje	produjimos
tradujiste	tradujisteis	produjiste	produjisteis
tradujo	tradujeron	produjo	produjeron

5. *Ser* and *ir* are identical in the preterit.

SER, IR	
fui	fuimos
fuiste	fuisteis
fue	fueron

6. *Dar* and *ver* have the same endings in the preterit.

DAR		VER	
di	*dimos*	*vi*	*vimos*
diste	*disteis*	*viste*	*visteis*
dio	*dieron*	*vio*	*vieron*

3.4. VERBS WITH SPELLING CHANGES IN THE PRETERIT TENSE

1. The following verbs change only in the *yo* form of the preterit. All other forms are regular.

ENDING	INFINITIVE	CHANGE	*yo* FORM	COMMON VERBS	
-car	buscar	c to qu	bus*qu*é	abarcar acercar aparcar	arrancar roncar sacar
-gar	pagar	g to gu	pa*gu*é	ahogar apagar colgar juzgar	llegar pegar rogar
-zar	empezar	z to c	empe*c*é	abrazar almorzar aterrizar comenzar	cruzar rebozar rezar
-guar	averiguar	u to ü	averi*gü*é	aguar apaciguar atestiguar	averiguar menguar santiguarse

2. *Oír, creer*, and verbs that end in *-eer* change their ending to *-yó* (for *Ud., él,* and *ella*) and *-yeron* (for *Uds., ellos,* and *ellas*). An accent is added to the *i* of the *tú*, *nosotros*, and *vosotros* endings.

OÍR		CREER	
oí	oímos	creí	creímos
oíste	oísteis	creíste	creísteis
oyó	oyeron	creyó	creyeron

LEER		POSEER	
leí	leímos	poseí	poseímos
leíste	leísteis	poseíste	poseísteis
leyó	leyeron	poseyó	poseyeron

NOTE: 1. Verbs ending in **-uir** follow the same pattern. However, only **yo, Ud., él**, and **ella** have accents.

CONSTRUIR	
construí	construimos
construiste	construisteis
construyó	construyeron

2. Other verbs in this group are: **atribuir, concluir, distribuir, huir,** and **incluir**.

3. Verbs that end in **-ñer, -ñir,** and **-ullir** drop the i of the preterit endings for **Ud., él, ella** and **Uds., ellos,** and **ellas**.

GRUÑIR		BULLIR		ATAÑER	
gruñí	gruñimos	bullí	bullimos	—	—
gruñiste	gruñisteis	bulliste	bullisteis	—	—
gruñó	gruñeron	bulló	bulleron	atañó	atañeron

NOTE: 1. Other verbs in this group are: **teñir, reñir,** and **zambullir**.

2. **Atañer** is used only in the **Ud., él, ella** and **Uds., ellos, ellas** forms.

3.5. STEM CHANGES IN THE PRETERIT TENSE

Only **-ir** verbs are stem changing in the preterit tense.

1. Verbs whose stems change from **e** to **ie** or **e** to **i** in the present tense change their stems from **e** to **i** in the preterit. This change occurs in the **Ud., él, ella** and **Uds., ellos, ellas** forms.

PREFERIR	
preferí	preferimos
preferiste	preferisteis
prefirió	prefirieron

Other verbs like *preferir* are: *servir, sentir, medir, pedir, seguir, mentir, convertir,* and *consentir.*

NOTE: 1. *Reír* follows the same changes, but the *i* in the stem of *Ud., él, ella* and *Uds., ellos,* and *ellas* is dropped.

reí	**reímos**
reíste	**reísteis**
rió	**rieron**

2. Other verbs like *reír* are *sonreír* and *freír.*

2. Verbs whose stems change from *o* to *ue* in the present tense change their stems from *o* to *u* in the preterit. This change occurs in the *Ud., él, ella* and *Uds., ellos, ellas* forms.

DORMIR		MORIR	
dormí	**dormimos**	**morí**	**morimos**
dormiste	**dormisteis**	**moriste**	**moristeis**
durmió	**durmieron**	**murió**	**murieron**

E J E R C I C I O S

A. Lea el siguiente artículo sobre el astronauta Franklin Chang Díaz y anote los verbos en el pretérito.

Alcanzando las estrellas

(Tema curricular: Las identidades personales y públicas)

> **VOCABULARIO**
> **el cohete**   rocket
> **la nave espacial**   spaceship
> **el paracaídas**   parachute

Cuando tenía 5 años, Chang Díaz construyó su propia nave espacial usando una silla de la cocina y una caja de cartón.

A los 15 años, el ingenioso joven diseñó un cohete mecánico y lo disparó hacia el cielo con un pobre ratoncito amarrado a la cabina delantera. «Parecía que había subido muchísimo, llegando a la estratosfera, pero seguramente no llegó a más de 100 pies.»

(No se preocupen, el ratón regresó a la tierra sano y salvo gracias a un paracaídas.) Hoy día, los cohetes y el espacio no son juegos de niños para este astronauta de la NASA. Chang Díaz... es el astronauta hispanoamericano más destacado de la NASA... En 1986, Chang Díaz se convirtió en el primer hispanoamericano en viajar en el transbordador espacial y ahora está trabajando en el proyecto más importante de su vida: el motor de una nave espacial que llevará personas a Marte. «El espacio siempre me fascinó», recuerda. «Fue mi sueño».

Luchar por sus sueños es parte de la tradición familiar de Chang Díaz. A principios del siglo XX, su abuelo paterno, José Chang, emigró de la China en busca de una vida mejor en Costa Rica. Su abuelo materno, Roberto Díaz, vivió en los Estados Unidos durante 20 años trabajando con la marina mercante, antes de regresar a su país natal, Costa Rica. «Mi familia es una familia de inmigrantes», dice Franklin, cuyo nombre de pila fue inspirado por el presidente estadounidense Franklin Delano Roosevelt... «Mi abuelo siempre me dijo que si quería lograr mis sueños tenía que ir a los Estados Unidos.»

... Franklin se crió junto a sus cinco hermanos en una modesta casa colonial. A los 18 años, viajó a los Estados Unidos con solo $50 en el bolsillo y, como muchos latinos fue a parar en casa de un primo lejano.., en Hartford, Connecticut...

Franklin se matriculó en una escuela pública de Hartford para aprender inglés. Tan buenas fueron sus notas ... que se ganó una beca de un año para empezar sus estudios en la Universidad de Connecticut. «Eso fue lo único que necesité», dice. «De allí, mi carrera se encaminó».

Aunque Franklin tiene una gran colección de trofeos y títulos, su orgullo es la Medalla de la Libertad que le fue otorgada por el ex presidente Ronald Reagan en 1986. «Esa es la más importante», dice, «porque reconoce las contribuciones de un inmigrante».

(«Alcanzando las estrellas», *People en español*; otoño de 1996.)

Complete la lista de verbos, escribiendo en el pretérito las formas que corresponden al infinitivo.

EJEMPLO: (hablar)   **hablé**

1. (construir) _____

2. (diseñar) _____

3. (disparar) _____

4. (llegar) _____

5. (regresar) _____

6. (convertirse) _____

7. (construir) _____

8. (construir) _____

9. (construir) _____

10. (vivir) _____

11. (decir) _____

12. (criarse) _____

13. (viajar) _____

14. (ir) _____

15. (matricularse) _____

16. (ganarse) _____

17. (necesitar) _____

18. (encaminarse) _____

B. Los libertadores que lograron la emancipación de América cambiaron el curso de la historia y definieron las metas de las nuevas repúblicas. Lea los siguientes fragmentos autobiográficos de tres libertadores. Completen las frases con la forma correcta de los verbos en el pretérito e identifique el personaje descrito en cada fragmento.

(Tema curricular: Las identidades personales y públicas)

Fragmento 1

Yo ___nací___ el 24 de julio de 1783 en Caracas. Mis padres
1. (nacer)

___fallecieron___ cuando era niño. A la edad de 15 ___viajó___ a España,
2. (fallecer)   3. (viajar)

donde ___se educó___ en idiomas extranjeros y matemáticas y ___practicó___
4. (educarse)   5. (practicar)

esgrima y equitación. ___Se casó___ con María Teresa del Toro Alayza y desafor-
6. (Casarse)

tunadamente ___enviudó___ en 1803. ___Realicé___ un segundo viaje a
7. (enviudar)   8. (Realizar)

Europa que ___duró___ casi cuatro años. ___Pasé___ por los Estados
9. (durar)   10. (Pasar)

Unidos, donde ___conseguí___ una visión moderna del mundo y ___empecé___
11. (conseguir)   12. (empezar)

la lucha por la libertad de mi patria. ___Conspiré___ con otros revolucionarios y ellos
13. (Conspirar)

me ___encargaron___ de varias misiones militares. La declaración de Independencia
14. (encargar)

___se adoptó___ el 5 de julio de 1811. Yo ___redacté___ el manifiesto de Cart-
15. (adoptarse)   16. (redactar)

agena, que ___unió___ Venezuela y Nueva Granada en una gran república.
17. (unir)

___Organicé___ expediciones militares y en 1813 se me ___otorgó___ el título
18. (Organizar)   19. (otorgar)

de «Libertador».

En 1819 ___realicé___ mi mayor logro militar. ___Pasé___ por los
20. (realizar)   21. (Pasar)

Andes y mis fuerzas ___derrotaron___ a las tropas españolas. El 24 de junio
22. (derrotar)

___liberé___ a Venezuela en la importante batalla de Carabobo. También
23. (liberar)

___obtení___ victorias en Quito y en Perú en la batalla de Junín.
24. (obtener)

Fragmento 2

Yo ___nacé___ en Corrientes, una provincia de Argentina. ___Me educó___
1. (nacer)   2. (educarse)

en España y a los 11 años ___ingresé___ en el ejército, donde ___me quedé___
3. (ingresar)   4. (quedarse)

por más de 20 años. ___Me destacé___ en las guerras contra la invasión napoleónica y
5. (Destacarse)

Llegué al grado de teniente coronel. _Regresé_ a Buenos Aires
6. (llegar)   7. (Regresar)

para unirme con los revolucionarios y _me enlisté_ en el ejército patriótico.
8. (enlistarse)

Organicé el regimiento de granaderos a caballo y con ellos _obtuvieron_ mi
9. (Organizar)   10. (obtener)

primera victoria contra los españoles. Como comandante del Ejército del Norte

Conducé mis tropas a través de los Andes con el objetivo de liberar a Chile.
11. (conducir)

Empecé la campaña en enero de 1817, y con la ayuda de las fuerzas patrióti-
12. (Empezar)

cas mis tropas _Obtuvieron_ victoria sobre los españoles el 12 de febrero de 1817
13. (obtener)

en Chacabuco, Chile. Después de más victorias en Chile _me embarcé_ con mis
14. (embarcarse)

tropas, _llegamos_ al puerto del Callao y _atacamos_ Lima. El 10 de
15. (llegar)   16. (atacar)

julio de 1821 _invadimos_ la capital y _proclamamos_ la independencia del
17. (invadir)   18. (proclamar)

Perú.

Yo _hace_ planes para una campaña con Simón Bolívar y se lo
19. (hacer)

entregó el mando de mis tropas. Luego _volvé_ a Buenos Aires
20. (entregar)   21. (volver)

donde se me _do_ muchos honores. Desde allí _partí_ para
22. (dar)   23. (partir)

París. Aunque _quera_ retornar a la capital de Argentina en 1829 no
24. (querer)

podí a causa del estado del gobierno.
25. (poder)

Fragmento 3

Yo _____ en 1792, en un hogar humilde de Tegucigalpa.
1. (nacer)

_____ en la política y a una edad joven _____ a ser se-
2. (Interesarse)   3. (llegar)

cretario general del gobierno de Honduras y presidente del Consejo de Estado. Durante

la guerra civil de 1827–1828 _____ al frente de las tropas hondureñas y
4. (estar)

nicaragüenses y _____ victorias en Trinidad, Nicaragua y El Salvador.
5. (obtener)

_____ la capital guatemalteca en 1829. Se me _____
6. (Ocupar)   7. (elegir)

presidente del gobierno federal centroamericano en 1830. En 1839 el federalismo

_____ debido a las divisiones de los países centroamericanos y las ambiciones
    8. (declinar)

de varios caudillos. _____ contra Honduras y Nicaragua pero las fuerzas
        9. (Combatir)

separatistas _____ a las federalistas. En 1842 _____a Costa
      10. (vencer)   *11. (regresar)*

Rica para combatir al dictador Braulio Carrillo y _____ la victoria.
                                  12. (conseguir)

¿Quién soy yo?

¿Quiénes alcanzaron metas importantes que cambiaron la historia del siglo XX? Escoja e investigue a un personaje destacado del siglo XX. Represente a ese personaje y escriba una descripción breve de lo que hizo, usando el pretérito cuando sea necesario. Comparta su descripción en clase para ver si sus compañeros pueden adivinar quién es.

TRABAJO COOPERATIVO

A. Formen grupos cooperativos de cuatro alumnos para hacer investigaciones sobre la vida de algunos hispanohablantes célebres y presentar entrevistas a la clase.

- El líder del grupo organiza el trabajo y ayuda a los demás.
- Después de formar parejas, cada pareja escoge a una persona de la lista o a otro hispanohablante famoso y lo investiga en la biblioteca y en el Internet. Luego, escriben la biografía, usando el pretérito cuando sea necesario.
- Cada pareja escribe preguntas en el pretérito acerca de la vida de la persona investigada por las otras parejas.
- El grupo prepara las entrevistas para presentárselas a la clase.
- Dos hacen el papel de las personas a quienes investigaron, y dos hacen el papel de entrevistadores conocidos, por ejemplo, Cristina o Geraldo Rivera.

Hispanohablantes célebres

Antonio Banderas	Enrique Iglesias	José Carreras
Gloria Estefan	Gabriel García Márquez	Mercedes Sosa
Mariano Rivera	Isabel Allende	Rafael Nadal
Edward James Olmos	Shakira	Placido Domingo

B. Formen un grupo de tres o cuatro alumnos, compartan y escriban historias de sus experiencias raras o cómicas y envíeselas por correo electrónico a un colegio español.

- El líder del grupo organiza el trabajo y ayuda a los demás.
- Todos leen las dos historias que siguen y discuten experiencias divertidas o raras e incidentes que les dieron vergüenza.

- Todos escriben una experiencia personal usando el pretérito cuando convenga y la comparte con el grupo.
- Cada miembro lee las historias de los demás y corrige, de ser necesario.
- El grupo le envía sus historias por correo electrónico a un colegio español.
- El grupo les pide a los estudiantes españoles que reaccionen a sus historias y les pide también historias de ellos.
- Al recibir las historias de sus colegas españoles, el grupo las analiza comparando aspectos culturales.

¡Qué violencia!

(Tema curricular: Las identidades personales y públicas)

> **VOCABULARIO**
> **¡Qué violencia!**   What an embarrassment! (slang)

1. Una tarde, mientras caminaba en el parque, un chico guapísimo pasó y me dijo «hola». Yo lo saludé pero la goma de mascar se me salió de la boca, y aterrizó en su zapato. Él estalló en risas mientras yo deseaba que la tierra me tragara. Nunca lo vi más.

2. El peor ridículo que me pasó fue cuando un día me puse en fila en la cafetería de mi escuela. Enfrente de mí estaba el chico más guapo. Se volvió y dijo: —Hola, preciosa.— Yo le sonreí y le respondí: —¿qué tal?— Luego, él dijo: —No tú, sino Carla. —Le estaba hablando a la chica que estaba detrás de mí. Yo quería desaparecer de la pena.

MASTERY ASSESSMENTS

A. Lea el siguiente artículo y complete las frases con los verbos en el pretérito.

Andrea Bocelli

(Tema curricular: Las identidades personales y públicas)

> **VOCABULARIO**
>
> **ahondar**   to go deep
> **canalizar**   to channel
> **degenerativa**   degenerative
> **enamorar**   to win the heart of
> **inédito**   new, unknown
>
> **licenciarse**   to graduate
> **padecimiento**   illness
> **renunciar**   to renounce, give up
> **ubicado**   located

Andrea Bocelli _____nació_____ en Lajatico, ubicado en la Toscana, la bella región
1. (nacer)

de Italia, en 1958. Se dice que _____comenzó_____ a cantar desde niño y que siempre
2. (comenzar)

_____amó_____ la música, y la ópera en particular. Pero Bocelli admite que a pesar
3. (amar)

de su pasión, jamás _____imaginó_____ que sería cantante profesional.
4. (imaginar)

A los doce años, Bocelli _____quedó_____ ciego. Dicen que debido a un accidente
5. (quedar)

de fútbol; también que _____fue_____ por una enfermedad degenerativa de la
6. (ser)

niñez. Él prefiere no ahondar en el tema, aunque una vez _____aclaró_____ que sí
7. (aclarar)

_____se golpeó_____ la cabeza en un partido, pero eso lo único que _____hago_____
8. (golpearse)   9. (hacer)

_____fue_____ acelerar una padecimiento físico del que ya sabía, pues tenía glau-
10. (ser)

coma. Un enamorado de la ópera, Bocelli era fanático de los tenores italianos como Del

Mónaco, Gigli y, especialmente, Franco Corelli. Pero su condición lo _____llevó_____
11. (llevar)

a renunciar a la posibilidad de cantar ópera. _____Se licenció_____ de abogado en la uni-
12. (Licenciarse)

versidad de Pisa y, para ca nalizar de su amor por la música, _____Se dedicó_____ a cantar
13. (dedicarse)

en piano-bares las melodías de estrellas como Sinatra, Aznavour y Piaf.

Pero afortunadamente, Bocelli _____fue_____ «descubierto» por uno de los
14. (ser)

ídolos de su adolescencia: Franco Corelli, que se había retirado y se dedicaba a dar clases

de canto. Admirado por el talento de Bocelli, lo _____tomó_____ de alumno; y desde
15. (tomar)

entonces su vida _____dio_____ un giro de 180 grados. En 1993, cantando _Nessun_
16. (dar)

Dorma en una fiesta privada, su voz _____enamoró_____ a la ejecutiva de una firma dis-
17. (enamorar)

cográfica, que le _____proponió_____ grabar un tema inédito: _Il Mare Calmo Della Sera_.
18. (proponer)

El resto, como se dice comúnmente, es historia. Pero _____fue_____ en 1996,
19. (ser)

con el lanzamiento internacional de _Romanza_ —que _____vendó_____ más de 12 mi-
20. (vender)

llones de copias, y _____recibió_____ el premio «Golden Globe» y nominaciones para el
21. (recibir)

el Grammy— que _____nació_____ el fenómeno Bocelli.
22. (nacer)

Pregunta

¿Cómo llegó Andrea Bocelli a ser el cantante que es hoy día? ¿Qué obstáculos tuvo que superar?

_____

_____

_____

_____

B.   Lea el siguiente artículo sobre el famoso pelotero Adolfo Luque y conteste la pregunta.

Luque

(Tema curricular: Las identidades personales y públicas)

> **VOCABULARIO**
> **la blanqueada**   shutout
> **la destreza**   skill
> **el promedio de carreras limpias**   earned-run average (ERA)

Los primeros latinos que _llevaron_ a formar parte del equipo Todos Estre-
1. (llevar)

llas _fueron_ el lanzador Adolfo Luque y el receptor Miguel Angel González.
2. (ser)

Adolfo Luque _fue_ el jugador de béisbol cubano más sobresaliente antes
3. (ser)

de la llegada de Orestes «Minie» Miñoso. Luque _lanzó_ para los Rojos
4. (lanzar)

de Cincinnati en los tiempos en los que este equipo era uno de los mejores de la Liga

Nacional. Sus destrezas como lanzador _contribuyó_ enormemente al éxito del
5. (contribuir)

equipo en su lucha por ganar el campeonato.

Luque _llegó_ a las Grandes Ligas en 1914 con los Bravos de Boston
6. (llegar)

y _jugó_ en ellas durante 20 años, tiempo en el que se incluye la mejor
7. (jugar)

temporada de su carrera, que _tuvo_ lugar en el año 1923 con los Rojos,
8. (tener)

cuando _logró_ un récord de 27-8. También _lanzó_ blanquea-
9. (lograr)   10. (lanzar)

das, _fue_ el lanzador de más edad en ganar un juego de la Serie Mundial.
11. (ser)

En 1933 _se puso_ a lanzar para los Gigantes de Nueva York, a la tierna edad
12. (ponerse)

de 43 años.

Adolfo Domingo de Guzmán Luque... _nació_ en la Habana, Cuba, el 4
13. (nacer)

de agosto de 1890 y _murió_ el 3 de julio de 1957. De los 20 años que
14. (morir)

lanzó en Grandes Ligas, 12 _hació_ para el equipo de Cin-
15. (lanzar)   16. (hacer)

cinnati. _ganó_ 193 juegos y _perdió_ 179 con un promedio de
17. (ganar)   18. (perder)

carreras limpias de 3.24. El único pelotero latino con más victorias que él es el miem-

bro del Salón de la Fama, Juan Marichal, con un total de 243.

(«Luque», *Latino Baseball Magazine*; vol. VI, 1996, pp. 71–73.)

Pregunta

¿Cómo se destacó Luque como jugador de béisbol?

_____

_____

_____

A U T H E N T I C   A S S E S S M E N T S

1. Imagínese ser un dramaturgo. Escoja un acontecimiento importante de la historia de España o Hispanoamérica e investíguelo, usando libros de historia y/o el Internet. Escriba una conversación imaginaria entre gente de esa época. En su conversación, demuestre cómo los personajes fueron afectados por la historia. Presente la conversación con la ayuda de miembros de su clase que puedan hacer los papeles de los personajes.

2. Haga el papel de un personaje histórico importante de España o Hispanoamérica. Investigue su vida y su época. Escriba su biografía en sus propias palabras.

4

Perspectivas: Reflexiones personales y globales

The Imperfect Tense

4.1. USES OF THE IMPERFECT TENSE

The imperfect tense is used to express the following communicative functions:

1. Expressing an ongoing action in the past.
    Elena y Felipe *caminaban* por el parque por la tarde.

2. Describing a customary or habitual action in the past.
    Elena *visitaba* a su abuela todos los domingos.

3. Describing people, places, objects, time, the environment, and weather in the past.
    El sol *brillaba*, y María *era* más bella que nunca.
    ***Eran* las seis de la noche, y *hacía* mal tiempo.**
    Las montañas *parecían* blancas en la distancia.

4. Describing mental processes or continuous states of mind in the past.
    Elena *creía* que *sabíamos* la verdad.
    El padre *se preocupaba* del futuro de sus niños.

5. Describing future action planned in the past
    Me dijo que *iba* a visitarme el martes.

    Note the uses of the imperfect tense in the pre-test that follows, and check your answers as you review the formation of this tense in this chapter.

PRUEBA PRELIMINAR

Primero, lea el siguiente artículo sobre la Guerra Civil de España (1936), escrito desde una perspectiva actual. Entonces, complete la lectura con las formas de los verbos en el imperfecto, y conteste la pregunta.

18 de julio: El Día de la Ira

(Tema curricular: Las identidades personales y públicas)

VOCABULARIO

el arrojo boldness	**sublevarse** to rise in revolt, rebel
la conjura conspiracy	**el suministro** supply
nefasto ill-fated	**trama golpista** the scheme of the coup d'état
la retaguardia rear guard	

En la tarde del viernes, 17 de julio de 1936, llegó a Madrid la noticia de que se habían

sublevado las tropas de la Comandancia Militar de Melilla y en la madrugada del 18 ya

era claro que las tropas del Protectorado de Marruecos, cerca de
  1. (ser)

60,000 hombres, se habían pronunciado contra el Gobierno de la República.

El día 18 de julio fue caótico. El Gobierno de Casares Quiroga, que durante meses

se había resistido a creer en la gravedad de la conjura contra la República, trató de

asegurar la fidelidad de las diversas guarniciones. Paralelamente, los conspiradores

luchaban por inclinar la balanza de su lado: en Pamplona, el general Mola,
  2. (luchar)

alma de la trama golpista, _ponía_ en marcha el primer gran núcleo com-
  3. (poner)

batiente del bando sublevado: las guarniciones de Navarra, Zaragoza, Alava y Burgos,

más los voluntarios carlistas y falangistas.

Todo lo demás fue fruto del arrojo de unos pocos o de la casualidad...

El día 19 comenzó a decantarse la situación. Casares Quiroga, había dimitido,

dando paso a un Gabinete presidido por Martínez Barrios, con la misión de negociar el

fin de la sedición. No lo logró. Al atardecer se _luchaba_ en media España...
  4. (luchar)

El día 20 pareció claro que el pronunciamiento había fracasado: las zonas más

pobladas, industriales y ricas _estaban_ en manos del gobierno, que
  5. (estar)

conservaba además la flota y gran parte de la aviación, lo que impediría
  6. (conservar)

a los sublevados utilizar las mejores tropas y armas que ___hacían___ en

7. (haber)

España... Más aún, el hombre destinado a dirigir los rebeldes, el general Sanjurjo,

___mooría___ ese mismo día al despegar su avión de un aeropuerto próximo a

8. (morir)

Lisboa. Lo que entonces ___comenzaba___ ___ser___ la guerra civil, que

9. (comenzar) 10. (ser)

ensangrentaría España durante los siguientes 33 meses...

Agosto fue un mes desastroso para la República. Los sublevados ___se apodá___

11. (apoderarse)

de toda Extremadura y ___avanzaba___ rápidamente hacia Toledo, cuyo Alcázar

12. (avanzar)

se había convertidoen el primer objetivo bélico del Gobierno. Simultáneamente, las

fuerzas de Mola ___tomaban___ Irún y ___aislaban___ el País Vasco y, de

13. (tomar) 14. (aislar)

hecho, todo el Norte republicano...

Militarmente, la República ___quedaba___ a la defensiva. Políticamente,

15. (quedar)

___se consumía___ en divisiones internas. Internacionalmente, Francia ___se negaba___ a

16. (consumirse) 17. (negarse)

proporcionar los importantes suministros de armas que Madrid ___solicitaba___;

18. (solicitar)

más aún, el Gobierno del Frente Popular francés ___tomaba___ la nefasta inicia-

19. (tomar)

tiva de organizar un Comité De No Intervención, que afectaría sólo al Gobierno, legal-

mente constituido, porque tanto Hitler como Mussolini habían resuelto ayudar a Franco.

Y mientras se ___combatía___ con suma dureza en los frentes, en las retaguardias

20. (combatir)

la mitad de los españoles ___perseguía___ a la otra mitad en razón de su ideología,

21. (perseguir)

religión, profesión o fortuna.

Los inmensos odios acumulados durante la República encontraron vía libre en

aquella pobre España que en julio de 1936 marchó cantando hacia la muerte.

(David Solar, «18 de julio: el Día dela Ira», *Cambio 16*; 22 de julio de 1996, pp. 44–46.)

Pregunta
¿Cómo afectaba la trama golpista a la República?

4.2. REGULAR VERBS

The imperfect tense of regular verbs is formed by dropping the infinitive endings (*-ar*, *-er*, or *-ir*) and adding the endings that correspond to the subject.

HABLAR		RESPONDER	
habl*aba*	habl*ábamos*	respond*ía*	respond*íamos*
habl*abas*	habl*abais*	respond*ías*	respond*íais*
habl*aba*	habl*aban*	respond*ía*	respond*ían*

ESCRIBIR	
escrib*ía*	escrib*íamos*
escrib*ías*	escrib*íais*
escrib*ía*	escrib*ían*

NOTE: 1. *-Er* and *-ir* verbs share the same endings.

2. The *yo, él, ella*, and *Ud.* forms are the same in the imperfect.

4.3. VERBS IRREGULAR IN THE IMPERFECT

There are only three irregular verbs in the imperfect: *ser, ver*, and *ir*.

SER		VER		IR	
era	éramos	veía	veíamos	iba	íbamos
eras	erais	veías	veíais	ibas	ibais
era	eran	veía	veían	iba	iban

E J E R C I C I O S

A. Lea el fragmento del siguiente artículo del escritor Gabriel García Márquez, ganador del premio Nobel de Literatura en 1982. En este artículo, García Márquez describe su primer oficio y su preocupación por la calidad del periodismo. Complete las frases con la forma apropiada de los verbos en el imperfecto, y conteste las preguntas.

El mejor oficio del mundo

(Tema curricular: Las identidades personales y públicas)

VOCABULARIO	
la convocatoria notice	**la redacción** editing
el equívoco ambiguity, misunderstanding	**el taller de imprenta** print shop
la fábrica factory, plant	

Hace unos cincuenta años no _____ de moda escuelas de periodismo. Se
       1. (estar)

_____ en las salas de redacción, en los talleres de imprenta, en el cafetín
 2. (aprender)

de enfrente, en las parrandas de los viernes. Todo el periódico _____ una
       3. (ser)

fábrica que _____ e _____ sin equívocos, y _____ que
  4. (formar)   *5.* (informar)   *6.* (generar)

opinión dentro de un ambiente de participación que _____ la moral en su
       7. (mantener)

puesto. Pues, (nosotros) los periodistas _____ siempre juntos, _____ la
     8. (andar)   *9.* (hacer)

vida común y _____ tan fanáticos del oficio que no _____ de
    10. (ser)   *11.* (hablar)

nada distinto que del oficio mismo. El trabajo _____ consigo una amistad
       12. (llevar)

de grupo que inclusive _____ poco margen para la vida privada. No
       13. (dejar)

_____ las juntas de redacción institucionales, pero a las cinco de la
 14. (existir)

tarde, sin convocatoria oficial, todo el personal de planta _____ una pausa
       15. (hacer)

de respiro en las tensiones del día y _____ confluir a tomar el café en
       16. (confluir)

cualquier lugar de la redacción. _____ una tertulia abierta donde se
       17. (ser)

_____ en caliente los temas de cada sección y se le _____ toques
 18. (discutir)   *19.* (dar)

finales a la edición de la mañana. Los que no _____ en aquellas charlas
       20. (aprender)

ambulatorias y apasionadas de veinticuatro horas diarias, o los que _____
       21. (aburrirse)

de tanto hablar de lo mismo, _____ porque _____ o
     22. (ser)   *23.* (querer)

_____ ser periodistas, pero en realidad no lo _____.
 24. (creer)   *25.* (ser)

(«El mejor oficio del mundo», *El Diario / La Prensa*; 17 de noviembre de 1996, suplemento dominical; p. 14A.)

Preguntas

1. ¿Dónde se aprendía el oficio del periodismo en la década del 1940?

    _____

2. ¿Qué pasaba durante la tertulia?

    _____

3. Según García Márquez, ¿quiénes eran periodistas verdaderos?

    _____

4. Según Ud., ¿qué lecciones importantes aprendía Ud. fuera de la escuela?

    _____

B. Lea el fragmento del siguiente artículo sobre la historia de Puerto Rico e identifique los verbos en el imperfecto. Entonces, conteste las preguntas.

Puerto Rico: La otra historia

(Tema curricular: Las identidades personales y públicas)

VOCABULARIO

las huestes soldiers, troops   **los próceres** important political figures

el jerarca official, leader   **la vida cotidiana** daily life

---

La verdadera historia de Puerto Rico se está empezando a escribir, y no está basada en los próceres, los gobernadores, los hacendados, los partidos políticos y las ideologías, sino en la vida cotidiana de Juan, Pedro, María, Fulano y Perenceja, de la gente de todos los días...

En *Cuentos de Puerto Rico*, un libro de 1925 de Juan B. Huyke que leían muchísimo los jovencitos y los niños, se manipulaba la historia abiertamente. Y en un prólogo de Francisco Rodríguez López, un jerarca del sistema de instrucción, cuando se hacía referencia al año 1898, decía algo como: «Cuando las gloriosas huestes norteamericanas entraron a Puerto Rico por la bahía de Guánica... parecía que se cumplía un designio de Dios». Estaba diciendo que la invasión había sido decisión divina, y que ser buenos puertorriqueños era ser buenos americanos (estadounidenses).

Esta visión entró en contradicción con la que decía que ser un buen puertorriqueño era ser un buen heredero de las tradiciones españolas. Estas dos visiones a la larga se convertirían en las que regirían el discurso histórico en Puerto Rico.

Las visiones propiamente nacionales siempre fueron las de la minoría, y estaban más bien dentro del discurso político de un Pedro Albizu Campos *... o quizá de algún historiador independentista que no tenía proyección política nacional...

«Un puñado de los más jóvenes comenzamos a reinterpretar... Si lo veíamos desde la perspectiva de la irresolución de lo nacional, volver a ver dónde estaban los orígenes de lo nacional: al siglo 17 y al 18, pasar por el siglo 19 y mirar el presente, para saber lo que éramos. Y segundo, volver a mirar a la gente a la que nunca se le había mirado, a la gente en la vida cotidiana...»**

(Israel Torres Penchi, «Puerto Rico: la otra historia», *El Diario/La Prensa*. Nueva York, 10 de noviembre 1996, suplemento dominical.)

Escriba las formas de los verbos en el imperfecto que corresponden a los infinitivos de la lista en el orden que aparecen en el artículo.

EJEMPLO: (leer)   **leían**

1. (manipular) _____   4. (parecer) _____

2. (hacer) _____   5. (decir) _____

3. (decir) _____   6. (estar) _____

---

*Fundador del Partido Nacionalista de Puerto Rico
**Cita del historiador puertorriqueño Mario Cancel.

7. (tener)	_____	10. (ser)	_____
8. (ver)	_____	11. (estar)	_____
9. (cumplir)	_____	12. (ser)	_____

Preguntas

1. Según este artículo, ¿cómo se manipulaba la historia de Puerto Rico?

_____

2. En la opinión del autor, ¿cómo se debía ver y escribir la historia de Puerto Rico?

_____

3. ¿Está de acuerdo con el autor? ¿Por qué? o ¿Por qué no?

_____

T R A B A J O   C O O P E R A T I V O

A. Para investigar la historia de la perspectiva de la vida cotidiana, preparen preguntas y envíenselas a un grupo de estudiantes en Puerto Rico para que ellos se las hagan a sus padres o abuelos. Formen grupos cooperativos de tres o cuatro alumnos.

- Un miembro del grupo organiza el trabajo y ayuda a los otros.
- El grupo discute y escribe una lista de sucesos importantes del siglo veinte.
- Cada miembro del grupo prepara tres preguntas en el imperfecto sobre la vida cotidiana durante este siglo. (Por ejemplo, ¿Qué hacía tu familia durante la Guerra de Vietnam?)
- Cada miembro del grupo hace las mismas preguntas a sus propios parientes y escribe un resumen de las respuestas en el imperfecto.
- Envíen las preguntas por fax o correo electrónico a la clase en Puerto Rico.
- Cuando reciban las respuestas, el grupo las lee y discute, comparándolas con las respuestas de sus propias familias.
- El grupo presenta un resumen de lo que aprendieron de sus investigaciones a la clase.

M A S T E R Y   A S S E S S M E N T S

A. Muchas veces, los conflictos y la guerra separan a las familias. Lea este artículo sobre una familia de indígenas cuyos miembros viven en Perú y en Ecuador y que fueron separados por el conflicto entre los dos países. Escriba los verbos en el imperfecto y conteste las preguntas.

Lazos sin fronteras

(Tema curricular: Las familias y las comunidades)

VOCABULARIO

acordar to agree upon

el acuerdo agreement

la choza the hut

delimitar to mark off, set the limits of

presenciar to witness

la selva the jungle

el tramo stretch, section

Cuando Tukup Wampui _____ niño y _____ en la selva ecua-

1. (ser)
2. (vivir)

toriana cerca del límite con Perú, su padre le _____ sobre sus familiares

3. (contar)

que _____ en el otro lado. Ellos también _____ indios *shuar*,

4. (vivir)
5. (ser)

aunque en el Perú se los _____ como *huambisa*. Tukup _____

6. (conocer)
7. (sentir)

curiosidad por estos misteriosos par entes que nunca _____ conocido. Su

8. (haber)

padre le _____ que debido a los conflictos fronterizos entre Perú y Ecua-

9. (explicar)

dor ya no _____ visitar a su familia de la misma manera en que ellos y sus

10. (poder)

mayores lo _____ hecho en el pasado.

11. (haber)

Tukup prometió a su padre que cuando creciera y el conflicto se terminara, inten-

taría encontrar a su familia del otro lado, hizo varios intentos de ponerse en contacto con

su familia incluso durante los años de conflicto. Tukup _____ a las oficinas

12. (ir)

de la Federación de Indios Shuar, desde donde se _____ Radio Shuar,

13. (transmitir)

_____ la cola para comprar la entrada y _____ mensajes

14. (hacer)
15. (dejar)

para transmitir durante los programas de ese día.

Las ondas radiales _____ libremente las fronteras que _____

16. (cruzar)
17. (separar)

a Tukup de su familia, y en algún lugar del otro lado, en una choza a la orilla del río, sus

familiares _____ el mensaje. «Yo _____ que _____ que

18. (recibir)
19. (decir)
20. (esperar)

estuvieran bien y con buena salud, que aquí en Ecuador _____ vivos y que

21. (estar)

el día que nos dieron libertad para cruzar nos _____ a conocer.

22. (ir)

Como Tukup, muchos *shuar* _____ mensajes a sus familias y seres
23. (enviar)

queridos en Perú. Pero aquéllos _____ tiempos de conflicto; el contacto por
24. (ser)

radio _____ prohibido, y debido a que los *huambisa* no _____
25. (estar)   26. (costar)

con una estación de radio propia, no _____ enviar el tipo de mensajes que
27. (poder)

_____ de los *shuar*. Seguramente _____ los mensajes de
28. (recibir)   29. (oír)

Tukup, pero no los _____ responder.
30. (poder)

Recién en enero de este año, el ya maduro Tukup pudo complir con el pedido de

su padre. En octubre del año pasado, Perú y Ecuador firmaron un acuerdo de paz en

el que delimitaron la frontera entre las dos naciones y acordaron cooperación mutua e

integración en el futuro; un momento que Tukup _____ dudado presenciar
31. (haber)

en su vida. Apenas tres meses después, un grupo de indios *huambisa* hizo un alto en la

mar-gen ecuatoriana del río Santiago durante su viaje a la segunda de dos reuniones de la

familia de la lengua jíbara, que incluye a los *huambisa* y a los *shuar* entre otros indígenas

de ambas riberas de este tramo del río...

(«Lazos sin fronteras», *Américas*; septiembre/octubre de 1999, vol. 51, no. 5, p.6.)

Preguntas

1. ¿Qué le contaba su padre a Tukup cuando era niño?

   _____

2. ¿Cómo trataba Tukup de ponerse en contacto con sus familiares en Perú?

   _____

3. ¿Cuál era la promesa de Tukup? ¿Cómo la cumplió?

   _____

B. Conteste las siguientes preguntas personales en el imperfecto. Luego, lea el fragmento
del cuento de Ana María Matute y complete las frases en el imperfecto.

Preguntas Preliminares

1. ¿Cuando tenía seis o siete años, cuál era su juguete favorito?
2. ¿Como era el juguete? Descríbalo.
3. Describa cómo jugaba con él.
4. ¿Inventaba historias cuando era niño(-a)?
5. ¿Qué imaginaba cuando era niño(-a)?

La rama seca

(Tema curricular: La belleza y la estética)

> **VOCABULARIO**
>
> **la acequia** irrigation ditch   **el mendigo** beggar
> **la algarabía** din, clamour   **el parloteo** prattle, talk
> **el ascua** red-hot coal, burning ember   **el percal** percale
> **el cordel** cord, thin rope   **el trozo** piece, bit

Apenas _____ seis años ... Doña Clementina la _____ desde
         1. (tener)   2. (ver)

el huertecillo. Sus casas _____ pegadas la una a la otra, aunque la de doña
                          3. (estar)

Clementina _____ mucho más grande, y _____, además, un
           4. (ser)   5. (tener)

huerto con un peral y dos circuelos. Al otro lado del muro se _____ la ven-
                                                             6. (abrir)

tanuca tras la cual la niña _____ siempre. A veces, doña Clementina
                            7. (sentarse)

_____ los ojos de su costura y la _____.
8. (levantar)   9. (mirar)

—¿Qué haces, niña?

La niña _____ la carita delgada, pálida, entre las flacas trenzas de un
       10. (tener)

negro mate.

—Juego con «Pipa»— _____ .
                    11. (decir)

Doña Clementina _____ cosiendo y no _____ a pensar
                12. (seguir)   13. (volver)

en la niña. Luego, poco a poco fue escuchando aquel raro parloteo que le _____
                                                                         14. (llegar)

de lo alto, a través de las ramas del peral. En su ventana, la pequeña... _____
                                                                        15. (pasarse)

el día hablando, al parecer, con alguien.

—¿Con quién hablas tú?

—Con «Pipa» ...

Un día, por fin, se enteró de quien _____ «Pipa».
                                    16. (ser)

—La muñeca— explicó la niña.

—Enséñamela...

—La niña le echó a Pipa... Pipa _____ simplemente una ramita seca
17. (ser)
envuelta en un trozo de percal sujeto con un cordel. Le dio la vuelta entre los dedos y
miró con cierta tristeza hacia la ventana. La niña la _____ con ojos impacientes
18. (observar)
y _____ las dos manos.
19. (extender)

—¿Me la echa, doña Clementina?

La niña _____ con «Pipa» del lobo, del hombre mendigo con su saco
20. (hablar)
lleno de gatos muertos, del horno del pan, de la comida. Cuando _____ la
21. (llegar)
hora de comer la niña _____ el plato que su madre le dejó tapado, al arreo
22. (coger)
de las ascuas. Lo _____ a la ventana y _____ despacito, con
23. (llevar) 24. (comer)
su cuchara de hueso. _____ «Pipa» en las rodillas, y la _____
25. (tener) 26. (hacer)
participar de su comida...

Doña Clementina la _____ en silencio: la _____,
27. (oír) 28. (escuchar)
_____ cada una de sus palabras. Igual que _____ al viento
29. (beber) 30. (escuchar)
sobre la hierba y entre las ramas, la algarabía de los pájaros y el rumor de la acequia...

(Ana María Matute, «La rama seca»; en *Historias de la Artamila*. Ediciones Destino, S.A.; Barcelona, España.)

A U T H E N T I C   A S S E S S M E N T S

1. Imagínese ser encargado de una exhibición sobre el encuentro entre Cristóbal Colón, los europeos y los indígenas de las Américas en el siglo XV. Investigue las perspectivas opuestas sobre este suceso y escoja objetos que representen los resultados del encuentro. Escriba tarjetas para cada objeto que se muestre en la exhibición, explicando su origen e importancia.

2. Escriba un artículo para su periódico escolar, en que describe el suceso o cuestión más discutido del año y las diversas perspectivas de sus compañeros de clase y Ud. al respecto.

CHAPTER

5

El mito: Ficción y realidad

The Preterit and Imperfect Tenses Compared

The imperfect and preterit tenses are used to describe different aspects of the past. Complete the pre-test that follows, and check your answers as you review the comparison of the two tenses in this chapter.

PRUEBA PRELIMINAR

¿Qué sabe de los mitos mexicanos? Lea el siguiente mito. Localice y diferencie los verbos en el pretérito y en el imperfecto. Note sus varios usos en el texto. Entonces, conteste las preguntas.

La leyenda del maíz

(Tema curricular: Las familias y las comunidades, La belleza y la estética)

VOCABULARIO	
la raíz root	**cazar** to hunt
escondido hidden	**la astucia** cleverness
la hormiga ant	**alimenticio** nutritious
sembrar to plant	**cosechar** to harvest

Cuentan que antes de la llegada de Quetzalcóatl, los aztecas sólo comían raíces y animales que cazaban. No tenían maíz, pues este cereal tan alimenticio para ellos, estaba escondido detrás de las montañas.

Los antiguos dioses intentaron separar las montañas con su colosal fuerza pero no lo lograron. Los aztecas fueron a plantearle este problema a Quetzalcóatl.

—Yo se los traeré— les respondió el dios.

Quetzalcóatl, el poderoso dios, no se esforzó en vano en separar las montañas con su fuerza, sino que empleó su astucia.

Se transformó en una hormiga negra y acompañado de una hormiga roja, marchó a las montañas.

El camino estuvo lleno de dificultades, pero Quetzalcóatl las superó, pensando solamente en su pueblo y sus necesidades de alimentación. Hizo grandes esfuerzos y no se dio por vencido ante el cansancio y las dificultades.

Quetzalcóatl llegó hasta donde estaba el maíz, y como estaba trasformado en hormiga, tomó un grano maduro entre sus mandíbulas y emprendió el regreso. Al llegar entregó el prometido grano de maíz a los hambrientos indígenas.

Los aztecas plantaron la semilla. Obtuvieron así el maíz que desde entonces sembraron y cosecharon.

El preciado grano, aumentó sus riquezas, y se volvieron más fuertes, construyeron ciudades, palacios, templos…Y desde entonces vivieron felices.

Y a partir de ese momento, los aztecas veneraron al generoso Quetzalcóatl, el dios amigo de los hombres, el dios que les trajo el maíz.

Nota: El significado del nombre Quetzalcóatl es Serpiente Emplumada.

(http://mitosyleyendascr.com/mexico/mexico29/ June 21, 2013)

Preguntas

1. ¿Cómo obtuvo el maíz Quetzalcóatl?

    _____

2. ¿Cómo cambió la vida de los aztecas el maíz?

    _____

    _____

    _____

3. Los pueblos antiguos creían que sus dioses controlaron su destino y creaban mitos para explicar los misterios de la naturaleza. ¿Qué explicó este mito?

    _____

    _____

5.1.   THE PRETERIT TENSE

Note the differences in the way time is perceived and expressed in the preterit and imperfect tenses.

The preterit expresses the following:

1.   A completed action in the past.

   ***Nadé* en la piscina ayer.**   *I swam in the pool yesterday.*

2.   An action that began or ended at a specific time in the past.

   ***Llamé* a María anoche.**   *I called María last night.*

3.   The beginning or end of an action.

   ***Empecé* a estudiar a las ocho y**   *I began studying at eight and*
   terminé a las once.   *finished at eleven.*

4.   Expresses a series of completed events.

   Yo *comí, estudié y me dormí.*   *I ate, studied, and fell asleep.*

5.2. THE IMPERFECT TENSE

The imperfect tense expresses the following:

1. A repeated or habitual action.

   Yo *nadaba* en la piscina todos los días. — *I used to swim in the pool every day.*

2. An action that continued for a period of time not specified.

   Yo *llamaba* a María a menudo. — *I called Maria often.*

3. Time, in the past.

   Eran las ocho de la noche. — *It was eight o'clock at night.*

4. Simultaneous ongoing actions.

   Yo *estudiaba* mientras Ana *dormía*. — *I was studying while Ana was sleeping.*

5. Descriptions of people, places, objects, weather, states of mind, and emotions.

   La niña *tenía miedo* porque el dormitorio *estaba* oscuro y frío. — *The child was afraid because the bedroom was dark and cold.*

   NOTE: The preterit and imperfect tenses may be used in different clauses in the same sentence. The imperfect expresses an ongoing state or background for an action in the preterit tense.

   Yo *estudiaba* cuando el teléfono *sonó*. — *I was studying when the phone rang.*

E J E R C I C I O S

A. Lea el siguiente artículo sobre la historia y el mito del gaucho, subrayando los verbos en el pretérito una vez y los verbos en el imperfecto dos veces. Note sus varios usos en el texto y escriba las formas de los verbos que corresponden a los infinitivos en las listas siguientes. Entonces conteste las preguntas.

El día de la tradición argentina y el gaucho

(Tema curricular: Las identidades personales y públicas)

VOCABULARIO	
abarcar to embrace, take in	**latifundio** large-landed estate
alumbrado lighting	**pastar** to graze
estancia ranch	**promediar** to be half over
ganadería cattle raising	**vaquería** cattle ranch

Para conocer el gaucho, es necesario remontarse a mediados del siglo XVI...

El gaucho es sin duda hijo de los españoles (aquellos que llegaron junto con don Pedro de Mendoza, fundador de la ciudad de Buenos Aires en 1550).

El colonizador español, en su expedición americana, trajo un elemento que cambió la vida en las pampas: el caballo. Fue a partir de este hecho que nace el gaucho, aunque —por supuesto— no con este nombre...

Los comienzos del hombre a caballo sólo abarcaron la vaquería, ya que no había propiedad privada... y la única riqueza originaria del país era la ganadería. A medida que pasaban los años, la presencia del paisano era cada vez más preponderante hasta llegar a convertirse en amo y señor de las pampas.

La palabra gaucho comenzó a utilizarse a mediados del siglo XVII para identificar a un sector de la población rural, hábil en el empleo del caballo, nómada, sin riquezas y dedicado al contrabando del ganado.

Pero la literatura y el tiempo iban transformando la imagen del gaucho necesitando crear nuevos mitos. Mucha relación en esto tuvieron las obras «Facundo» y «Don Segundo Sombra» (escritas por Domingo Faustino Sarmiento y Ricardo Guiraldes, respectivamente) que junto al «Martín Fierro» (de José Hernández), conforman la trilogía más trascendente de la literatura gauchesca nacional.

A partir de ellos, el gaucho comenzó a ser una figura romántica e idealizada al mismo tiempo que en las praderas de Oregón y Texas, la imagen del cowboy cobraba notoriedad. El primero —ya dicho— mitificado por las letras y el otro, más tarde, por el cine.

Es promediando el siglo XVII cuando los gauchos comienzan a organizar el sistema de estancias (con limites demarcados), ya que hasta entonces, las tierras eran tan extensas y la población tan escasa que el hombre de la pampa se sentía dueño de la tierra que pisaba. El ganado salvaje pastaba en los alrededores y bastaba con salir a buscarlo para apropiárselo. Pero la formación de latifundios (propiedad rural) tan inmensos como la misma inmensidad de las llanuras dio por finalizado estas libertades.

Hacia fines del siglo XIX el gaucho comenzó a desaparecer masivamente. Con la extensión del alambrado y el cambio a tareas rurales pasaron a ser de temporarios a ocupar todo el año. De esta manera que terminaron transformados en peones, aunque muchos de ellos, conservaron los conocimientos y costumbres de los hombres de campo...

(«El día de la tradición argentina y el gaucho», *El Diario/La Prensa*; 10 de noviembre de 1996.)

1. Busque y escriba en el pretérito los verbos que corresponden a los infinitivos.

    a. (llegar) _____   **f.** (dar) _____

    b. (traer) _____   **g.** (pasar) _____

    c. (ser) _____   **h.** (terminar) _____

    d. (comenzar) _____   **i.** (conservar) _____

    e. (tener) _____

2. Busque y escriba en el imperfecto los verbos que correspondan a los infinitivos.

a. (haber) _____   **f.** (sentirse) _____

b. (ser) _____   **g.** (pisar) _____

c. (pasar) _____   **h.** (pastar) _____

d. (ir) _____   **i.** (bastar) _____

e. (cobrar) _____

3. Conteste las siguientes preguntas sobre el artículo.

1. ¿Cómo cambió el caballo la vida en las pampas?

_____

2. Qué significaba la palabra gaucho a mediados del siglo XVII?

_____

3. ¿Por qué y cómo transformó la imagen del gaucho la literatura?

_____

4. ¿Por qué empezó a desaparecer el gaucho hacia fines del siglo XIX?

_____

B. En este fragmento del cuento «El Sur» de Jorge Luis Borges, el protagonista, el señor Dahlmann, realiza un sueño. Lea la selección, notando los usos de los verbos en el pretérito y en el imperfecto. Entonces, conteste las preguntas usando el tiempo pasado apropiado.

El Sur

(Tema curricular: Las identidades personales y públicas, La belleza y la estética)

> **VOCABULARIO**
>
> | | | | |
> |---|---|---|---|
> | **achinado** | dark red | **imprevisible** | unforeseeable |
> | **acometer** | attack | **el puñal** | dagger |
> | **la aguja** | needle | **tambalearse** | stagger, sway |
> | **la daga** | dagger | **torpe** | clumsy, awkward |
> | **el duelo** | duel | **el umbral** | threshold |

—Señor Dahlmann, no les haga caso a esos mozos, que están medio alegres.

Dahlmann no se extrañó de que el otro, ahora, lo conociera, pero sintió que estas palabras conciliadoras agravaban, de hecho, la situación. Antes, la provocación de los peones era a una cara accidental, casi a nadie; ahora iba contra él y contra su nombre y lo sabríanlos vecinos. Dahlmann hizo a un lado al patrón, se enfrentó con los peones y les preguntó qué andaban buscando.

El compadrito de la cara achinada se paró, tambaleándose. A un paso de Juan Dahlmann, lo injurió a gritos, como si estuviera muy lejos. Jugaba a exagerar su borrachera y esa exageración era una ferocidad y una burla. Entre malas palabras y obscenidades, tiró al aire un largo cuchillo, lo siguió con los ojos, lo barajó, e invitó a Dahlmann a pelear. El patrón objetó con trémula voz que Dahlmann estaba desarmado. En ese punto algo imprevisible ocurrió.

Desde un rincón, el viejo gaucho extático... le tiró una daga desnuda que vino a caer a sus pies. Era como si el Sur hubiera resuelto que Dahlmann aceptara el duelo. Dahlmann se inclinó a recoger la daga y sintió dos cosas. La primera, que ese acto casi instintivo lo comprometía a pelear. La segunda, que el arma, en su mano torpe, no serviría para defenderlo, sino para justificar que lo mataran. Alguna vez había jugado con un puñal, como todos los hombres, pero su esgrima no pasaba de una noción de que los golpes deben ir hacia arriba y con el filo para adentro. No hubieran permitido en el sanatorio que me pasaran estas cosas, pensó.

—Vamos saliendo— dijo el otro.

Salieron, y si en Dahlmann no había esperanza, tampoco había temor. Sintió, al atravesar el umbral, que morir en una pelea a cuchillo, a cielo abierto y acometiendo, hubiera sido una liberación para él, una felicidad y una fiesta, en la primera noche del sanatorio, cuando clavaron la aguja. Sintió que si él, entonces, hubiera podido elegir o soñar su muerte, ésta es la muerte que hubiera elegido o soñado...

Preguntas

1. ¿Cómo agravaban las palabras conciliatorias la situación en que se encontraba Dahlmann?

   _____

2. ¿Cómo reaccionó el compadrito de la cara achinada a la pregunta de Dahlmann?

   _____

3. ¿Por qué objetó el patrón al duelo?

   _____

4. ¿Qué hizo el gaucho?

   _____

5. ¿Cómo respondió Dahlmann a la acción del gaucho?

   _____

6. ¿Cuáles dos cosas sintió Dahlmann cuando recogió la daga?

   _____

7. ¿Por qué prefería Dahlmann morir en un duelo?

   _____

8. Haga el papel del autor y escriba un final para este cuento, usando el pretérito y el imperfecto apropiadamente.

   ¿Cuál era la muerte que soñaba Dahlmann?

   _____

T R A B A J O   C O O P E R A T I V O

A. Formen grupos cooperativos de cuatro o cinco alumnos y lean la cita de la escritora española Ana María Matute. Entonces, trabajen juntos para crear su propio cuento dehadas. Usen el pretérito y el imperfecto apropiadamente en su cuento.

- El líder del grupo organiza el trabajo,
- Todas discuten la cita de Ana María Matute, y cada miembro del grupo menciona su cuento de hadas favorito que escuchaba o leía cuando era niña o niño.
- Todos discuten las características generales de los cuentos de hada que siguen.
- Un miembro del grupo escribe.
- Después de empezar con la frase: Había una vez en un lejano reino..., cada miembro delgrupo añade una frase al cuento de hadas cuando le toca, usando el pretérito o el imperfecto apropiadamente hasta terminar el cuento.
- El grupo lee y revisa el cuento si es necesario.
- El grupo lee su cuento de hadas original a la clase.
- Algunos miembros del grupo ilustran el cuento.
- El grupo envía el cuento original a una escuela elemental bilingüe en los Estados Unidos o a una escuela elemental en Hispanoamérica.

(Tema curricular: La belleza y la estética)

«Los escritores españoles, salvo raros casos, consideraban que la literatura para niños era un género menor, cuando la realidad no es así. En cambio, los anglosajones y los nórdicos escribían para niños y yo me nutrí cuando era niña de los cuentos de Andersen, de Perrault, de los hermanos Grimm, de 'Peter Pan', de 'Alicia en el País de Maravillas'. Todos ellos están llenos de personajes que no son humanos, porque la mayoría de estas historias suelen venir de la Edad Media; era el pueblo el que las iba narrando de padres a hijos. Aquella sociedad convivía con esos seres porque creía profundamente en ellos,necesitaba algo en que descargar sus frustraciones o en que colocar sus esperanzas...»

Los cuentos de hadas tienen varios elementos en común:

1. Hay algún evento mágico o sobrenatural.
2. El cuento no ocurre en un lugar específico.
3. Los personajes no son individuos sino tipos: un rey, una princesa, un campesino.
4. Un personaje es un hada o espíritu sobrenatural que aparece en forma humana pero que tiene poderes sobrenaturales.
5. Siempre tienen un fin alegre.
6. La virtud siempre triunfa.

(Ana María Matute, *Cambio 16*; 9 de diciembre de 1996, p.18.)

B. Formen grupos de cuatro a seis alumnos para discutir y comentar sobre el siguiente artículo

- El líder del grupo organiza el trabajo y ayuda a todos.

- Cada miembro del grupo lee el fragmento del siguiente artículo que apareció en una revista de España.
- Los miembros del grupo forman parejas para discutir sus reacciones al artículo. ¿Están de acuerdo? ¿Pueden identificar otros mitos de los Estados Unidos? Busquen y reúnan ejemplos visuales.
- Los miembros le presentan a la clase las conclusiones de sus discusiones e investigaciones y sus ejemplos visuales de mitos.

Mitos y leyendas

(Tema curricular: La belleza y la estética)

VOCABULARIO

aderezada seasoned

apuesto smart

el coche descapotable convertible

parir to give birth to, bring forth

el pepinillo gherkin, pickle

Todo gran imperio tiende a crear sus propios mitos y luego sustenta sobre ellos su grandeza. Estados Unidos, el colosal imperio de nuestro siglo y previsiblemente del que viene, ha parido una mitología singular, apoyada sobre fenómenos inéditos en la historia, en especial el cine, pero también sobre otros como la masificación de la música, la televisión y, desde luego, su turbulenta política, su literatura y sus guerras particulares...

El Western. Abarcaba el viaje, la frontera, el bien y el mal, el valor y la fortaleza, pero también la crueldad y la violencia. Nada como el western retrata el alma americana. Incorporó como ningún otro al lenguaje de un nuevo arte los elementos de la tragedia griega. Detrás de todo americano se esconde siempre el alma de un buen *cowboy*.

La Luna. Era cosa de poetas, de enamorados y de astrólogos hasta que ... dos astronautas norteamericanos pusieron el pie en su superficie. El coste de aquella operación, según los expertos, estuvo muy por encima de su valor científico. Pero los americanos tenían que llegar los primeros, les iba en ello el prestigio de nación más poderosa de la tierra frente a su gran adversario de entonces, la URSS.

Hamburguesa. Toda la ciencia gastronómica yankee se esconde en este cacho de carne picada aderezada de mostaza, salsa ketchup y pedazos de pepinillo. Ningún chef francés la incorporaría en sus menús, pero todos la hemos probado desde que vimos la primera película en la que un apuesto joven americano se comía una junto a su chica en un coche descapotable...

(«Mitos y leyendas», *Cambio 16*, 15, julio 1996.)

MASTERY ASSESSMENTS

A. Lea este comentario sobre la biografía «Evita, realidad y mito» de Felipe Pigna, y complete las frases con el pretérito o el imperfecto según el sentido del texto. Entonces, conteste las preguntas al respecto.

Las dos caras de Evita

(Tema curricular: Las identidades personales y públicas)

> **VOCABULARIO**
>
> **afiebrado** feverish
> **la connivencia** connivance
> **clavarse** to nail, stick
> **desalmado** heartless
> **desgarrar** to tear, rip
>
> **la limosna** alms
> **el oculista** the oculist
> **sublevar** to incite rebellion
> **volcarse** to go out of one´s way

El autor reconoce que «Evita reúne todas las condiciones para ser un mito porque

_____ a lo más alto partiendo desde muy abajo y _____
    1. (llegar)   *2.* (morir)

joven», pero considera que su mitificación es una «construcción de sus enemigos, de

la paranoia por eliminarla, por hacerla desaparecer». _____ actos
                                                      3. (ser)

que _____ la leyenda. «Durante 16 años _____ ente-
    4. (alimentar)   *5.* (estar)

rrada en Milán con un nombre falso, con la connivencia… de sus detractores, que

_____ que _____ despertar pasiones después de muerta.
  6. (pensar)   *7.* (poder)

Luego llevaron su cuerpo a Recoleta, el cementerio de la gente rica de Buenos Aires.

Y ahora, las señoras que tanto la _____ tienen que indicar a los turistas
                                         8. (odiar)

dónde está su tumba. Es una especie de venganza histórica».

Hija de un padre que no la _____, la infancia es una de las
                                   9. (reconocer)

etapas que más marcaron a Eva Duarte, su nombre por aquel entonces. Cono-

ció lo que _____ pasar penurias y _____, cuando
             10. (ser)   *11.* (querer)

_____ oportunidad, evitar en la medida de lo posible que otros pasaran
  12. (tener)

por lo mismo.

«Desde que yo me acuerdo, cada injusticia me hace doler el alma como si se me

clavase algo en ella. De cada edad guardo un recuerdo de alguna injusticia que me

_____ desgarrándome íntimamente. La limosna para mí fue siempre un
  13. (sublevar)

placer de los ricos; el placer desalmado de excitar el deseo de los pobres sin dejarlo

nunca satisfecho», _____ en alguna ocasión.
          14. (expresar)

_____ por completo en su labor social. _____
  15. (volcarse)   *16. (Construir)*

decenas de hospitales en el país e inventó el tren sanitario, para llevar el

médico a lugares donde nunca _____ llegado. Alguien le
                                        17. (haber)

_____ que los pobres no _____ anteojos. Y ella
  18. (decir)   *19. (usar)*

_____, 'no los usan porque nunca _____ al oculista».
  20. (responder)   *21. (ir)*

    Felipe Pigna desmiente a aquellos que apuntan a que el matrimonio con Perón

_____ de conveniencia, y de interés por ambas partes. «Se quisieron...»
  22. (ser)

Así recuerda él la primera vez que la _____. «Entre los tantos que
                                23. (ver)

_____ en esos días por mi despacho _____ una mujer
  24. (pasar)   *25. (haber)*

joven de aspecto frágil pero de voz resuelta, de cabellos rubios y de ojos afiebrados.

_____ llamarse Eva Duarte». Y así cuenta ella su matrimonio:
  26. (decir)

_____ porque nos quisimos y _____ porque queríamos la
  27. (Casarse)   *28. (quererse)*

misma cosa. De distinta manera los dos _____ deseado hacer lo mismo; él
                                29. (haber)

sabiendo bien lo que _____ hacer, yo, por sólo presentirlo. Él, con la inteli-
                    30. (querer)

gencia; yo, con el corazón. Él seguro de sí mismo y yo solamente segura de él».

(www.elmundo.es/america/2013/06/20/argentina/1371749226.html)

Preguntas
1. Según Felipe Pigna quiénes crearon el mito de Evita y ¿por qué?
2. ¿Cuál era «la venganza histórica» que describe el autor?
3. Explica por qué Evita dijo, «la limosna para mí fue siempre un placer de los ricos.»

B. Lea la historia de Benito Juárez, el libertador de México, y complete las frases con la forma apropiada del pretérito o el imperfecto. Entonces conteste la pregunta en el tiempo apropiado.

Benito Juárez

(Tema curricular: Las identidades personales y públicas)

> **VOCABULARIO**
>
> **adeudar**   to owe
> **la bancarrota**   bankruptcy
> **destacar**   to stand out
> **la deuda**   debt
> **el fuero**   privilege
>
> **la gestión**   arrangement, measure
> **replegarse**   to fall back
> **el retiro**   retreat
> **vincularse**   to tie oneself to

El libertador de México contra la ocupación de Francia, que le _____ título
1. (valer)

de «Benemérito de las Américas», _____ en 1806 en San Pablo Guelatao,
2. (nacer)

estado de Oaxaca. Hijo de indios zapotecas, _____ huérfano a temprana
3. (quedar)

edad y posteriormente _____ a un seminario, pero luego _____
4. (ingresar)   5. (abandonar)

estudios eclesiásticos para iniciar los de derecho y dedicarse a esta profesión.

Como abogado _____ casos cuyos clientes _____ indios
6. (asumir)   7. (ser)

pobres. No _____ en vincularse al partido Liberal y ocupar cargos públicos
8. (tardar)

en su estado natal hasta llegar al de gobernador en 1847. _____ el gabinete
9. (integrar)

del presidente Juan Ilvarez, tras participar en el movimiento revolucionario que

_____ a éste al poder.
10. (llevar)

Como ministro de Justicia _____ con la llamada ley Juárez en contra
11. (destacar)

de los fueros militar y eclesiástico. En 1857 _____ el cargo de presidente
12. (asumir)

de la Corte Suprema de Justicia, que le _____ sucesor legal del presidente
13. (hacer)

Ignacio Comonfort, que _____ el poder por acción de una rebelión.
14. *(abandonar)*

La oposición armada de los grupos políticos de derecha _____ un go-
15. (constituir)

bierno de facto en la capital para enfrentar a Juárez que _____ su gobierno
16. (organizar)

en Veracruz en 1858, donde _____ una serie de leyes denominadas «de la
17. (proclamar)

Reforma», las mismas que _____ a la iglesia del Estado y _____
18. (separar)   19. (nacionalizar)

los bienes eclesiásticos.

Juárez _____ victorioso a México en 1861 pero el país _____
      20. (entrar)   *21. (estar)*

en bancarrota, que _____ a suspender el pago de su deuda externa. Tal
                      22. (llevar)

situación _____ a que Francia, Inglaterra y España enviaran a México
           23. (llevar)

tropas de ocupación con el fin de cobrar lo que se les _____. Las gestiones
                                                      24. (adeudar)

diplomáticas _____ el retiro de los españoles e ingleses, pero no el de los
            25. (conseguir)

franceses, que _____ la capital e _____ como emperador de
                26. (ocupar)   *27. (instalar)*

México a Maximiliano de Habsburgo.

Juárez _____ al norte del país y desde allí _____ la
            28. (replegarse)   *29. (desatar)*

lucha independentista con apoyo de los Estados Unidos, mientras que los ocupacionistas

_____ con el apoyo de los grupos de derecha mexicanos. Los patriotas ven-
30. (contar)

cen a Maximiliano en Querétaro y lo fusilan en 1867 junto con los generales leales al em-

perador, Miguel Miramón y Tomás Mejía.

En julio de 1867 Juárez retorna a México y convoca a elecciones, que gana. Es re

electo en 1870 y derrota a la insurrección del general Porfirio Díaz, que _____
                                                                31. (ser)

candidato a la presidencia. Juárez muere poco después de una apoplejía.

(«Nuestros países: Hombres que lograron la libertad», *El Diario/La Prensa*; lunes 13 de diciembre de 1999, p. 33.)

Pregunta
Investigue en el Internet y/o en libros de historia y conteste la siguiente pregunta en un ensayo breve. Use el tiempo pasado apropiado.
¿Qué eventos en Europa y en los Estados Unidos influyeron a Benito Juárez y la historia de México?

AUTHENTIC ASSESSMENTS

1. Cree y escriba un mito original sobre la creación o un fenómeno natural. Léaselo a la clase.

2. Como otros escritores, Federico García Lorca y Gabriel García Márquez desarrollaron obras de ficción cuyos temas se basan en verdaderos artículos de periódicos. Busque un artículo de periódico y escriba un cuento corto basado en él.

6

Cambios: Hacia una vida mejor

Future and Conditional Tenses

6.1. THE FUTURE TENSE

1. Uses of the Future Tense
   The future tense is used to express the following communicative functions:

   A. Expressing an action or event that will take place.

   Mi tía me *visitará* mañana.

   B. Expressing a plan or promise for the future.

   ***Te llamaré* del aeropuerto cuando llegue.**
   ***Iremos* a Madrid la semana próxima.**

   C. Expressing a prediction.

   El pronóstico dice que *lloverá* mañana.

   D. Expressing an expected action or resulting condition due to or caused by a current action or event.

   Si estudio, *saldré* bien en el examen.
   Si consigo una buena nota, *celebraremos*.

   NOTE: The **si** clause is in the present tense and the result clause is in the future.

   E. Expressing probability or spectulation about actions or events in the present time.

   ¿Qué hora *será*? No sé, serán las dos.
   ¿No puedes dormir? *Tendrás* hambre.

PRUEBA PRELIMINAR

Lea el segmento del artículo que sigue, identifique y escriba los verbos en el futuro y úselos para contestar las preguntas al respecto.

Las profesiones del futuro

(Tema curricular: La ciencia y la tecnología, Los desafíos mundiales)

Todas las profesiones cambiarán y de una manera rápida. Algunas carreras del futuro serán biomedicina, biotecnología o ingeniería robótica.

...Y es que lo que necesita la sociedad en estos momentos es «cambiar el chip», según considera Lilia Beatriz Sánchez, presidenta de la Asociación Colombiana de Economistas y conferencista sobre el ejercicio de las profesiones en el futuro. En diálogo con PODER, Sánchez asegura que ya entramos en la sociedad del conocimiento y que el cambio ideológico es irreversible.

Explica que más que decir si el futuro está en una u otra carrera, lo que se tiene que saber es que hay nuevas competencias y nuevas habilidades que debe poseer quien desee triunfar en el mundo por venir. Una de esas habilidades, por ejemplo, es precisamente la de «cambiar el chip» en nuestras mentes y contar con un nuevo pensamiento estratégico.

«La primera plataforma del pensamiento es la entrada en vigencia de la sociedad del conocimiento», dice la experta y explica que habrá un cambio sociológico en las formas de aprendizaje, en la enseñanza, y que los nuevos estudiantes deberán desarrollar las nuevas competencias y habilidades.

Una competencia que ya es obligatoria y que hasta da pena mencionarla, porque es tan lógica, es el aprendizaje del manejo de computadores. La debe tener igual un ingeniero que un periodista o un programador.

Lilia Beatriz Sánchez imagina la sociedad del 2030 como tecnificada, mucho más espiritual e intelectual. Afirma que esa sociedad entenderá mucho mejor su función como ser humano y por ello luchará por la dignidad y por los derechos humanos; será más contestataria y consciente de su relación con el universo.

Por eso podría ser que el estudio británico, «Los trabajos que nos esperan», menciona entre los principales trabajos del futuro el de especialista en bienestar de la tercera edad, un profesional que deberá garantizar la dignidad de hombres y mujeres en sus últimos años.

También cita el de experto en ética científica (para el 2015), que se encargará de vigilar y regular la investigación para que no haya un mal uso de los descubrimientos; el de los trabajadores sociales especializados en tratar a los individuos afectados por la marginalización producida por las redes sociales; y los terapistas sociales y culturales, que ayudarán a las personas a vivir más felices. Todo en la tónica de la relación del ser humano con el universo y con su entorno. El médico Rodrigo Córdoba, presidente de la Asociación Colombiana de Sociedades Científicas, ve el futuro con un mundo orientado a los desarrollos tecnológicos y a los asuntos financieros, pero asevera que por más que se lleguen a tener los mejores robots, jamás se podrá reemplazar al hombre.

Imagina el «hombre nuclear», tal como se le conoció en la serie de televisión. Señala que habrá páncreas sintéticos, corazones tecnológicos, que serán producto de la investigación, pero que el cerebro será el gran reto y el más difícil de hacer realidad.

Así las cosas, la ingeniería biomédica tendrá un gran desarrollo y la clonación hará que los seres humanos puedan ser «más programados».

Córdoba dice que en el futuro habrá aparatos más microscópicos para poder ver hasta el interior de una célula y que habrá posibilidades de tratamientos y medicamentos con un código genético, que serán hechos solo para una persona.

Desde el punto de vista de su especialidad, que es la siquiatría, sostiene que la del 2030 será una sociedad más impersonal, más distante y llevará más a enfermedades comunes, como la depresión, el abuso del alcohol y las drogas, el trastorno bipolar y los desórdenes de ansiedad, e insiste en que podrá haber corazones artificiales, pero que la mente del hombre, su cerebro, es una puerta que se demorará mucho más tiempo en abrir.

También destaca otras que contiene el estudio, como la de fabricante de partes del cuerpo (que estaría ejerciendo en el 2030), la del nanomédico y la del cirujano de aumento de la memoria, que podría ser una realidad dentro de 19 años.

Por supuesto, todas las profesiones cambiarán y de una manera vertiginosa, por lo que ahora ya no es posible decir que, por ejemplo, la carrera del futuro será la ingeniería, la contaduría o el derecho, pues el profesional del futuro tendrá que ser multidisciplinario. Habrá de estudiar, por ejemplo, ingeniería, biomedicina y biotecnología para la creación de partes del cuerpo, o biotecnología, ingeniería robótica, biomedicina y medicina para convertirse en nanomédico. Y si estamos hablando del año 2030, esto quiere decir que el «chip» hay que modificarlo ya… Desde el punto de vista de su especialidad, que es la siquiatría, sostiene que la del 2030 será una sociedad más impersonal, más distante y llevará más a enfermedades comunes, como la depresión, el abuso del alcohol y las drogas, el trastorno bipolar y los desórdenes de ansiedad, e insiste en que podrá haber corazones artificiales, pero que la mente del hombre, su cerebro, es una puerta que se demorará mucho más tiempo en abrir.

(Roberto Vargas. Poder 360.com febrero 2011)

Preguntas

1. ¿A qué se refiere Beatriz Sánchez cuando dice que la sociedad necesita «cambiar el chip».

2. ¿Cuáles serán unas diferencias entre las profesiones de hoy y las del futuro, según el artículo?

3. ¿Cómo podrá prepararse para las profesiones del futuro?

2. Regular Verbs
   The future tense of regular verbs is formed by adding the following set of endings to the infinitive forms.

HABLAR		COMER	
hablaré	hablaremos	comeré	comeremos
hablarás	hablaréis	comerás	comeréis
hablará	hablarán	comerá	comerán

VIVIR	
viviré	viviremos
vivirás	viviréis
vivirá	vivirán

NOTE: Verbs that have an accent mark in the infinitive drop it before adding the future endings.

oír   oiré

3. Irregular Verbs

Verbs irregular in the future modify their infinitive form before adding the endings. They may be divided into three groups.

A. Verbs that drop the *e* or *i* of the infinitive ending and insert the letter *d*.

TENER		PONER	
ten**d**ré	ten**d**remos	pon**d**ré	pon**d**remos
ten**d**rás	ten**d**réis	pon**d**rás	pon**d**réis
ten**d**rá	ten**d**rán	pon**d**rá	pon**d**rán

VALER	
val**d**ré	val**d**remos
val**d**rás	val**d**réis
val**d**rá	val**d**rán

VENIR		SALIR	
ven**d**ré	ven**d**remos	sal**d**ré	sal**d**remos
ven**d**rás	ven**d**réis	sal**d**rás	sal**d**réis
ven**d**rá	ven**d**rán	sal**d**rá	sal**d**rán

B. Verbs that drop the *e* of the infinitive ending.

CABER		HABER		PODER	
cabré	cabremos	habré	habremos	podré	podremos
cabrás	cabréis	habrás	habréis	podrás	podréis
cabrá	cabrán	habrá	habrán	podrá	podrán

SABER		QUERER	
sabré	sabremos	querré	querremos
sabrás	sabréis	querrás	querréis
sabrá	sabrán	querrá	querrán

C. Verbs that drop the letters *e* and *c* or *a* and *c* of the stem before adding the endings.

DECIR		HACER	
diré	*diremos*	*haré*	*haremos*
dirás	*diréis*	*harás*	*haréis*
dirá	*dirán*	*hará*	*harán*

NOTES: **1.** Compounds of these irregular verbs have the same irregularities in the future.

mantener:	**mante*ndré***	**satisfacer:**	**satisfa*rá***
componer:	**compo*ndrá***	**contradecir:**	**contradi*ré***
convenir:	**conve*ndrá***		

2. Exceptions are   **bendecir:** **bende*ciré***

maldecir: **malde*ciré***

D. The verb *ir* + *a* + *infinitive* may also be used to express the future. This is the equivalent of *to be going to* + *infinitive* in English.

Voy a llamar **a mi amiga Ana esta tarde.**

E J E R C I C I O S

A. Lea el siguiente artículo sobre el mundo en el año 2100 y escriba los verbos en el futuro.

VOCABULARIO

la brujería witchcraft	**el ejército** army
la cartelera bill-board	**emprender** undertake
desplegar to unfold	**la pantalla** screen
de antemano beforehand	**el parpadeo** blink
la dotación genética genetic makeup	**el terremoto** earthquake

---

Cómo será nuestro mundo en 2100

(Tema curricular: La ciencia y la tecnología, Los desafíos mundiales)

01. **El futuro de los ordenadores**

…Cada Navidad nuestros nuevos juegos de ordenador son casi el doble de potentes que en el año anterior. Hoy, un teléfono móvil tiene más potencia de ordenador que toda la NASA en 1969, cuando consiguió que dos astronautas pisaran por primera vez la Luna.

En el futuro próximo, internet _____ omnipresente: en pantallas
1. (estar)
murales, mobiliario, carteleras e incluso en nuestras gafas y lentes de contacto; con el simple gesto del parpadeo ya _____ conectados.
2. (estar)

02. Los coches

Los coches, por fin, se _____ solos. Pero la transición a los coches
3. (conducir)
inteligentes no _____. inmediata. Primero, _____
4. (Ser) *5. (Ser)*
los ejércitos quienes _____ sus vehículos robot; después,
6. (desplegar)
_____ modelos específicos para las grandes autopistas.
7. (aparecer)

Ello _____ que podamos navegar en internet —ese será nuestro
8. (permitir)
ámbito vital— a través de lentes de contacto mientras circulamos en un automóvil que _____ el GPS, con un error máximo de un metro. Y así
9. (utilizar)
_____ cientos de kilómetros.
10. (rodar)

03. La atención médica en el futuro

La tarea de diagnóstico se _____ comúnmente a través de
11. (abordar)
programas informáticos robotizados que _____ hasta un 95%
12. (alcanzar)
de acierto en las enfermedades más comunes.

Este doctor informático _____ de un mapa completo con
13. (disponer)
los genes del paciente y _____ un tratamiento compatible con la
14. (recomendar)
dotación genética e historial clínico de cada uno.

04. Mezcla de realidad real y realidad virtual

En nuestras gafas o lentes de contacto _____
15. (ver)
simultáneamente imágenes virtuales superpuestas al mundo real. Susumu

Tachi, en la Universidad de Kejo, en Japón, está diseñando unas gafas que fusionan la fantasía y la realidad. Un soldado en acción _____
16. (poder)
recibir a través sus gafas especiales información sobre la posición del enemigo e instrucciones de los mandos.

05. Pantallas murales

En el futuro será todavía más accesible el contacto con amigos y extraños.

_____ a la pantalla organizar juegos y otras actividades con otros
17. (Pedir)
individuos de cualquier parte del mundo.

_____ pedir casi todo al rostro amable que _____
18. (Poder)   *19. (aparecer)*
en la pantalla; de antemano conocerá nuestras preferencias demostradas en contactos o recorridos anteriores. _____ viajes, estudios u
20. (Planificar)
opciones de rutas para comprar cualquier cosa.

06. Papel electrónico flexible

En el futuro, las pantallas planas que pueden cubrir las paredes serán flexibles, extremadamente delgadas, y se _____ drásticamente.
21. (abaratar)
Se _____ usar casi como papel de pintar. En cualquier espacio,
22. (poder)
las paredes se _____ con la realidad a través de internet. Un
23. (conectar)
estudiante podrá descargar clases impartidas por profesores virtuales sobre cualquier especialidad.

07. Traductor universal

Ya existen versiones de traductores universales pero en el futuro, cuando viajemos en un país extranjero y hablemos con nativos, veremos los subtítulos correspondientes en nuestras lentes de contacto.

En la Universidad Carnegie de Pittsburg tienen ya prototipos que pueden traducir del chino al inglés o al alemán. Para ello, colocan determinados electrodos en el cuello y rostro de la persona que está hablando, captan la contracción de los músculos y a través de los mensajes electrónicos descifran las palabras que se están pronunciando, previamente traducidas.

08. El control por nuestra mente

A finales de este siglo _____ los ordenadores con nuestra
                              24. (controlar)
mente. _____ ciertas órdenes y nuestros deseos serán obedecidos.
        25. (Pensar)
Se van a necesitar décadas de trabajos preparatorios, pero los fundamentos ya están establecidos. Analizando los impulsos eléctricos que circulan a través de las neuronas, mediante nuevas generaciones de captadores de esos impulsos, se podrá traducir en una pantalla de ordenador los estados cerebrales.

En la medida en que el sujeto puede llegar a observar la traducción puede también mover el cursor del ordenador solo con el pensamiento.

09. Cómo serán los robots

Hoy ya hay robots sencillos que aspiran el polvo de las alfombras, pero ¿cómo serán los robots del futuro? Serán robots modulares y no
_____ apariencia humana; _____ de forma según la
       26. (tener)   *27. (cambiar)*
función que emprendan para resolver una inmensidad de problemas técnicos.

Algunos se _____ como cirujanos: _____ los
                28. (utilizar)   *29. (aminorar)*
riesgos con una precisión extrema. A mediados del siglo, _____
                                                               30. (llegar)
los robots emotivos: _____ hacer evaluaciones y juicios sobre,
                          31. (poder)
por ejemplo, a quien salvar en un terremoto o en un incendio. Posiblemente en ese tiempo los robots lleguen a tener la inteligencia de un perro o un gato.

10. El futuro de la medicina

Históricamente la medicina ha atravesado tres grandes etapas: la primera, que duró decenas de miles de años, estuvo dominada por la superstición, la brujería y los rumores. Todos los recursos eran hierbas y más tarde algún compuesto químico.

La segunda comenzó en el siglo XX con la llegada de la bacteriología y la mejora de la higiene. La tercera es la medicina molecular: la función de la física y la medicina que reduce esta a átomos, moléculas y genes.

Ahora la teoría cuántica nos ha dado modelos sorprendentemente detallados de la disposición de los átomos en cada proteína y en cada molécula de ADN. Sabemos cómo construir las moléculas de la vida, átomo a átomo, de la nada. En un futuro cercano _____ posible la utilización directa
32. (ser)
de células madre: capaces de transformarse en cualquier tipo de célula del cuerpo...

(http://www.filosofiahoy.es/index.php/mod.pags/mem.detalle/idpag.5694/cat.4163/chk.8f9d0a9d3b e044719b4c857a52bea85c.html)

Preguntas

1. Según el artículo, ¿cuáles serán los beneficios de las nuevas tecnologías y los cambios específicos mencionados en el artículo?

   _____

2. ¿Cuáles serán los desafíos que se mencionan?

   _____

B. Lea el artículo que sigue notando los verbos en el futuro. Después escriba un resumen usando los verbos en la lista en el futuro.

VOCABULARIO

la bandeja tray	**la imprenta** printing, printing press
desechar throw out	**el lema** slogan, theme
divulgar to divulge, popularize	**la pista** clue, track
los encurtidos pickles, pickled	**reivindicar** claim, reclaim
ensanchar to broaden, expand	**zamparse** jump in, polish off

¿Cómo comeremos en el futuro?

(Tema curricular: La ciencia y la tecnología, Los desafíos mundiales)

En el Future Fest se habló de superinteligencia y de superductores, de neurociencia y nanotecnología, de nueva economía y de nueva ecología. Pero nada pudo competir con el Gastrodome, que convirtió el salón de plenos de Ayuntamiento de Shoreditch en un sabroso laboratorio de degustación del futuro.

El primer plato (comida para pensar) lo sirvió precisamente en bandeja Andoni Aduriz, que hizo un apasionante recorrido por la historia de la alimentación desde la revolución agrícola... «Esencialmente, todos los avances que se han producido en los últimos siglos, a excepción del microondas, no han servido más que para acelerar o hacer más eficientes las técnicas que llevamos usando desde la Edad Media. Y la mayor revolución en la cocina sigue siendo sin duda la que se produjo con la imprenta, que permitió divulgar todos los conocimientos que entonces estaban reservados a unos pocos privilegiados».

«La cocina ha sido siempre un reflejo de la sociedad», asegura Aduriz. «De modo que la respuesta a la pregunta obligada ('¿Cómo comeremos en el futuro?') es aún más ardua de lo que parece... Decidme cómo será la sociedad del futuro y os diré cómo comeremos».

A falta de la respuesta del millón, aquí van algunas pistas... Según Aduriz, lo que está ocurriendo ahora es producto directo de la revolución de los años sesenta, que no sólo introdujo la innovación y la creatividad en las cocinas, sino que impulsó con el tiempo el concepto de «sostenibilidad». El chef de Mugaritz reivindicó el «saber comer» de Michael Pollan: la cocina como fuente incomparable de placer y de salud, con la mirada siempre atenta al medio ambiente.

Alimentos transgénicos

Le preguntamos al chef por la fricción entre tecnología y ecología, y más en concreto por los alimentos transgénicos. «Llegará un momento en que la ciencia y la ecología tendrán que hablar y encontrar un punto de entendimiento», sostiene. «Dudo que en el 2050 se pueda alimentar a 9.000 millones de humanos exclusivamente con agricultura ecológica».

«El futuro de la alimentación se cocerá sin duda en las ciudades, donde se concentrará el 70% de la población», anticipa Aduriz. «Será como volver a las ciudades-estado del Renacimiento, y esa nueva sociedad será la que alumbre una nueva cocina».

Llegó pues el momento de la degustación, y Charles Spence, de la Universidad de Oxford, nos invitó a hacer un recorrido por los restaurantes que están ensanchando el horizonte sensorial de la gastronomía, con parada obligada en el Celler de Can Roca. Jon Fraser y Aran Dasan, fundadores de Ento, rompieron una lanza por el futuro de los insectos como sabrosa fuente de proteína.

Josh Pollen y Mike Knowlden, de Blanch and Shock, reivindicaron el potencial de los encurtidos y los fermentados «en un mundo que desecha una tercera parte de la comida que produce». La 'troupe' de Curious Confectioner propuso por último innovadores sistemas de cultivos de germinados en las casas, como parte de la revolución doméstica y en respuesta a uno de los lemas del FutureFest: «Todos somos horticultores».

Geoff Mulgan, de Nesta, tomó finalmente la palabra y lanzó preguntas a la platea, irreconciliablemente dividida ante lo que nos espera de aquí al año imaginario del 2050: «¿Estarían ustedes dispuestos a zamparse una hamburguesa de insectos? ¿Comerían carne crecida en laboratorio?». Que aproveche.

(http://www.elmundo.es/elmundo/2013/09/29/ciencia/1380491365.html)

Escriba el resumen del artículo usando los verbos que siguen en el futuro. Incluye la discusión de «la fricción entre tecnología y ecología» según el autor.

1.	comer	3.	llegar	5.	cocer	7.	decir
2.	ser	4.	tener	6.	estar	8.	concentrar

T R A B A J O   C O O P E R A T I V O

A. Formen grupos cooperativos de cuatro alumnos y lean los dos siguientes artículos sobre la exploración del espacio, notando el uso de los verbos en el futuro.

- El líder del grupo organiza el trabajo
- Todos leen los dos artículos que siguen, y buscan el significado de nuevo vocabulario en sus diccionarios.
- Todos discuten la información en los dos artículos, y entonces se dividen en parejas.
- Una pareja discute los beneficios de la exploración espacial. La otra pareja discute los riesgos.
- Cada pareja escribe sus predicciones positivas y negativas de los probables efectos en los astronautas y en el medio ambiente. Usen el futuro según sea necesario.
- El grupo discute sus predicciones y preocupaciones y los presenta a la clase entera.
- El grupo discute la necesidad de más leyes internacionales para los viajes espaciales y las investigaciones y descubrimientos en el espacio que comparte con la clase y si quieren, con sus legisladores.

ARTÍCULO A

Cinco españoles, entre el millar de elegidos para viajar a Marte y no volver

(Tema curricular: La ciencia y la tecnología, Los desafíos mundiales)

La compañía holandesa 'Mars One' ha escogido en su primera criba a los candidatos que se presentaron a su insólita misión, que consiste, según anunciaron hace meses, en viajar a Marte y no volver. De los 200.000 aspirantes ya sólo quedan 1.058. Entre ellos, hay cinco españoles, según informa en uno de los elegidos, el geólogo madrileño Juan José Díaz-Guerra, quien se ha mostrado «muy contento» por haber pasado a la siguiente fase.

Según ha explicado Díaz-Guerra a la agencia Europa Press, conoció la noticia a través de un correo electrónico que le ha enviado la organización y en el que, además de felicitarle, le informan de que, a partir del 6 de enero de 2014, el jefe médico del proyecto, Norbert Kraft, se pondrá en contacto con él para enviarle «información crítica» acerca de su candidatura.

Díaz-Guerra se ha mostrado esperanzado tras haber pasado esta primera criba. Según ha indicado, 'Mars One' ha ido cambiando el número de aspirantes que pasarán las diferentes fases y ha modificado los plazos de selección, de manera que desconoce cuál será su siguiente reto. «Sabemos que necesitas detalles. Prometemos que llegarán», apunta la compañía holandesa en el correo enviado al español.

Entre las personas elegida, la mayoría son de EE.UU. (297), Canadá (75), India (62), Rusia (52), Australia (43), China (40) y Gran Bretaña (40). Hay 282 candidatos europeos.

Al final, 25 elegidos

Según la página web de este proyecto, finalmente serán 25 las personas que viajarán al espacio y formarán parte del asentamiento que se construirá en el Planeta rojo. Antes de viajar, los elegidos tendrán de pasar por duros entrenamientos como los astronautas profesionales.

La compañía se ha comprometido a que, en los diez próximos años, construirá una colonia habitable y sostenible, diseñada para recibir nuevos astronautas cada dos años. Además, ha explicado que, para ellos, ha desarrollado «un plan preciso y realista basado enteramente en tecnologías existentes».

«Es viable tanto de manera económica como logística, gracias a la suma de proveedores y expertos en exploración del espacio que ya existen», argumenta la empresa en la web. De hecho, 'Mars One' evalúa el coste del primer vuelo en torno a 6.000 millones de dólares. Cada uno de los viajes posteriores, una vez cada dos años, costaría 4.000 millones de dólares.

Según ha explicado, «la idea es financiar el grueso del proyecto con la venta de derechos de transmisión de un 'reality show' que empezará a emitirse ya en la etapa de selección y podría convertirse en el mayor evento mediático a escala global».

Los organizadores de este proyecto han destacado los principales aspectos que hacen de esta idea una iniciativa viable. Así, han explicado que el asentamiento en Marte estará propulsado por paneles solares, concretamente con un modelo que se utiliza habitualmente en el sector y que son fáciles de transportar. La intención es crear un área de 3.000 metros cuadrados como fuente de energía.

'Mars One' ha señalado que la utilización de energía solar es posible porque no se requiere producción de combustible para un viaje de regreso a la Tierra. En este sentido, la compañía ha dejado claro a los candidatos de que tienen que ir con la idea de que nunca regresarán a sus casas terrestres. A partir de su llegada Marte se convierte en su nuevo hogar, donde van a vivir y trabajar el resto de sus vidas.

El *español, «mentalizado»*

En este sentido, Díaz-Guerra aseguró, en una entrevista concedida en noviembre a Europa Press, que sabe a lo que va. «Lo que busca Mars One son cobayas humanas». «Seremos las ratas de laboratorio. Vamos a hacer el trabajo sucio de lo que va a venir», ha declarado el español, que es geólogo...

(http://www.abc.es/ciencia/20131231/abci-espanol-entre-millar-seleccionados-201312311357.html)

ARTÍCULO B

Los grandes beneficios, y riesgos, de la carrera espacial

(Tema curricular: La ciencia y la tecnología, Los desafíos mundiales)

La carrera espacial está de nuevo en marcha, pero esta vez bajo el mando de los empresarios. El aterrizaje exitoso de la cápsula Dragon en el Pacífico, el 31 de mayo, la primera nave privada en conectarse con la Estación Espacial Internacional (ISS, según sus siglas en inglés), marcó un importante hito en la entrada de las empresas privadas en el negocio de la explotación del espacio. La Dragon, construida y lanzada por la Space Exploration Technologies Corporation (SpaceX), de Elon Musk, uno de los fundadores de PayPal, demostró que las empresas privadas jugarán un papel decisivo a partir de ahora en el sector espacial, ya que los gobiernos de todo el mundo están bajo presión fiscal, lo que los obliga a replantear sus ambiciones galácticas. Esas empresas están invirtiendo fuertemente en el desarrollo de nuevas naves espaciales en todos los sectores, del transporte de carga a la prospección de metales en asteroides, creando nuevas industrias e incontables oportunidades, así como un grado elevado de riesgo, según explican los especialistas de Wharton y de otras instituciones...

Ese cambio «posibilita el desarrollo del sector espacial para quienquiera que tenga recursos y quiera contribuir en el plano comercial o filantrópico en el proceso», observa Michael Tomczyk, director gerente del Centro Mack de Innovación Tecnológica [Mack Center for Technological Innovation] de Wharton. «Se trata de una forma excitante y bienvenida de 'innovación abierta' aplicada al espacio».

A pesar de que todo el mundo dice que las empresas deberían limitarse al servicio de taxi con destino a la ISS, algunos empresarios tienen metas más ambiciosas. Elon Musk, por ejemplo, fundador de SpaceX, dijo que planea desarrollar un avión que lleve personas a Marte. Planetary Resources, empresa emergente de Seattle financiada por pioneros acaudalados de la industria de tecnología como Larry Page, fundador de Google, y Charles Simonyi, ex arquitecto de software de Microsoft, planea desarrollar aeronaves-robot para la prospección de metales raros, como platino, en asteroides. Bigelow Aerospace, de Las Vegas, está trabajando en módulos espaciales que gravitarán en torno a la Tierra y podrán ser alquilados por los gobiernos o por grupos privados para fines diversos, entre ellos, por ejemplo, la investigación biológica.

Para otros, la tecnología espacial se podrá usar para transformar totalmente el sector de viajes. George Whitesides, ex director general de la NASA y consejero delegado de Virgin Galactic, de sir Richard Branson, dice que el plan de la empresa, a corto plazo, consiste en hacer posible vuelos suborbitales para turistas por US$ 200.000. El actor Ashton Kutcher, y otras 500 personas, ya han hecho la reserva necesaria para garantizar su plaza. Whitesides cree que los viajes deberían comenzar el año que viene. Pero él cree que hay un mercado mucho mayor para la tecnología desarrollada por Virgin Galactics que permitirá que las personas lleguen a destinos distantes del planeta en cerca de media hora. «Es difícil para nosotros imaginar que sea posible girar alrededor de la Tierra en una hora; sin embargo, eso es perfectamente factible», dice Whitesides. «Se trata de un mercado enorme. Tan solo hay que conseguir bajar los precios con el paso del tiempo»...

... «Los vuelos con pasajeros presentan riesgos ineludibles, y las tragedias ocurren incluso en los programas de Gobierno con numerosas y caras instancias de supervisión», señala Mike Gruntman, profesor de Astronáutica de la Universidad del Sur de California. «Perdimos dos trasbordadores espaciales [el Challenger, en 1986, y el Columbia, en 2003]. El negocio espacial es arriesgado, y habrá pérdida de vidas en el futuro». La verdadera dificultad, añade Gruntman, consiste en saber cómo responderá el gobierno a un evento de este tipo. «¿Habrá un retroceso en la regulación, de tal manera que los vuelos espaciales con pasajeros vuelvan a ser operados de forma exclusiva por el Gobierno?»

Sean cuáles sean los riesgos, mucha gente dice que es esencial que el sector privado y el Gobierno federal trabajen juntos para que el sector espacial avance. «Si insistimos en sacar de la Tierra más de lo que ella puede darnos y si continuamos presionando sus reservas de agua y la calidad de vida que el planeta nos proporciona, los gases de efecto invernadero, el agotamiento de los recursos escasos, la destrucción del hábitat de los océanos y de los bosques tropicales, que son verdaderas fábricas de oxígeno, ocurrirán como consecuencia de nuestras acciones poniendo en riesgo la civilización», observa Tomczyk, de Wharton. «Aprender a vivir en el espacio y en otros planetas no sólo nos da una ruta de escape, principalmente, nos enseña a vivir en ambientes adversos y hostiles, algo que tal vez tengamos que hacer más pronto de lo que imaginamos».

(http://www.knowledgeatwharton.com.es/article/los-grandes-beneficios-y-riesgos-de-la-carrera-espacial/)

6.2.   THE CONDITIONAL TENSE

1.   Uses of the Conditional Tense

The conditional tense is used to express the following communicative functions:

A.   Expressing an action that would take place after an event or feeling stated in the past.

Juan me dijo que nos *visitaría* este fin de semana.
Yo sabía que él no *podría* visitarnos hoy.

B.   Expressing a contrary-to-fact condition that would be the result of a hypothetical event.

Si tuviéramos el dinero, *viajaríamos* a Madrid.
Si pudiera (pudiese) hablar español, *iría* con Uds.

NOTE: The *si* clause is in the imperfect subjunctive tense.

C.   Expressing probability or speculation in the past.

Ana *tendría* veinte años cuando la conocí.
***Serían* las tres cuando salió.**
***Habría* mucha gente en la estación, ya que no la encontró.**

D.   Expressing wonderment in the past.

A qué hora *llegaría*?
Quién *llamaría*?

PRUEBA PRELIMINAR

Lea el siguiente artículo y complete las frases con la forma apropiada del tiempo condicional. Entonces, conteste las preguntas al respecto.

Científicos alertan sobre caída de grandes asteroides en la Tierra

(Tema curricular: La ciencia y la tecnología, Los desafíos mundiales)

VOCABULARIO			
la amenaza threat		**el rango** rank, class	
explotar to explode		**escanear** to scan	
encabezar to head,		**aplanar** to level, flatten	
alcanzar, el alcance to reach, reach		**agregar** to add	

La amenaza de otro impacto de cuerpo celeste como el que cayó en Rusia a inicios de año es mucho más alta de lo que se pensaba hasta ahora.

Un reciente estudio publicado en la revista científica *Nature* revela que rocas espaciales tan grandes como una casa y de un tamaño similar a la que explotó sobre la localidad rusa de Chelyabinsk en febrero pasado, están viajando hacia la atmósfera de la Tierra con una frecuencia sorprendente.

Por ello, el autor principal de la investigación, el profesor Peter Brown, de la Universidad de Western Ontario en Canadá, indicó que se deben hacer más esfuerzos para crear sistemas de alerta temprana, el cual «escanee el cielo de una forma casi constante y busque estos objetos» antes de que alcancen nuestro planeta...

El equipo de expertos que encabeza el profesor Peter Brown calcula que la tasa de alcance de asteroides de decenas de metros de tamaño oscila entre 2 y 10 veces más de lo que se pensaba hasta ahora.

«Algo como lo de Chelyabinsk se ＿＿＿＿＿＿＿ que ocurriera sólo cada
                                    1. (poder)
150 años, según la información de los telescopios. Pero cuando se analizan nuestros datos y se extrapolan, vemos que estos eventos parecen estar ocurriendo cada 30 años o así», dijo Brown.

Un evento como el impacto de Tunguska en 1908, año en que un asteroide aplanó miles de kilómetros cuadrados de bosque en Siberia, probablemente ocurra cada pocos cientos de años en lugar de cada pocos miles de años, añadió.

«Hay literalmente millones de objetos en el rango de las decenas de metros de tamaño que sospechamos son asteroides cercanos a la Tierra que pueden aproximarse a nuestro planeta», explicó.

«Solo hemos descubierto algo más de 1,000 de estos elementos. Hay muchos más por encontrar, pero ＿＿＿＿＿＿＿ muy caro encontrarlos todos y
                                              2. (ser)
probablemente no ＿＿＿＿＿＿＿ mucho sentido, porque la atmósfera los
                    3. (tener)
detiene en muchos casos», agregó.

«Lo que sí puede tener sentido es desarrollar sistemas que encuentren objetos unos días o semanas antes de que lleguen … que digan dónde y cuándo impactarán la Tierra. Esto _____ que se diera algún tipo de alerta a las autoridades
4. (permitir)
de defensa civil», sentenció…

(http://peru21.pe/mundo/cientificos-alertan-sobre-caida-grandes-asteroides-2156710)

Preguntas

1. Según el profesor Brown ¿con qué frecuencia podrían alcanzar la tierra los asteroides?

2. Según el profesor, ¿qué tipos de sistemas ayudarían a proteger la tierra?

2. Regular Verbs

The conditional tense of regular verbs is formed by adding the following set of endings to the infinitive forms.

HABLAR		COMER	
hablar*ía*	hablar*íamos*	comer*ía*	comer*íamos*
hablar*ías*	hablar*íais*	comer*ías*	comer*íais*
hablar*ía*	hablar*ían*	comer*ía*	comer*ían*

VIVIR	
vivir*ía*	vivir*íamos*
viv*ías*	vivir*íais*
vivir*ía*	vivir*ían*

NOTE: Verbs that have an accent mark in the infinitive drop it before adding the future endings:

oír   oir*ía*   reír   re*i*r*ía*   sonreír   sonreir*ía*

3. Irregular Verbs

Verbs irregular in the conditional modify their infinitive form before adding the endings. They may be divided into three groups:

A. Verbs that drop the *e* or *i* of the infinitive ending and insert the letter *d*.

TENER		PONER	
ten*d*ría	ten*d*ríamos	pon*d*ría	pon*d*ríamos
ten*d*rías	ten*d*ríais	pon*d*rías	pon*d*ríais
ten*d*ría	ten*d*rían	pon*d*ría	pon*d*rían

VALER	
valdría	valdríamos
valdrías	valdríais
valdría	valdrían

VENIR		SALIR	
vendría	vendríamos	saldría	saldríamos
vendrías	vendríais	saldrías	saldríais
vendría	vendrían	saldría	saldrían

B. Verbs that drop the *e* of the infinitive ending.

CABER		HABER	
cabría	cabríamos	habría	habríamos
cabrías	cabríais	habrías	habríais
cabría	cabrían	habría	habrían

PODER	
podría	podríamos
podrías	podríais
podría	podrían

SABER		QUERER	
sabría	sabríamos	querría	querríamos
sabrías	sabríais	querrías	querríais
sabría	sabrían	querría	querrían

C. Verbs that drop the *e* or *c* of the infinitive before adding the endings.

DECIR		HACER	
diría	diríamos	haría	haríamos
dirías	diríais	harías	haríais
diría	dirían	haría	harían

NOTE: Compounds of these irregular verbs have the same irregularities in the future tense.

mantener:	manten*dría*	satisfacer:	satisfa*ría*
componer:	compon*dría*	contradecir:	contradi*ría*
convenir:	conven*dría*		

E J E R C I C I O S

A. Lea el siguiente artículo sobre la clonación. Complete las frases con la forma correcta de los verbos en el condicional y luego conteste las preguntas sobre el artículo.

¿Quién teme a la clonación?

(Tema curricular: La ciencia y la tecnología, Los desafíos mundiales)

VOCABULARIO

engorroso cumbersome	**arrancar** to pull
el barrajador shuffler	**la polémica** the polemic, controversy
aleatorio random	**adinerado** wealthy
la fecundación fertilization	**espantajo** fright, scarecrow
el tejido tissue	**aducido** adduced, furnished
la cantera source	**la madre de alquiler** surrogate

El embriólogo Ian Wilmut extrajo el núcleo de una célula mamaria de una oveja adulta y lo introdujo en el óvulo enucleado de otra oveja, obteniendo así por fecundación *in vitro* un embrión que implantó en una tercera oveja, que en julio de 1996 parió a *Dolly*, clon o copia genética de la primera…

Ahora, en la Universidad de Ciencia y Salud de Oregón acaban de usar la técnica creada por Wilmut para obtener células madre humanas, como paso hacia la producción de tejidos clonados. A partir de las células de la piel de un bebé enfermo han producido embriones genéticamente idénticos al bebé, a fin de sacar de ellos las células madre con las que tratarlo. No implantaron los embriones en madres de alquiler, pues su objetivo no era la clonación reproductiva, sino solo la terapéutica.

La reproducción por clonación no es noticia: la vienen practicando las bacterias desde hace miles de millones de años…

La reproducción sexual es mucho más reciente, compleja y engorrosa que la asexual (la clonación). Si solo se tratara de reproducirse, la naturaleza no se _____
1. (haber)
embarcado en algo tan extravagante. Pero el sexo, antes que mecanismo reproductor, es un generador de diversidad, un barajador aleatorio de genes mediante la recombinación sexual, que da lugar a genomas siempre inéditos. La clonación, por el contrario, produce fotocopias genéticas de sus progenitores. La selección natural actúa sobre la variabilidad genética previamente dada. Si nos reprodujésemos exclusivamente por clonación, esa variabilidad _____ mucho menor, lo que _____ la evolución
2. (ser)   3. (frenar)
biológica y nuestra adaptación potencial a cambios imprevistos del entorno. Esto sería un peligro si la clonación reemplazase por completo a la reproducción sexual, cosa totalmente improbable, dado que la segunda es mucho más segura, barata y divertida que la primera.

Uno de los espantajos aducidos es la posibilidad de que en el futuro a alguien se le ocurra crear un clon de sí mismo como cantera de órganos de trasplante sin rechazo. Pero el trasplante _____ muchos años en llegar, por lo que no sería práctico.
4. (tardar)
Además, el ser humano obtenido por clonación _____ los mismos derechos
5. (tener)
legales que asisten a cualquier ciudadano. Si alguien (aunque fuese su padre) le arrancase sus órganos contra su voluntad, _____ enseguida en la cárcel. Otro
6. (acabar)
presunto peligro _____ en que un dictador loco a lo Hitler se dedicase a
7. (consistir)
clonarse a sí mismo. Sin embargo, un dictador no _____ interés alguno en
8. (tener)
crear su propia concurrencia. Un dictador loco siempre es peligroso, con clonación o sin ella. Hitler no empleó tecnología avanzada para producir el Holocausto de los judíos. El peligroso era Hitler, no el gas que utilizaba.

Ahora, la clonación de células humanas en Oregón ha vuelto a desatar la polémica. Muchos países han dado vía libre a la llamada clonación terapéutica, mientras prohíben la reproductiva. En realidad, no hay argumentos racionales para prohibir ninguna de las dos. La clonación reproductiva humana sería tan cara, insegura y desagradable que, aunque estuviese permitida, solo se _____ excepcionalmente. De todos modos, si una
9. (practicar)

pareja adinerada pierde en un accidente fatal a su hijo único y queridísimo y decide clonarlo

a partir de una de las células de su cadáver todavía caliente y paga los gastos de su propio

bolsillo, ¿qué razón _____ los demás para impedírselo? Ninguna, que yo vea.
                              10. (tener)

(http://www.sociedad.elpais.com/sociedad/2013/05/16/actualidad/1368730170_908784.html)

Preguntas

1. ¿Cuáles podrían ser los beneficios de la utilización de la técnica creado por Wilmot en la Universidad de Ciencia y Salud de Oregón, según el autor del artículo?

   _____

2. ¿Cuáles serían los posibles peligros de la clonación que menciona el autor?

   _____

3. ¿Por qué dice el autor, «no hay argumentos racionales para prohibir ninguna de las dos»?

   _____

T R A B A J O   C O O P E R A T I V O

A. Formen grupos de cuatro para discutir los siguientes artículos sobre el trabajo infantil en Bolivia.

   - El líder del grupo organiza el trabajo y ayuda a los demás.
   - Una pareja lee el artículo A y la otra lee el artículo B.
   - Un miembro de cada pareja busca y traduce el nuevo vocabulario del artículo.
   - Cada pareja explica su artículo al grupo.
   - Todos discuten las diferencias de opinión en los artículos y sus reacciones al respecto.
   - El grupo discute lo qué harían para resolver el dilema de los jóvenes y el gobierno de Bolivia y escribe las soluciones en una carta o blog.
   - El grupo comparte sus sugerencias con la clase y con los jóvenes de Bolivia.

ARTÍCULO A

Bolivia aplaza la ley contra el trabajo infantil tras las protestas de los niños

(Tema curricular: Los desafíos mundiales, Las familias y las comunidades)

Algo más de 30 niños y jóvenes, con la cara brillante y el cabello bien peinado, pero con manos resecas, miraban aún con sorpresa al presidente de Bolivia y el lugar donde se encontraban: el comedor del Palacio Quemado, durante la audiencia con Evo Morales el lunes muy temprano. Solo tres días después de que la policía les disparase gases lacrimógenos para dispersarlos mientras se manifestaban, han logrado que la Asamblea

Legislativa Plurinacional haya dejado pendiente hasta enero la aprobación del código de la Niñez y que Morales haya apoyado públicamente su reivindicación: que no se prohíba, como prevé la norma en proyecto, el trabajo infantil entre los cinco y catorce años.

El proyecto del Código de la Niñez y Adolescencia, que prohibía el trabajo a menores de catorce años, se ha elaborado con el fin de garantizar el derecho de los pequeños a estudiar, tener acceso a servicios de salud y educación. El ministerio de Trabajo boliviano difundió recientemente un estudio sobre este segmento de la población que está plenamente incorporado a la fuerza laboral del país. Son 848.000 niños y niñas, con edades de entre cinco y catorce años, que trabajan en el país, muchos de ellos en una veintena de actividades que se consideran peligrosas para los menores de edad. Tanto el ministerio como el Centro Boliviano de Acción Educativa e Investigación explican que la precaria situación de los pequeños trabajadores se origina en la pobreza, la desintegración familiar, el abandono, la falta de empleo para los adultos en la familia y, también, la irresponsabilidad de los padres. En toda América Latina trabajan unos 14 millones de niños de cinco a 14 años, según la OIT.

El delegado nacional del movimiento social independiente, Henry Apaza, de 13 años, que vende cigarrillos en la ciudad de El Alto desde los siete, cuenta que en el desayuno explicaron a Morales sus objeciones. «No pueden dejar sin trabajo a quienes por las circunstancias de la vida tenemos que trabajar. Le hemos dicho que hay chicos y chicas de cinco años que venden chicle y dulce al lado de sus madres o de sus hermanos. El presidente nos ha contado primero de su vida, y del trabajo que tenía de niño, sus anécdotas y, después de escucharnos ha dicho que nos va a apoyar». Morales afirmó, al término del desayuno, que el trabajo de los niños y jóvenes no puede eliminarse, pero que eso no quiere decir que se vaya a permitir la explotación laboral. «Eliminar el trabajo infantil es eliminar la conciencia social», declaró el presidente.

ARTÍCULO B

Ilegal o parte de la cultura? El trabajo infantil divide a Bolivia

(Tema curricular: Los desafíos mundiales, Las familias y las comunidades)

Se estima que 850.000 niños y adolescentes trabajan en Bolivia.

¿Deben o no deben trabajar los niños? Esa es la pregunta que tratan de responder por estos días los legisladores en Bolivia, país que está inmerso en una polémica sobre el trabajo infantil en la que hasta el presidente Evo Morales ha terciado diciendo que, por razones culturales, los menores deben trabajar para desarrollar "conciencia social", pese a que contraviene convenios internacionales suscritos por el país.

A pesar de que en 1973 el organismo adoptó un convenio que prohibió que los menores de 14 años trabajen, en muchos países que son miembros de la organización es muy común ver a menores empleados.

Tal es el caso de Bolivia, donde el 28% de los chicos de entre cinco y 17 años trabaja, según datos de la Defensoría del Pueblo. Si bien el país ratificó el convenio de la OIT en 1997, aún hay muchos que se resisten a imponer por ley una edad mínima para trabajar.

A fines de 2013, un grupo de niños y adolescentes trabajadores protestó frente a la Asamblea Legislativa luego que la Cámara de Diputados aprobara el llamado Código Niña, Niño, Adolescente, que ratifica los 14 años como la edad mínima para trabajar y establece un plan para erradicar el empleo infantil.

La protesta, que fue reprimida por la policía con gases, generó una polémica que llevó al Senado a suspender el debate del Código hasta mediados de enero y a convocar una reunión con los menores, que forman parte de la Unión de Niños, Niñas y Adolescentes Trabajadores de Bolivia (Unatsbo), una organización que agrupa a más de 10 mil chicos.

Empleo infantil en Bolivia

- 850.000 niños y adolescentes trabajan
- 87% desempeña oficios considerados peligrosos como la zafra y la minería
- 77% no recibe sueldo porque ayuda a la familia

Esta semana, representantes de la Unatsbo fueron recibidos por la presidenta del Senado, Gabriela Montaño, a quien le solicitaron que no se ponga límite de edad para el trabajo independiente (como la venta callejera o el cuidado de vehículos) y se establezcan los 12 años como la edad mínima para el trabajo en relación de dependencia.

El propio presidente Evo Morales terció a favor de los menores, expresando su rechazo a imponer un límite de edad en el nuevo Código.

«Mi experiencia, mi posición: no debería eliminarse el trabajo de niñas, niños y adolescentes, pero tampoco deberían explotar o incitarlos a trabajar. Algunos trabajan por necesidad, pero además eliminar el trabajo de niños es como eliminar que tengan conciencia social», afirmó el mandatario tras reunirse con los jóvenes de la Unatsbo unos días antes de Navidad.

«En las áreas rurales, desde el momento en que se aprende a caminar uno ya presta un servicio a la familia. No es explotación, es sacrificado pero eso es vivencia misma», agregó el mandatario.

Cuestión cultural

Históricamente, el tema del trabajo infantil ha generado polémica en Bolivia y otros países andinos, como Perú, donde muchos creen que es normal que los niños colaboren desde pequeños con las tareas del hogar y ayuden a mantener a su familia.

La mayoría de los niños bolivianos trabaja en el campo o en la industria minera. (Foto: OIT)

«En esta región los niños son considerados parte activa de la sociedad y de la economía familiar y desde pequeños cumplen un rol en la comunidad», explicó a BBC Mundo una vocera de la oficina andina de Save The Children, una de varias ONG dedicada a promover los derechos de los niños que no considera que toda forma de trabajo infantil sea explotación.

Lo mismo piensa el presidente Morales, quien cree que el foco debería estar puesto en erradicar las prácticas abusivas de empleo infantil y no todo el trabajo realizado por menores.

El mandatario incluso ha resaltado varias veces su propia historia de vida, recordando cómo ayudaba a su familia a los seis años vendiendo helados, y también usó el ejemplo de sus propios hijos para recalcar los efectos beneficiosos que puede traer el trabajo para los niños y adolescentes.

Contó que envió a sus hijos Eva Liz, de 19 años, y Álvaro, de 17, a pastear llamas en los arenales de su pueblo natal, Orinoca, en el departamento de Oruro, para que aprendan sobre los orígenes de su padre.

«Un poco que conozcan cómo se vive y viven todavía, se trata de eso, no es un castigo, sino que conozcan», afirmó, tras admitir que sus hijos se habían quejado por tener que cumplir con esa tarea.

Los niños que piden trabajar

Pero mientras que los hijos de Morales se quejaron, otros niños reclaman el derecho de poder trabajar.

Por eso, en los últimos años en la región andina surgieron una serie de movimientos de niños trabajadores, como la Unatsbo, que funcionan como sindicatos de menores.

Según ellos, establecer límites de edad para el trabajo infantil no lo erradicará, sino que generará mayor trabajo clandestino.

Sin embargo la OIT rechaza este tipo de argumento.

«La magnitud, la elevada precariedad y la explotación laboral de niños, niñas y adolescentes en diferentes sectores de la economía de Bolivia es uno de los problemas más críticos del país».

Oficina regional de Unicef, el organismo para la infancia de las Naciones Unidas

«El Ministerio de Trabajo y los sistemas de protección de los niños son los responsables de realizar inspecciones y evitar el trabajo clandestino», dijo a BBC Mundo Guillermo Dema, especialista en trabajo infantil de la oficina regional de la OIT.

Según Dema, los argumentos que se utilizan para justificar el empleo infantil son similares a los que se planteaban en el pasado para rechazar la abolición de la esclavitud.

«Dicen que limitar el empleo infantil perjudicará a los niños así como antes decían que si se liberaba a los esclavos morirían de hambre, y que era mejor concentrarse en garantizar la calidad de su empleo», afirmó.

El especialista también consideró "una excusa" el tema cultural, afirmando que en los países del norte también se consideraba una práctica normal y aceptada que los niños trabajasen en siglos pasados.

Además, señaló que otros países andinos, como Colombia, Perú y Ecuador, han trabajado para abolir el empleo infantil, por lo que no se trata de una polémica regional.

«Trampa perversa»

Para Dema, el trabajo infantil es «una trampa perversa que perpetúa la pobreza y la exclusión social».

«El límite de edad de 14 años se impone para que los niños se concentren en su educación, que es la única forma en la que podrán salir de la pobreza», afirmó.

Según el Instituto Nacional de Estadística (INE) solo el 2,5% de los niños que trabajan viven en condiciones de extrema pobreza.

Pero, ¿qué pasa con aquellos niños que trabajan por necesidad, como señaló Morales? Después de todo, Bolivia es uno de los países más pobres de Sudamérica y muchos menores trabajan para poder subsistir.

Según el funcionario de la OIT, la solución pasa por priorizar los recursos de otra manera.

«Honduras y Nicaragua lograron reducir el empleo infantil, a pesar de no ser países ricos», ejemplificó Dema.

Para el experto, es responsabilidad del Estado garantizar el derecho a la educación.

«Una nación que no apuesta por la educación y depende de la contribución del trabajo de los niños para su desarrollo es un país no está estableciendo bien sus prioridades», criticó.

La Asamblea Nacional de Bolivia anunció que se crearán dos comisiones para estudiar posibles ajustes al Código Niña, Niño y Adolescente.

Si Bolivia decidiera eliminar o reducir la edad mínima para el empleo infantil quedaría en violación de varios tratados internacionales que subscribió, entre ellos el de la OIT.

A. ¿Si ganara El Gordo —más de 2 billones de euros— qué haría para mejorar su mundo? Escriba un ensayo breve usando los verbos sugeridos en el condicional.

ayudar	dar	poner
cambiar	invertir	satisfacer
compartir	organizar	sentirse
comprar	poder	tener

B. Lea el artículo siguiente sobre las cajas negras en los automóviles. Busque y escriba los verbos en el futuro y en el condicional y note sus usos en el texto. Entonces conteste las preguntas sobre el artículo.

Harán obligatorio uso de 'caja negra' en autos a partir del próximo año

(Tema curricular: La ciencia y la tecnología, La vida contemporánea)

Murray, quien ese entonces era el vicegobernador de Massachussets, no sufrió lesiones graves y le dijo a la policía que tenía puesto el cinturón de seguridad y no manejaba a alta velocidad.

Sin embargo, pronto surgió otra versión diferente. Murray iba conduciendo a más de 100 millas por hora y no tenía puesto el cinturón de seguridad, de acuerdo a la computadora de su auto que detecta ciertas acciones.

Le aplicaron una multa de 555 dólares. Posteriormente, dijo que se había quedado dormido.

Este caso colocó a Murray en el centro de un creciente debate sobre la poco conocida pero cada vez más importante parte de un equipo que se encuentra oculta dentro del auto, un módulo para las bolsas de aire que tiene la capacidad de almacenar información, comúnmente conocido como caja negra.

Aproximadamente el 96 por ciento de todos los vehículos nuevos vendidos en Estados Unidos tienen esas cajas, y en septiembre del 2014, una vez que lo sancione la Administración Nacional de Seguridad en el Tráfico de las Carreteras, NHTSA por sus siglas en inglés, todos la tendrán.

Las regulaciones actuales requieren que la presencia de la caja negra sea mencionada en el manual del propietario.

Sin embargo, la vasta mayoría de los conductores que no leen el manual completamente podrían no saber que el vehículo puede captar y registrar su velocidad, la posición de los frenos, el uso del cinturón de seguridad y otra información cada vez que se colocan detrás del volante.

A diferencia de las cajas negras de los aviones, que de manera continua registran la información incluyendo el audio y video, las de los automóviles sólo captan unos cuantos segundos del accidente o cuando emergen las bolsas de aire.

Un aparato por separado extrae la información, que luego es analizada a través del software de una computadora.

La Alianza de Fabricantes de Autos, una asociación comercial que tiene su sede en Washington y que representa a 12 automotrices incluyendo a General Motors y Chrysler, dio a conocer que apoya ese requisito debido a que las grabaciones han ayudado a monitorear la seguridad de los pasajeros.

«Las grabaciones ayudan a nuestros ingenieros e investigadores a entender cómo funcionan los autos en el mundo real, y una de nuestras prioridades sigue siendo preservar la privacidad del consumidor», comentó Wade Newton, portavoz de esta asociación.

«Las automotrices no tienen acceso a la información de la caja negra sin el permiso del consumidor y consideramos que cualquier requisito gubernamental para instalarlo en todos los vehículos debe incluir la manera de proteger la privacidad del usuario».

La información almacenada en esos aparatos está siendo usada con mayor frecuencia para identificar problemas en la seguridad de los autos y como evidencia en accidentes de tráfico y casos criminales.

Y ese cúmulo de información que hay dentro de las cajas ha generado inquietud sobre la privacidad, incluyendo preguntas acerca de quién posee la información, y para qué puede ser utilizada, aún cuando los críticos han cuestionado su confiabilidad.

Para los reguladores federales, las autoridades y las compañías de seguros, la información es una herramienta indispensable para investigar los accidentes.

Las cajas negras «proporcionan información crucial sobre la seguridad que de otra manera no podría estar disponible para la NHTSA para evaluar lo que sucedió durante el accidente y los pasos futuros que podrían tomarse para salvar vidas e impedir lesiones», comentó a través de un comunicado David L. Strickland, administrador de esa agencia de seguridad.

Sin embargo, para quienes defienden los derechos de los consumidores, la información es sólo el ejemplo más reciente de que el gobierno y las empresas tienen demasiado acceso a la información privada.

Una vez que es recopilada, dicen, la información puede ser utilizada en contra del propietario del auto, para encontrar faltas cometidas en los accidentes o en las investigaciones criminales.

«Esos autos están equipados con computadoras que recolectan cantidades enormes de información», comentó Khaliah Barnes del Centro de Información Electrónica Privada, un grupo de usuarios que tiene su sede en Washington.

«Sin protección puede haber todo tipo de abusos».

Y lo que es más, según dicen los que están a favor del consumidor, los funcionarios del gobierno aún tienen que proporcionar lineamientos consistentes sobre cómo será usada esa información.

Catorce Estados, incluyendo a Nueva York, han aprobado leyes que dicen que aún cuando la información pertenece al propietario del vehículo, oficiales que aplican la ley y aquéllos que están involucrados en un litigio civil pueden tener acceso a las cajas negras sin una orden de la corte.

En esos estados, los abogados pueden citar la información en investigaciones criminales y demandas civiles, haciendo accesible la información a terceras personas, incluyendo a las autoridades o compañías de seguro que podrían cancelar la póliza del conductor o incrementar el importe al conductor en base a la información que ha se grabe.

El origen de las cajas negras, que son del tamaño de dos mazos de cartas y están situadas en el centro de la consola, data de los autos modelo 1990, cuando General Motors las introdujo para realizar estudios de calidad.

Desde entonces, su uso y el alcance de la información que recolectan se han expandido.

La falta de estandarización entre los fabricantes ha hecho más difícil el extraer la información, lo cual ha sido más notorio durante las investigaciones de choques provocados por una aceleración inesperada y accidental en algunos vehículos de Toyota.

Hasta hace poco, los investigadores de accidentes necesitaban un lector patentado de la automotriz y la experiencia para analizar la información.

Las regulaciones de la administración de seguridad permitirán un acceso universal a la información utilizando una herramienta disponible comercialmente.

Al mismo tiempo, los departamentos de la policía están recibiendo entrenamiento sobre esas nuevas regulaciones…

(http://diario.mx/El_Paso/2013-07-21_c0d887cd/haran-obligatorio-uso-de-caja-negra-en-autos-a-partirdel-proximo-ano/)

Preguntas

1. Si no leen el manual completamente, ¿qué podrían desconocer los conductores de automóviles?

2. ¿Quiénes podrían tener acceso a la información en la caja negra?

3. ¿Cuáles serían algunos posibles abusos mencionados en el artículo?

4. Según el artículo, ¿cuáles son los dos lados del debate sobre las cajas negras?

P O R T F O L I O   A S S E S S M E N T S

1. Diseñe el automóvil ideal para el segundo milenio. Dibuje el auto y cree un anuncio que aparecerá en el Internet el año que viene. explique en su anuncio por qué su diseño es superior y cómo ayudará al medio ambiente.

2. El número de adultos y niños pobres que pasan hambre está aumentando a nivel mundial. El club internacional de su escuela decide que quiere ayudar. Los miembros deciden organizar actividades para colectar dinero, que van a donar a una organización internacional que ayuda a los pobres. El director de la escuela pide una descripción detallada de las actividades antes de darles permiso. Escríbasela, explicando qué harían e incluyendo los beneficios que resultarían de su plan.

7

La ciencia, el ser humano y la naturaleza

SER and ESTAR

Both **ser** and **estar** mean *to be* in English, but each verb is used to express different functions. Complete the pre-test that follows, and check your answers as you review the uses of these two verbs in this chapter.

PRUEBA PRELIMINAR

Ha visitado bosques en los EE.UU. o en otros países? Lea la descripción de un bosque especial en el siguiente artículo. Entonces escriba la forma de **ser** o **estar** en el tiempo apropiado, según el caso.

El Yunque: Naturaleza virgen

(Tema curricular: La ciencia y la tecnología)

VOCABULARIO		
la abeja bee	**espeso** thick	**el musgo** moss
la cacería hunt, hunting	**el helecho** fern	**la pulgada** inch
cálido hot	**el loro** parrot	**la rana** frog
la culebra snake	**la manga** sleeve	**venenosa** poisonous

El Yunque _____ un bosque de 28,000 acres que _____
                    1.   *2.*

localizado en la Sierra de Luquillo, a 40 kilómetros de San Juan, la capital de Puerto Rico.

_____ declarado reserva forestal por la corona española en 1876, convirtiéndose
        3.

así en la más antigua de América.

En el Yunque llueve mucho, alrededor de 240 pulgadas de agua al año. Por eso su vegetación

_____ tan espesa posee 250 especies de árboles, helechos gigantescos, musgo y
_4._

enredaderas. _____ en El Yunque donde se encuentran animales como el loro
_5._

puertorriqueño, de doce pulgadas, de color verde y alas azules. También hay loros de cabeza roja

y otras cincuenta especies de aves. No hay muchas culebras, y ninguna _____
_6._

venenosa...

En El Yunque _____ donde se encuentra en abundancia el famoso coquí,
_7._

una especie de rana única de Puerto Rico que emite un canto muy particular. La cacería

_____ prohibida en El Yunque.
_8._

Y la mejor manera de conocer este bosque _____ caminando y escalando
_9._

los picos más elevados. Hay caminos a través de todo el bosque y algunas zonas para acampar

de manera primitiva. Hace algunos años, parte de El Yunque _____ utilizado
_10._

para cultivar productos agrícolas, pero ahora toda la zona ha vuelto a _____
_11._

bosque. Científicos aún _____ estudiando parte de su vegetación, la cual no ha
_12._

_____ tocada por los turistas.
_13._

Entre las atracciones de El Yunque _____ la caída de agua La Coca, el
_14._

Camino de los Árboles Gigantes, las zonas de El Toro y El Cacique, y las áreas de recreación

Caimitillo y Palo Colorado.

El clima de El Yunque _____ cálido y hay muchos mosquitos, abejas
_15._

e insectos. La mejor recomendación _____ llevar camisa de manga larga o un
_16._

buen repelente.

(«El Yunque: naturaleza virgen», *El Diario/La Prensa*; 8 de junio de 1997, suplemento especial desfile puertorriqueño.)

7.1. USES OF *SER*

The verb *ser* is used to express the following communicative functions:

1.   Identifying something or someone.

     ¿Qué *es* eso? — *Es* una bufanda.
     ¿Quién *es*? — *Es* Elena

2.   Describing characteristics, origin or inherent qualities of people, places, or objects.

     El escritorio *es* de madera.
     Carla *es* simpática. *Es* de Puerto Rico.
     Puerto Rico *es* una isla.

3.   Identifying a person's occupation, nationality, and affiliations.

     Pedro *es* carpintero.
     ***Es* italiano.**
     ***Es* miembro del partido conservador.**

4.   Expressing possession or ownership.

     Este paraguas *es* de Felipe.
     ***Es* su abrigo también.**

5.   Expressing time, the date, quantity, price, and number.

     Hoy *es* martes, el seis de enero.
     ***Son* las ocho de la mañana.**
     ¿Cuántos *son*? — *Son* muchos. (quantity)
     ¿Cuánto *es*? — *Son* mil quinientas pesetas. (price)
     ¿Cuántos *son* dos por dos? — *Son* cuatro. (number)

6.   Expressing where an event takes place.
     La fiesta es en casa de Elena.

7.   Forming impersonal expressions.
     ***Es* imprescindible que me llames mañana a las ocho.**

8.   Expressing the passive voice with a past participle.
     La tienda *fue* cerrada a las seis.

7.2. USES OF *ESTAR*

The verb *estar* is used to express the following communicative functions:

1.   Expressing location or situation that is physical or temporal.

     Ana *está* en su dormitorio.
     Sus libros *están* sobre el escritorio.
     Ahora *estamos* en verano.

2. Expressing a physical or emotional state that is transitory and often subjective.

   Carlos *está* enfermo hoy.

   El agua *está* fría.

   Ana *está* alegre porque sus amigos acaban de llegar.

3. Expressing the result of an action.

   La puerta *está* cerrada.

   La comida *está* preparada.

4. Forming the progressive tenses when combined with a present participle.

   Los jóvenes *estaban* bailando anoche.

   Hoy *están* estudiando.

   NOTE: Several adjectives may be used with both verbs but have different meanings when used with **ser** or **estar**. Adjectives expressed with **ser** generally refer to a generic quality and a perspective that is objective. Adjectives used with estar generally refer to a state or aspect that is transitory and subjective. Examine the following paradigms.

   La sopa *es* rica.   (generic quality)

   La sopa *está* rica.   (personal impression)

   Elena *es* alegre.   (character)

   Elena *está* alegre.   (emotional state)

   Carlos *es* listo (*smart*).   (character)

   ***Estamos* listos (*ready*).**   (state)

   El programa *es* aburrido (*boring*).   (quality)

   Los alumnos *están* aburridos (*bored*).   (state)

   La falda es verde (*green*).   (quality)

   El tomate está verde (*unripe*).   (state)

E J E R C I C I O S

A. Lea el siguiente artículo sobre un animal en peligro de extinción. Busque y escriba las formas de los verbos *ser o estar*, notando sus varios usos. Entonces, conteste las preguntas.

Tres especies del coquí puertorriqueño en peligro de extinción

(Tema curricular: Los desafíos mundiales)

VOCABULARIO	
autóctona indigenous, native	**el pitido** the beep
el hongo fungus	**la rana** frog
patógeno pathogenic	**salpicar** splash
la peca freckle	**sembrar** to plant

San Juan – Tres especies de coquí, nombre onomatopéyico que reciben unas pequeñas ranas autóctonas de Puerto Rico, se encuentran en peligro de extinción, según el Departamento de Recursos Naturales y Ambientales (DRNA) de la isla.

El coquí, cuyo característico sonido se escucha al caer el sol en gran parte de la isla caribeña, es el animal que simboliza a Puerto Rico.

Desde agosto se ha documentado que el Eleutherodactylus portoricensis, conocido como el coquí de la montaña, sólo vive ya en el bosque El Yunque y en el de Carite, según observaciones de Rafael Joglar, catedrático de la Universidad de Puerto Rico y director del Proyecto Coquí, citadas por el DRNA en un comunicado.

En una situación también «crítica» se encuentra el *Eleutherodactylus locustus*, conocido como coquí martillo, que tan sólo habita también en esos dos bosques.

La tercera especie sobre la que este organismo llama la atención por su escasa población es el Eleutherodactylus richmondi, conocido como coquí caoba.

Según Joglar, su delicada situación se debe al cambio climático, la destrucción de su hábitat y un hongo patógeno de la piel denominado Batrachochytrium dendrobatidis (BD), identificado en 2004 y letal para esta especie de anfibio autóctona de Puerto Rico.

«Si hay especies amenazadas que están en peligro, esto lo que nos está diciendo es que los humanos estamos también amenazados», afirma Joglar en el citado comunicado.

El catedrático añade que el hecho de que «se hayan extinguido tres especies de coquí de las diecisiete que teníamos y tengamos otras seriamente amenazadas nos deja saber que estamos dañado el ambiente».

«Para el público en general es importante tener conocimiento sobre información tan valiosa como conocer que tenemos amenazas reales para tres especies de coquí», asegura al respecto la secretaria del DRNA, Carmen Guerrero Pérez.

El coquí de la montaña es de color uniforme, salpicado de pecas color crema, con una banda vertebral que se extiende lateralmente hasta las articulaciones intermedias de las patas. Es una de las dos especies que emite el sonido «co-quí», pero es de forma más rápida y alta que el resto.

El coquí martillo es de color castaño uniforme, con ojos grandes y protuberantes. Su sonido consiste en una corta nota parecida a un pitido, seguida de una serie de «clic».

El coquí caoba es de color caoba y tiene una línea dorada. Su sonido es un «tic», pero ocasionalmente va seguido de varias notas en secuencia.

Mientras en Puerto Rico se teme por la desaparición de algunas especies, otras variantes de coquí se han hecho fuertes en ciertas zonas de Hawái, donde este animal se introdujo accidentalmente hace más de dos décadas y donde está considerado un animal invasor al que las autoridades

Preguntas

1. Describa las tres especies de coquí que están amenazadas.

_____

_____

_____

_____

2. Según el artículo, ¿cuáles son las causas por las cuales las tres especies de coquí están en peligro de extinción?

_____

_____

_____

_____

3. Explique lo que nos está avisando Rafael Joglar cuando dice, «si hay especies amenazadas que están en peligro, esto lo que nos está diciendo es que los humanos estamos también amenazados».

_____

_____

_____

_____

4. Escriba un comentario sobre la situación del coquí. Añádalo a la «discusión» en el *Nuevo Herald*.

_____

_____

_____

_____

B. Lea el artículo siguiente sobre ropa de plástico reciclado. Complete las frases con las formas correctas de *ser* o *estar* en el tiempo apropiado. Entonces, conteste las preguntas.

Una empresa diseña ropa con tela hecha a partir de botellas de plástico

(Tema curricular: La ciencia y la tecnología, La belleza y la estética)

VOCABULARIO	
confeccionar make up (clothes)	**la pasarela** runway, catwalk
descuidado careless	**el plástico pet** polyethylene terephthalate
la emprendedora entrepreneur	**la red global** global network
fomentar to promote	**el reto** goal
la marca brand	**sobrante** leftover
la maquiladora manufacturing	**el taller** workshop

Una diseñadora de modas ha decidido demostrar que todos los días podemos ayudar al medio ambiente, y no solo cada Día de la Tierra, al crear una empresa de ropa 'reciclada' que promete llevar la sustentabilidad más allá de las modas.

Margrietina Ecofashion se dedica a la fabricación de ropa elaborada con tela hecha a partir de plástico pet reciclado. Con este material, por el momento, han creado una línea de ropa para niña y accesorios.

«Hasta ahora, el sector de la moda y la producción textil nos parece frívolo y descuidado. Nuestra filosofía _____ el consumo local, el consumo de productos
1. (ser)
sustentables», explicó a CNNMéxico Margarita Meza, directora ejecutiva de la empresa...

Meza, historiadora de profesión, llegó mucho antes al negocio de la moda, ya que su madre le había enseñado desde pequeña a cortar y confeccionar. Ella asegura que la falta de empleo y las condiciones en las que trabajan miles de personas en México la llevaron a poner en marcha su idea de ropa 'reciclada'.

«Este tipo de empresas se _____ multiplicando porque atendemos
2. (estar)
una necesidad real. Todos _____ teniendo mayor conciencia al respecto.
3. (estar)
Queremos que la gente observe su poder de compra, muchas veces consumimos solo por las marcas, sin ponernos a ver lo que hay detrás, que en este medio puede _____
4. (ser)
explotación laboral o productos que son agresivos con el medio ambiente», agrega.

Y este fin de semana Margarita presentó la ampliación de su catálogo con ropa para adulto, en una pasarela organizada por la Fábrica de Artes y Oficios (Faro) de Oriente, en la delegación Iztapalapa de la Ciudad de México.

«Tratamos de proponer propuestas alternativas a los problemas que podemos observar. Dentro de ello, _____ la preocupación por la conciencia
5. (estar)
ecológica, que ha producido nuevas tendencias en el arte, y por ello se trata de fomentar

el arte del reciclado», detalló Daniel Guzmán, uno de los coordinadores de eventos en el Faro de Oriente.

En ese lugar —agregó Guzmán— organizan distintos tipos de eventos y talleres, como el de la pasarela de moda, para mostrar el trabajo de jóvenes innovadores y acercarlos al consumidor...

Por el momento, Margrietina Ecofashion sigue buscando por todos los medios dar a conocer sus productos, que van desde gabardinas hasta pantuflas, bautizadas como PETuflas, hasta joyería y accesorios creados a partir del material sobrante de maquiladoras y otras empresas. Para esto, uno de sus principales retos _____ tener más
6. (ser)
puntos de venta.

«Las ventas _____ difíciles, en parte porque necesitamos más puntos
7. (ser)
de venta. Hasta el momento _____ pedidos esporádicas a través de Internet
8. (ser)
y amigos, pero nos gustaría poder posicionarnos en tiendas grandes para tener ventas seguras», dijo Margarita.

Además, esta emprendedora lanzará nuevos diseños elaborados con tela de fibra de bambú a finales de mayo, materia prima con la que ya _____ experimentando.
9. (estar)
«La cultura de preferir los productos sustentables no _____ tan sólida
10. (ser)
en el país. _____ un sector muy pequeño el que consume estos productos.
11. (ser)
Pero la gente nos ha recibido bien, les interesa la idea. Vamos a demostrar que la opción ecológica también _____ al alcance de su mano y con prendas bonitas, de
12. (estar)
diseño y accesibles en precio», detalló.

(mexico.cnn.com/planetacnn/2012/04/22/una-empresa-disena-ropa-con-tela-hecha-a-partir-de-botellas-de-plastico)

Preguntas

1. Según el artículo, ¿por cuáles motivos inició Margarita Meza su empresa?

    _____

    _____

    _____

    _____

2. ¿Cómo es la ropa mencionada en este artículo? ¿Cómo beneficia el medio ambiente?

    _____

    _____

    _____

    _____

3. ¿Cómo quiere cambiar la cultura de consumo Margarita Meza?

    _____

    _____

    _____

    _____

TRABAJO COOPERATIVO

A. ¿Es necesario usar animales para hacer investigaciones científicas sobre el cuerpo humano? Formen grupos cooperativos de cuatro o cinco alumnos para investigar y discutir este tema.

-   El líder del grupo organiza el trabajo y ayuda a los otros.
-   Todos buscan información en el Internet sobre el tema de los derechos de los animales versus los derechos de los científicos. Algunos sitios sugeridos son:

    http://www.pcrm.org/research/animaltestalt/
    http://www.animanaturalis.org/538
    http://www.animalaid.org.uk
    http://*www.animal-testing.procon.org*

-   Todos contestan las siguientes preguntas:

    1. ¿Quiénes favorecen los experimentos científicos con animales? ¿Por qué?
    2. ¿Quiénes se oponen los experimentos científicos con animales? ¿Por qué se oponen?

3. ¿Cuáles son las recomendaciones de los proponentes?

4. ¿Cuáles son las recomendaciones de los adversarios? El grupo prepara una encuesta en español sobre el tema. Usen ser y estar y expresiones personales en sus preguntas, por ejemplo, *es apropiado, es imprescindible, es justo...*

• Distribuya esta encuesta en la clase o por correo electrónico a otros alumnos que hablan español para enterarse de sus opiniones al respecto.

• El grupo le presenta los resultados de su encuesta a la clase.

B. ¿Es beneficiosa para los seres humanos la ingeniería genética de plantas? Formen grupos cooperativos de seis a siete alumnos para investigar y discutir los siguientes artículos.

• El líder del grupo organiza el trabajo y ayuda a los demás.

• Todos leen los dos segmentos que siguen, notando los usos de *ser* y *estar* en los textos.

• Una pareja del grupo presenta un resumen del segmento, «Tomates modificados por ingeniería genética para eliminar el colesterol malo de quien los come»

• Otra pareja del grupo presenta un resumen del segmento, «Ingeniería genética».

• Otra pareja investiga en el Internet comidas creadas por ingeniería genética y presenta un resumen de lo que encuentran.

• El grupo prepara un cuestionario y lo distribuye a la clase para obtener sus opiniones de la encuesta: *estar por, estar conforme, estar de acuerdo con, ser partidario de*

• Después de recoger y analizar las respuestas el grupo presenta los resultados a la clase.

• La clase entera discute la cuestión.

VOCABULARIO

el apiario apiary	**entrañar** entail
constatar to confirm	**la grasa** fat
contraponer to oppose	**el indicio** indication
la cosecha harvest	**el nivel** level
el derrame cerebral stroke	**el predio** property, farm
emular to emulate	**retirar** to withdraw

OPINIÓN 1

Tomates modificados por ingeniería genética para eliminar el colesterol malo de quien los come

(Tema curricular: Los desafíos mundiales)

Se ha logrado obtener, por ingeniería genética, tomates que producen un péptido que al comerlos elimina al colesterol malo, emulando las acciones del colesterol bueno (colesterol HDL, de lipoproteínas de alta densidad), que es conocido por su papel al eliminar de las arterias al colesterol malo (colesterol LDL, de lipoproteínas de baja densidad).

El equipo de los doctores Alan M. Fogelman (director de la unidad de investigación de la aterosclerosis en la Escuela David Geffen de Medicina) y Srinavasa T. Reddy (especialista en farmacología médica), ambos de la Universidad de California en Los

Ángeles (UCLA), preparó por ingeniería genética los citados tomates y, en forma molida y liofilizada, los agregó a la dieta rica en grasas, típica de los humanos en las naciones industrializadas, con la que se alimentó a unos ratones que no poseían la capacidad de eliminar el colesterol malo de su sangre y que inexorablemente desarrollaban inflamación y aterosclerosis cuando consumían una dieta rica en grasas.

Los investigadores constataron que los ratones que comieron los tomates enriquecidos con el péptido, los cuales representaron el 2,2 por ciento de su dieta rica en grasas, tuvieron una acumulación significativamente menor de placa aterosclerótica, menores niveles de inflamación, mayor actividad de una enzima antioxidante asociada con el colesterol bueno, niveles más altos de colesterol bueno, y menores niveles de un ácido promotor de tumores que acelera la acumulación de placa en las arterias de modelos animales.

- Los investigadores de la UCLA han modificado tomates de modo que su consumo genere en la persona efectos similares a los del colesterol bueno. (Fotos: UCLA)

- Varias horas después de que los ratones terminaban de comer, se detectaba el péptido intacto en el intestino delgado, pero no se le encontraba así en la sangre. Según los investigadores, esto es un fuerte indicio de que el péptido actúa en el intestino delgado y luego es degradado a aminoácidos naturales antes de ser absorbido en la sangre, como sucede con los demás péptidos y proteínas del tomate. Esto hace pensar que escoger como objetivo al intestino delgado puede ser una nueva estrategia para prevenir la aterosclerosis de origen alimentario, la cual es una enfermedad provocada por placas en las arterias que puede conducir a ataques al corazón y derrames cerebrales...

OPINIÓN 2

Riesgos y peligros de la ingeniería genética

(Tema curricular: Los desafíos mundiales)

Ante las presuntas oportunidades que ofrece la ingeniería genética se contraponen grandes riesgos. El creciente uso de pesticidas en la agricultura entraña peligros importantes para la humanidad y para el medio ambiente. En la Argentina se han reportado graves problemas de salud relacionados con el uso intensivo de herbicidas en el cultivo de soya transgénica. Los alimentos producidos en base a técnicas de manipulación genética contienen nuevos componentes que pueden poner en riesgo la salud de los seres humanos, provocando, por ejemplo, la aparición de alergias. Una vez que las plantas transgénicas han sido liberadas en el medio ambiente, ya no pueden volver a ser retiradas. Es posible que se produzcan cruzamientos con especies vegetales tradicionales y autóctonas y que éstas se vean amenazadas por la contaminación genética. La biodiversidad se ve también amenazada. Los predios agrícolas y los apiarios, sean ecológicos o convencionales, también corren peligro por cuanto no podrán vender sus cosechas en caso de contaminación genética. Es imposible pensar que los cultivos convencionales y ecológicos pueden coexistir por lo tanto junto con los cultivos transgénicos. La manipulación genética en el campo de la agricultura es una tecnología de «racionalización» que tiende a eliminar puestos de trabajo. Esto no responde a las necesidades locales, ni a las estructuras organizativas de los pequeños productores que se encuentran en los países pobres...

(http://www.naturland.de/ingenieriagenetica.html)

MASTERY ASSESSMENTS

A. ¿Cuál es el mensaje de la doctora Jane Goodall? Lea la siguiente entrevista de esta famosa zoóloga y complete las frases escogiendo y escribiendo la forma apropiada de **ser** o **estar**. Entonces, conteste las preguntas.

Los chimpancés pueden ser muy agresivos, pero ellos no destruyen su medio ambiente

(Tema curricular: Las identidades personales y públicas)

VOCABULARIO	
la comida basura junk food	**la jerarquía** hierarchy
desolador desolate, desconsolate	**la primatóloga** primatologist
desentrañar to decipher	**el simio** ape

La prestigiosa primatóloga, ganadora del Príncipe de Asturias de Ciencia en 2003, acaba de

publicar en España «Otra manera de vivir», una obra donde propone una «revolución civil»

contra la comida basura, el maltrato a los animales y el grave deterioro del medio ambiente...

Goodall _____, sin lugar a dudas, la primatóloga más prestigiosa de
    1.

todos los tiempos, pero basta pasar un minuto con ella, junto al mono de peluche que

le acompaña a todas partes, para darse cuenta de que representa el polo opuesto del

clásico científico endiosado que se pasa la vida subido sobre un pedestal de arrogancia.

Desde hace más de tres décadas, esta incansable mujer —a la que algunos cariñosa-

mente llaman Lady Chimpancé— viaja 300 días al año para transmitir por todo el planeta

su mensaje de alarma sobre la destrucción del medio ambiente y el riesgo de que puedan

desaparecer para siempre esos grandes simios cuyo complejo comportamiento desen-

trañaron por primera vez sus pioneras investigaciones.

Con este objetivo en mente, en 1975 fundó el Instituto Jane Goodall para la Investi-

gación, la Educación y la Conservación de la Vida Salvaje, que ya tiene sedes en más de 28

países, y que próximamente se establecerá en España.

El viernes, invitada por la Obra Social de la Fundación La Caixa, Goodall presentó en Barcelona «Otra manera de vivir» (ed. Lumen), el nuevo libro en el que promueve una «rebelión cívica» contra la comida basura, la crueldad hacia los animales, y el deterioro del medio ambiente.

PREGUNTA: Todos los días, los periódicos presentan un panorama bastante desolador de nuestra especie: guerras, asesinatos, hambre, pobreza, el cambio climático... ¿ _____ la sociedad de los chimpancés más agradable que la
2.
de los seres humanos?

RESPUESTA: (Risas) Bueno, la verdad _____ que la sociedad de los
3.
chimpancés a veces puede _____ bastante brutal, ya que pueden
4.
comportarse de forma muy agresiva. Pero la diferencia fundamental es que ellos no _____ destruyendo su medio ambiente. Con tal
5.
de que se encuentren en un hábitat seguro y protegido (algo que cada vez _____ más infrecuente), la vida de los chimpancés salvajes suele
6.
_____ maravillosa, exceptuando quizás a los que se encuentran
7.
en los últimos puestos de la jerarquía social. En todo caso, me gustaría dejar claro que la idea del «buen salvaje» _____ falsa. Las
8.
comunidades de chimpancés a veces se pelean de manera feroz entre ellas, y matan para proteger o extender su territorio. Así que en este sentido, su vida no _____ siempre idílica.
9.

PREGUNTA: ¿Pueden estos conflictos brutales de los chimpancés ayudarnos a entender la crueldad humana?

RESPUESTA: Sin duda, _____ convencida de que podemos aprender mucho
10.
analizando comportamientos que compartimos hoy los humanos y los chimpancés. Si _____ cierto que tuvimos un ancestro común,
11.

hace entre seis y siete millones de años, entonces _____ probable
12.

que estos comportamientos agresivos ya _____ presentes en
13.

este antepasado que compartimos, y se hayan transmitido hasta nosotros

a lo largo de la evolución. El hecho _____ que los chimpancés
14.

_____ las criaturas que más se parecen a nosotros sobre la
15.

Tierra, y hoy sabemos que compartimos el 99% del ADN con ellos. Pero

todo esto no quiere decir que la violencia _____ inevitable entre
16.

los humanos, porque podemos controlarla con nuestro cerebro...

(http://www.elmundo.es/elmundo/2007/02/19/ciencia/1171879531.html)

Preguntas

1. ¿Qué promueve Jane Goodall en su nuevo libro?

   _____

   _____

   _____

2. Según Jane Goodall, ¿cómo es la sociedad de los chimpancés en comparación con la sociedad de los seres humanos?

   _____

   _____

   _____

3. ¿Qué dice sobre la crueldad y la violencia de los chimpancés y de los seres humanos?

   _____

   _____

   _____

B. Lea el artículo que sigue sobre un café especial que se está produciendo en Costa Rica. Complete las frases con las formas apropiadas de los verbos *ser* o *estar*.

Entonces, explique cómo «Coopedota» está produciendo «el primer café carbon neutral del mundo».

Costa Rica: Productores de café convierten prácticas sostenibles en ingresos

(Tema curricular: Los desafíos mundiales)

> **VOCABULARIO**
>
> **el efecto invernadero** greenhouse effect
> **encargado** in charge
> **el gerente** manager
> **la huella** footprint
> **hundir** to sink
>
> **la leña** firewood
> **regar** to irrigate
> **el restante** remaining
> **saber** to taste

El primer café carbono neutral del mundo.

Eso _____ lo que CoopeDota, una cooperativa que beneficia a 800 productores
          1.
locales en la ciudad de Dota, a unos 66 km de San José, logró gracias a sus innovadoras

prácticas en el cultivo de café.

«A [los clientes extranjeros] les interesa mucho la producción orgánica y los benefi-

cios ambientales de producir este tipo de café,» dijo Víctor Brenes, encargado de mostrar

las instalaciones de CoopeDota a los turistas. «Siempre nos dicen que sabe mejor, más

dulce y fuerte que el café producido de forma tradicional.»

El café de CoopeDota _____ considerado uno de los más finos del mundo
                            2.
por baristas reconocidos como Michael Phillips, ganador del Campeonato Mundial de

Baristas en London en 2010. Por eso _____ que el 90% de la producción de
                                          3.
café de CoopeDota es enviado a distribuidores en Europa, Norteamérica y Asia, y el

restante _____ vendido localmente.
              4.

«Nos interesa mucho la parte de protección del ambiente en el proceso de producción

[del café]», dijo Roberto Mata, gerente general de CoopeDota.

¿Cuál _____ la clave para producir café carbono neutral? La eficiencia.
          5.

Ya que sólo el 18% de las 65 mil fanegas de café procesadas por año _____
                                                                          6.
luego vendido al consumidor final, CoopeDota ha encontrado formas de reciclar los

desechos producidos durante el procesamiento y ha creado subproductos que benefician a los 800 productores, que _____ los verdaderos dueños de la compañía,
7.
dijo Mata.

«De la broza del café estamos sacando fertilizantes orgánicos que luego le vendemos a los mismos asociados a un precio bastante cómodo», agregó.

El uso de fertilizantes orgánicos aumenta la calidad del café, reduce los costos y disminuye las emisiones de gases que contribuyen al efecto invernadero, dijo Mata.

«Los fertilizantes químicos pueden costar unos US$30, pero nosotros vendemos el orgánico a US$2 por bolsa», explicó Fallas. «Los químicos también afectan la calidad del café, por eso _____ que recomendamos usar fertilizantes orgánicos».
8.

CoopeDota también recicla el agua que usa para lavar el café, en vez de lanzarla a los ríos.

«Cuando el café llega, le damos una primera lavada. En el agua, el café de buena calidad se hunde y la fruta de mala calidad flota», dijo Brenes. «Luego, el proceso se repite para clasificar todo en tres grupos de calidad. Luego usamos el agua de nuevo para el despulpado y para quitarle la miel. Cuando el proceso termina usamos el agua para regar los campos».

Reciclar el agua ha reducido la contaminación en los ríos pero también ha ayudado a CoopeDota a ahorrar dinero ya que su consumo de agua se ha visto reducido.

Los esfuerzos de CoopeDota _____ tan exitosos que representantes del
9.
Ministerio de Agricultura y Ganadería mostraron a la cooperativa como un modelo que desean reproducir en otras áreas de la agricultura durante un evento de la Organización para la Alimentación y la Agricultura (FAO) durante la Conferencia de las Naciones Unidas sobre el Cambio Climático en Durban, Sudáfrica, en noviembre pasado…

CoopeDota redujo su huella de carbono trabajando en conjunto con representantes de la Universidad EARTH de Costa Rica y los Cuerpos de Paz, también colaboraron estudiantes de la Universidad de Yale en Estados Unidos para formular una estrategia de carbono neutralidad.

La estrategia se centró en usar menos madera en los hornos de secado del café. CoopeDota observó que _____ posible secar el café con 572 metros cúbicos de
10.
leña en vez de usar 8,000 como lo venían haciendo.

¿Cómo? En vez de utilizar solamente madera, la cooperativa usa la capa exterior de los granos de café cuando _____ seca para ayudar a alimentar los hornos de
11.
secado, según Hortensia Solís, directora del Departamento de Prácticas Sostenibles de la organización.

Esto también reduce los costos y disminuye la deforestación, agregó.

CoopeDota también _____ evaluando el uso de los residuos del café para
12.
producir gas y bioetanol…

(http://infosurhoy.com/es/articles/saii/features/main/2012/05/07/feature-01)

Pregunta

¿Cómo está produciendo Coopedota «el primer café carbón neutral del mundo»?

_____

_____

_____

_____

AUTHENTIC ASSESSMENTS

1. Imagínese ser un(a) científico(a) que acaba de crear un nuevo producto, usando la naturaleza y la tecnología. Prepare un discurso donde describe y justifica esta innovación o invención particular. Explique si puede afectar o mejorar el medio ambiente.

2. Su club del medioambiente decide comunicarse con los grupos de Greenpeace alrededor del mundo para enterarse de sus proyectos. Ud. está encargado de comunicarse con el grupo en España. Después de contactarlos por correo electrónico, presente lo que aprendió sobre sus proyectos en el sitio web de su club o de su escuela. Sugiera algunas actividades que el club podría emprender con el grupo español.

8

Trabajo: Ocupación o misión
The Gerund and Progressive Tenses

8.1. USES OF THE GERUND

The gerund, or present participle, is used to express the following communicative functions:

1. Progressive tenses: expressing that an action is in progress at a particular time. The verb *estar* appears in the present, past, future, or conditional and is followed by the main verb in the form of a present participle.

   Los jóvenes *están tomando* café ahora.

   Los jóvenes *estaban tomando* café.

   Los jóvenes *estuvieron tomando* café hasta las seis.

   Los jóvenes *estarán tomando* café juntos por la tarde.

   Los jóvenes *estarían tomando* café si pudieran.

2. Expressing continuing action with other verbs, including *seguir, continuar, ir*, and *andar*.

   Carlos *sigue tocando* la guitarra con el conjunto.

   Elena *continuaba bailando* en la discoteca.

   Las canciones del grupo *van mejorándose*.

   Carlos *anda buscando* a Elena en la discoteca.

3. Describing actions or events.

   Paso el verano *nadando* y *leyendo* en la playa.

   El profesor termina la clase *dándonos* una prueba.

4. Expressing *have been + present participle* with the verb *llevar*.

   Llevo estudiando italiano cinco años.

   Llevamos dos semanas *visitando* España.

5. Expressing the English *by + gerund*

   Estudiando aprendemos mucho.

   Cantando, Carlos nos divierte.

PRUEBA PRELIMINAR

La tradición continúa: Metates y molcajetes de San Lucas Evangelista

(Tema curricular: Las identidades personales y públicas)

VOCABULARIO	
el antepasado ancestor	**la inquietud** anxiety
el borrego lamb	**el martillo** hammer
el cincel chisel	**el metate** grinding stone
la desviación turn-off	**el molcajete** stone mortar
escarbar to scrape	**pesado** hard
grabar to engrave	**la veta** vein

Nuestros antepasados trabajaban la piedra, yo aprendí de mi padre; ahora estoy

_____ a mi hijo, y así nos vamos _____ la tradición, la cos-
　　 1. (enseñarle) 　　　　　　　　　　　　　　 *2.* (pasear)

tumbre y los conocimientos —comentó. Pero cuando Nacho aprendió el oficio, tenía la

inquietud de cambiar la obra. Por ello comenzó a adornar los molcajetes con cabezas de

toros, borregos, palomas y otras figuras, hasta que logró su objetivo: convertirse en un

artesano.

El considera que elaborar y diseñar una pieza no sólo implica pasar horas y horas

sentado _____ y _____ forma a la piedra, sino que es un
　　　　　 3. (golpear) 　　　 *4.* (dar)

trabajo pesado que debe conocerse bien para poder realizarlo.

Mientras escuchábamos a Nacho, Abraham tomó entre sus manos una piedra y

comenzó a golpear y golpear con el martillo y el cincel... Aunque apenas se inicia

en el oficio de la piedra, desde pequeño se sentaba junto a su padre cuando estaba

_____ y lo observaba; con el tiempo empezó a hacer... sus molcajetes, y
　　 5. (trabajar)

ahora ya graba las piezas. Desde luego, su padre lo va _____ y le explica
　　　　　　　　　　　　　　　　　　　　　　　　 6. (guiar)

sus secretos de este trabajo...

La piedra para los metates y molcajetes se extrae de las minas que se localizan en el municipio de Tlajomulco... Nacho nos explicó: —Mi papá dio con una veta, aprendí de él dónde están, ahora estoy _____ a mi hijo... empezamos a limpiar y
7. (enseñar)

limpiar, _____ dimos con las vetas, las cuales se pueden encontrar a un
8. (escarbar)

metro de profundidad. Generalmente hacemos excavaciones de 3 o 4 m, lo que causa que

se vayan _____ cuevas conforme sacamos la piedra...
9. (formar)

(Dora E. González Rodríguez, «La tradición continúa: Metates y molcajetes de San Lucas Evangelista», *México desconocido*; enero de 1997, pp. 35–37.)

8.2. THE GERUND OF REGULAR VERBS

The gerund of regular verbs is formed by dropping the *-ar*, *-er*, or *-ir* endings and adding *-ando* to the stems of *-ar* verbs and *-iendo* to the stem of *-er* and *-ir* verbs.

INFINITIVE	GERUND
tomar	**tom**ando
comer	**com**iendo
vivir	**viv**iendo

8.3. IRREGULAR FORMS OF THE GERUND

1. *-Er* and *-ir* verbs with stems ending in a vowel add *-yendo* to the stem to form the gerund.

INFINITIVE	GERUND
caer	**ca**yendo
construir	**constru**yendo
creer	**cre**yendo
destruir	**destru**yendo
huir	**hu**yendo
leer	**le**yendo
oír	**o**yendo
traer	**tra**yendo

2. **-Ir** verbs that have a stem-change in the third person of the preterit tense also have the same vowel change in the gerund.

STEM CHANGE	INFINITIVE	GERUND
e to i	corregir	*corrigiendo*
	decir	*diciendo*
	divertir	*divirtiendo*
	freír	*friendo*
	pedir	*pidiendo*
	repetir	*repitiendo*
	sentir	*sintiendo*
	servir	*sirviendo*
	venir	*viniendo*
	vestir	*vistiendo*
o to u	dormir	durmiendo
	morir	muriendo

3. Other verbs that have irregular gerunds are:

INFINITIVE	GERUND
ver	*viendo*
poder	*pudiendo*
ir	*yendo*

4. Object pronouns may be attached to the gerund. An accent mark is then written on the **e** or **a** of the ending.

Estoy levant*ándo*me.

Estaban divirti*éndo*se en la fiesta

Contin*úo* visit*ándo*la los domingos.

E J E R C I C I O S

A. ¿Ha escuchado la musica de Juan Luis Guerra? Lea el siguiente fragmento de un artículo sobre este famoso cantautor dominicano, y note los gerundios. Escriba las formas de los gerundios que correspondan a los infinitivos que siguen a la lectura, y luego conteste las preguntas.

En nombre del merengue

(Tema curricular: Las identidades personales y públicas)

VOCABULARIO

el cantautor singer composer

conseguir to achieve

desbordarse to overflow

el esquema view

fusionar to fuse

irrumpir to burst

la recaudación collections

la sanidad health

soportar to tolerate

Cuando Juan Luis Guerra habla, lo hace poniendo toda la dulzura caribeña en su acento. Su personalidad, unida a su arte, resulta la más sincera representación de su nativa República Dominicana...

Desde que irrumpió en el mercado del disco se convirtió en el máximo exponente de la música dominicana. Surgió precisamente cuando las voces de los cantautores y la denuncia social estaban agonizando. Con su grupo 4.40, a ritmo de la salsa cubana y el merengue, lanzó un nuevo estilo con un contenido social, consiguiendo que la gente además de bailar, pensara...

Cuando volvió a su país (después de estudiar composición en Boston) comenzó a experimentar con el jazz, mezclándolo con el folclore dominicano y, en especial, con el merengue.

En 1984 formó el grupo 4.40, un trio vocal con el que ha grabado varios discos, entre ellos *Soplando*, *Mientras más lo pienso*, *Ojalá que llueva café* (que lo convirtió en intérprete mundial, llegando a vender cinco millones de copias y encabezando las listas de los primeros en la radio de habla hispana) y *Bachata rosa*, su álbum más romántico.

Los que conocen su timidez, se sorprenden ante su forma de soportar la fama. Él lo aclara diciendo: He tenido que cambiar mi esquema. Primero, aceptar que soy un artista popular, pero he cambiado la popularidad, que si me gusta, por la fama, que no me gusta...

...en 1991 actuó con junto a 40 artistas, en el Festival de Acapulco, logrando que el público se desbordara influenciado por la sensualidad de su ritmo.

Juan Luis Guerra pertenece a una generación de intérpretes caribeños que, conservando su identidad, han fusionado sus raíces con la música estadounidense y europea. Ha añadido al merengue los ritmos del jazz, pop, soul y el sonido afrocubano, consigiendo un estilo propio y personal, en el que se mezcla la denuncia social y el amor.

Preocupado por la situación de su país, creó la Fundación 4.40 para ofrecer ayuda en materia de educación y sanidad, a la que dedica las recaudaciones de los conciertos que realiza en la República Dominicana...

(Roberto Cazorla, «En nombre del merengue»; *Tiempos del Mundo*, jueves, 12 de junio de 1997, p. 49.)

Escriba las formas de los gerundios del artículo que corresponden a los infinitivos.

1. (poner) _____
2. (agonizar) _____
3. (conseguir) _____
4. (mezclarlo) _____
5. (soplar) _____

6. (llegar) _____
7. (encabezar) _____
8. (decir) _____
9. (lograr) _____
10. (conservar) _____

Preguntas

1. ¿Cómo está soportando la fama Juan Luis Guerra?

   _____

   _____

2. ¿Cuáles tipos de música está fusionando?

   _____

   _____

3. ¿Qué está consiguiendo por medio de su música?

   _____

   _____

4. ¿Cómo está ayudando a su país?

   _____

   _____

B. Lea el artículo siguiente buscando y escribiendo los gerundios y notando su formación y los usos en el texto. Entonces, conteste las preguntas.

Jabones de hotel reciclados ayudan a salvar vidas en países de África

(Tema curricular: Las identidades personales y públicas, Los desafíos mundiales)

VOCABULARIO

avalar endorse, back		**gratuita** free	
la barra bar		**el jabonero** soapmaker	
la basura garbage		**el orfanato** orphanage	
comprobar to prove		**el procedimiento** process	
comprometerse to commit oneself		**recolectar** to gather	
desechar to throw out		**el refugiado** refugee	
el desperdicio waste		**la supervivencia** survival	
embarcar to ship			

¿Qué pasa con la barra de jabón que apenas usaste en tu última visita a un hotel? Lo más probable es que acabe en la basura.

Esta situación impactó al activista y empresario Derreck Kayongo, originario de Uganda, durante su primera visita a un hotel de los Estados Unidos, en Filadelfia, Pensilvania, a principios de 1990.

«Cuando llegué al hotel, había tres barras de jabón, una para el cuerpo, otra para las manos y otra para la cara, y eso no incluía los shampoos. Era una nueva experiencia para mí, y entonces me pregunté: '¿por qué tienen jabón para cada parte de sus cuerpos?'», recuerda Kayongo. «Y dije, por Dios, ¿por qué tanto desperdicio?».

El hecho resultó igualmente sorprendente e inolvidable para Kayongo, un hombre nativo de Uganda que pasó gran parte de su niñez como refugiado en Kenia, lo que lo animó años después a crear el *Global Soap Project* —Proyecto Global de Jabón—. Dicha organización no lucrativa vuelve a procesar los jabones usados recolectados de algunos hoteles de los Estados Unidos y los convierte en nuevas barras para naciones pobres como Uganda, Kenia, Haití y Suazilandia.

Kayongo dice que un estimado de 2.6 millones de barras de jabón se desechan diariamente en los hoteles de los Estados Unidos y que recolectar tal cantidad de jabón puede ayudar a la lucha contra las enfermedades y a combatir la mortalidad de niños en países pobres mejorando así el acceso a la limpieza básica.

«Tenemos más de dos millones de casos de niños que mueren cada año debido a enfermedades como la diarrea», dice Kayongo. «Si puedes poner una barra de jabón en las manos de cada niño, podrías reducir los casos de enfermedades infecciosas como diarrea y cosas como tifoidea y cólera un 40%».

Desde Atlanta, Kayongo echó a andar el *Global Soap Project* en el 2009, yendo de puerta en puerta, explicando en los hoteles locales su plan para ayudar a salvar vidas. Hasta ahora, unos 300 hoteles a lo largo de los Estados Unidos se han unido a su causa, permitiéndole a él y a su equipo reprocesar miles de barras de jabón y mandarlas a 18 países en vías de desarrollo.

El jabón reciclado se embarca hasta que una muestra es examinada para comprobar que no tenga patógenos y después de que sea avalado por un laboratorio externo. El *Global Soap Project* echa a andar después un procedimiento según el cual organizaciones le ayudan a embarcar y distribuir el jabón de manera gratuita, a la gente que lo necesita.

El verano pasado, Kayongo repartió personalmente 5,000 barras de jabón en el orfanato de asistencia de Kenia, Brittney's Home of Grace.

«Cuando les llevé el jabón a los huérfanos y lo olieron, ufff, podías ver la satisfacción en sus rostros, esos pequeños mensajes de esperanza son lo que la gente necesita cuando se encuentra entre la espada y la pared» dice.

Siendo hijo de un jabonero, Kayongo ha experimentado lo que es vivir en condiciones difíciles.

Su infancia feliz en la década de 1970 terminó abruptamente cuando el Presidente de Uganda, Idi Amin, se declaró en guerra en contra de Tanzania. Al poco tiempo, Kayongo y sus padres se mudaron a Kenia para escapar de los horrores del conflicto, y fueron testigos de primera mano de la lucha por la supervivencia, sin acceso a las necesidades básicas.

«Cuando vienes de un hogar que conoces, estás acostumbrado a tu comida, a tus amigos… mudarte a un lugar para convertirte en un don nadie y ser llamado, literalmente, un refugiado, es lo más dramático que te puede llegar a pasar».

Pero la vida le ofreció otra oportunidad, primero en Nairobi y después en los Estados Unidos. Actualmente dirige el *Global Soap Project* desde una bodega en Atlanta, pero con la ayuda de voluntarios por todo Estados Unidos, con la determinación de mejorar la calidad de vida en los países en vías de desarrollo.

El año pasado Kayongo, fue uno de los finalistas de la iniciativa *Héroe del Año*, de CNN. El reconocimiento, dice, ha aumentado la popularidad de su proyecto, ayudándolo a él y a su equipo a promover la causa para una mejor limpieza.

«Estamos viendo un aumento en la cantidad de hoteles que se registran con nosotros», añade. «Estamos viendo muchos voluntarios que vienen a trabajar con nosotros, y eso es lo que nos ayudará a hacer más jabón».

A pesar de todo su éxito, Kayongo está decidido a seguir dedicándole tiempo y esfuerzo a su causa. Dice que su meta para este año es hacer un millón de barras de jabón.

«Si quieres hacer grandes cosas y quieres contribuir con un gran cambio, entonces tienes que comprometerte a lo grande», asegura.

Preguntas

1. ¿Qué descubrió Derreck Kayongo en los hoteles que lo inspiró a empezar su empresa?

   _____

   _____

   _____

2. ¿Cuál era el plan que lo hizo ir «de puerta en puerta» por los hoteles?

   _____

   _____

   _____

3. ¿Cómo lo ayudó ser finalista de la iniciativa, *Héroe del Año de CNN?*

   _____

   _____

   _____

4. ¿A qué meta está dedicándose?

_____

_____

_____

T R A B A J O   C O O P E R A T I V O

A. Formen grupos de seis alumnos para discutir los siguientes segmentos del discurso Premio Nobel 2010 de Literatura de Mario Vargas Llosa.

- El líder del grupo organiza el trabajo
- El grupo se divide en tres parejas.
  - **a.** La pareja 1 lee el segmento 1, buscando y escribiendo los gerundios y el vocabulario nuevo.
  - **b.** La pareja 1 contesta:
    1. ¿Quiénes influyeron al autor? ¿Cómo?
    2. ¿Por qué continuaba escribiendo?
  - **c.** La pareja 2 lee el segmento 2, buscando y escribiendolos gerundios y el vocabulario nuevo.
  - **d.** La pareja 2 contesta:
    1. Según el autor, ¿por qué se censura la literatura?
    2. ¿Qué crea la literatura entre la gente?
  - **e.** La pareja 3 lee el segmento 3, buscando y escribiendo los gerundios y el vocabulario nuevo.
  - **f.** La pareja 3 contesta:
    1. ¿Cómo describe el autor la época de hoy?
    2. ¿Cómo se puede defender y merecer «la democracia liberal»? según el autor.
- Cada pareja comparte con las otras parejas lo que han leído y sus respuestas.
- El grupo discute las respuestas y le presenta sus reacciones a la clase.

Elogio de la lectura y la ficción

**(Tema curricular: Las identidades personales y públicas,
Los desafíos mundiales)**

SEGMENTO 1

Aprendí a leer a los cinco años, en la clase del hermano Justiniano, en el Colegio de la Salle, en Cochabamba (Bolivia). Es la cosa más importante que me ha pasado en la vida. Casi setenta años después recuerdo con nitidez cómo esa magia, traducir las palabras de los libros en imágenes, enriqueció mi vida, rompiendo las barreras del tiempo y del espacio y permitiéndome viajar con el capitán Nemo veinte mil leguas de viaje submarino, luchar junto a d'Artagnan, Athos, Portos y Aramís contra las intrigas que amenazan a la Reina en los tiempos del sinuoso Richelieu, o arrastrarme por las entrañas de París, convertido en Jean Valjean, con el cuerpo inerte de Marius a cuestas.

La lectura convertía el sueño en vida y la vida en sueño y ponía al alcance del pedacito de hombre que era yo el universo de la literatura. Mi madre me contó que las primeras cosas que escribí fueron continuaciones de las historias que leía pues me apenaba que se terminaran o quería enmendarles el final. Y acaso sea eso lo que me he pasado la vida haciendo sin saberlo: prolongando en el tiempo, mientras crecía, maduraba y envejecía, las historias que llenaron mi infancia de exaltación y de aventuras.

Me gustaría que mi madre estuviera aquí, ella que solía emocionarse y llorar leyendo los poemas de Amado Nervo y de Pablo Neruda, y también el abuelo Pedro, de gran nariz y calva reluciente, que celebraba mis versos, y el tío Lucho que tanto me animó a volcarme en cuerpo y alma a escribir aunque la literatura, en aquel tiempo y lugar, alimentara tan mal a sus cultores. Toda la vida he tenido a mi lado gentes así, que me querían y alentaban, y me contagiaban su fe cuando dudaba. Gracias a ellos y, sin duda, también, a mi terquedad y algo de suerte, he podido dedicar buena parte de mi tiempo a esta pasión, vicio y maravilla que es escribir, crear una vida paralela donde refugiarnos contra la adversidad, que vuelve natural lo extraordinario y extraordinario lo natural, disipa el caos, embellece lo feo, eterniza el instante y torna la muerte un espectáculo pasajero.

No era fácil escribir historias. Al volverse palabras, los proyectos se marchitaban en el papel y las ideas e imágenes desfallecían. ¿Cómo reanimarlos? Por fortuna, allí estaban los maestros para aprender de ellos y seguir su ejemplo. Flaubert me enseñó que el talento es una disciplina tenaz y una larga paciencia. Faulkner, que es la forma —la escritura y la estructura— lo que engrandece o empobrece los temas. Martorell, Cervantes, Dickens, Balzac, Tolstoi, Conrad, Thomas Mann, que el número y la ambición son tan importantes en una novela como la destreza estilística y la estrategia narrativa. Sartre, que las palabras son actos y que una novela, una obra de teatro, un ensayo, comprometidos con la actualidad y las mejores opciones, pueden cambiar el curso de la historia. Camus y Orwell, que una literatura desprovista de moral es inhumana y Malraux que el heroísmo y la épica cabían en la actualidad tanto como en el tiempo de los argonautas, la Odisea y la Ilíada...

SEGMENTO 2

Sin las ficciones seríamos menos conscientes de la importancia de la libertad para que la vida sea vivible y del infierno en que se convierte cuando es conculcada por un tirano, una ideología o una religión. Quienes dudan de que la literatura, además de sumirnos en el sueño de la belleza y la felicidad, nos alerta contra toda forma de opresión, pregúntense por qué todos los regímenes empeñados en controlar la conducta de los ciudadanos de la cuna a la tumba, la temen tanto que establecen sistemas de censura para reprimirla y vigilan con tanta suspicacia a los escritores independientes. Lo hacen porque saben el riesgo que corren dejando que la imaginación discurra por los libros, lo sediciosas que se vuelven las ficciones cuando el lector coteja la libertad que las hace posibles y que en ellas se ejerce, con el oscurantismo y el miedo que lo acechan en el mundo real. Lo quieran o no, lo sepan o no, los fabuladores, al inventar historias, propagan la insatisfacción, mostrando que el mundo está mal hecho, que la vida de la fantasía es más rica que la de la rutina cotidiana. Esa comprobación, si echa raíces en la sensibilidad y la conciencia, vuelve a los ciudadanos más difíciles de manipular, de aceptar las mentiras de quienes quisieran hacerles creer que, entre barrotes, inquisidores y carceleros viven más seguros y mejor. La buena literatura tiende puentes entre gentes distintas y, haciéndonos gozar, sufrir o sorprendernos, nos une por debajo de las lenguas, creencias, usos, costumbres y prejuicios que nos separan. Cuando la gran ballena blanca sepulta al capitán Ahab en el mar, se encoge el corazón de los lectores idénticamente en Tokio, Lima o Tombuctú. Cuando Emma Bovary se traga el arsénico, Anna Karenina se arroja al tren y Julien Sorel sube al patíbulo, y cuando, en El Sur, el urbano doctor Juan Dahlmann sale de aquella pulpería de la pampa a enfrentarse al cuchillo de un matón, o advertimos que todos los pobladores de Comala, el pueblo de Pedro Páramo, están muertos, el estremecimiento es semejante en el lector que adora a Buda, Confucio, Cristo, Alá o es un agnóstico, vista saco y corbata, chilaba, kimono o bombachas. La literatura crea una fraternidad dentro de la diversidad humana y eclipsa las fronteras que erigen entre hombres y mujeres la ignorancia, las ideologías, las religiones, los idiomas y la estupidez.

SEGMENTO 3

Como todas las épocas han tenido sus espantos, la nuestra es la de los fanáticos, la de los terroristas suicidas, antigua especie convencida de que matando se gana el paraíso, que la sangre de los inocentes lava las afrentas colectivas, corrige las injusticias e impone la verdad sobre las falsas creencias. Innumerables víctimas son inmoladas cada día en diversos lugares del mundo por quienes se sienten poseedores de verdades absolutas. Creíamos que, con el desplome de los imperios totalitarios, la convivencia, la paz, el pluralismo, los derechos humanos, se impondrían y el mundo dejaría atrás los holocaustos, genocidios, invasiones y guerras de exterminio. Nada de eso ha ocurrido. Nuevas formas de barbarie proliferan atizadas por el fanatismo y, con la multiplicación de armas de destrucción masiva, no se puede excluir que cualquier grupúsculo de enloquecidos redentores provoque un día un cataclismo nuclear. Hay que salirles al paso, enfrentarlos y derrotarlos. No son muchos, aunque el estruendo de sus crímenes retumbe por todo el planeta y nos abrumen de horror las pesadillas que provocan. No debemos dejarnos intimidar por quienes quisieran arrebatarnos la libertad que hemos ido conquistando en la larga hazaña de la civilización. Defendamos la democracia liberal, que, con todas sus limitaciones, sigue significando el pluralismo político, la convivencia, la tolerancia, los derechos humanos, el respeto a la crítica, la legalidad, las elecciones libres, la alternancia en el poder, todo aquello que nos ha ido sacando de la vida feral y acercándonos -aunque nunca llegaremos a alcanzarla- a la hermosa y perfecta vida que finge la literatura, aquella que sólo inventándola, escribiéndola y leyéndola podemos merecer. Enfrentándonos a los fanáticos homicidas defendemos nuestro derecho a soñar y a hacer nuestros sueños realidad…

(http://elpais.com/diario/2010/12/08/cultura/1291762802_850215.html)

B. ¿Cómo está cambiando el mundo laboral? Formen grupos de cuatro a seis alumnos para discutir las «Ventajas y desventajas de trabajar desde casa».

- El líder del grupo organiza el trabajo y ayuda a los demás.
- La mitad del grupo lee las «ventajas». La otra mitad lee las «desventajas».
- Cada mitad comparte lo que ha leído con la otra.
- El grupo prepara una encuesta para investigar las preferencias de sus compañeros de clase, y los empleos que les interesan que corresponden con sus preferencias.
- Después de completar y recoger las encuestas, el grupo analiza y discute los resultados.

Ventajas y desventajas de trabajar desde casa

(Tema curricular: Las identidades personales y públicas, Los desafíos mundiales)

... Normalmente los emprendedores y pequeños empresarios, para ahorrar en gastos, trabajan desde casa. Algunas profesiones, permiten trabajar... sin necesidad de trasladarse a una oficina... una opción cada vez más útil y real para ciertos negocios y personas.

El ahorro en transporte y alimentación, las horas que no gastas en movilizarte de casa al trabajo y viceversa, el descanso a la hora de almuerzo, la administración de tu tiempo, son algunas de las ventajas de este tipo de empleo. Sin embargo también tiene algunos inconvenientes. A continuación te contamos qué tiene de bueno y malo.

Ventajas

1. **Conciliar la vida laboral con la vida personal y familiar.** Podrás compatibilizar ambos aspectos, sin que tengas problemas de dedicarle más tiempo a uno o a otro.

2. **Mejorar la productividad,** ya que se prioriza en términos de objetivos y no en tiempo de horas de trabajo. Trabajas de una forma más eficiente, sin perder tanto el tiempo con otras distracciones, ya que te propones finalizar X tareas en un determinado tiempo para desconectar y pasarte a lo personal.

3. **Reducir significativamente el estrés.** Al no tener que ir con prisas a otra localización, ser tu propio jefe, imponerte los objetivos, etc., estarás disminuyendo los niveles de estrés, incluso los de ansiedad.

4. **Posibilita la inserción de personas que viven en zonas o pueblos apartados.** Al no existir desplazamiento aotro domicilio, cualquier persona, por muy alejada que esté su residencia, podrá participar en la empresa. ¿El requisito? Cumplir con sus objetivos y no fallar en el envío de las correspondientes labores.

5. **Mejora la calidad de vida y laboral del empleado.** Al tener mayor facilidad para desconectar y administrar eltiempo, existe un aumento de la libertad y disposición de de las horas, pudiendo hacer y deshacer a su aire. Eso sí, siempre cumpliendo y desarrollando los objetivos establecidos por la empresa.

Desventajas

1. **La comodidad de la casa:** la TV, el refrigerador, el estéreo, los amigos, la pareja, los hijos o las mascotas son potenciales factores para interrumpir la jornada laboral.

2. **La falta de un día laboral rígido.** En casa no hay una estructura formal para crear el calendario de tareas. Tú decides lo que vas a hacer y a qué hora, ten cuidado con no cumplir.

3. **El aumento de las tensiones familiares.** Se generan problemas con los miembros de la familia, amigos y vecinos cuando se mezcla vida personal con laboral.

4. **Poco contacto real con el mundo exterior.** La comunicación se mueve a través de la tecnología: teléfono, celular, mensajería instantánea, Internet, correo electrónico, e incluso videoconferencias. El contacto personal es escaso, por lo tanto la soledad puede ser difícil de llevar.

(http://www.elmundo.com.ve/noticias/mundo-laboral/ventajas-y-desventajas-de-trabajar-desde-casa.aspx)

MASTERY ASSESSMENTS

A. Lea la siguiente descripción de la vida diaria de una antigua raza de indígenas de Venezuela escrito por un antropólogo que estaba viviendo entre ellos. Complete las frases con la forma apropiada del gerundio. Luego conteste las preguntas.

Una antigua raza ante nuevos enemigos

(Tema curricular: Las identidades personales y públicas)

VOCABULARIO

la brasa burning ember	**el forrajeador** forager	**mecer** to rock
la cacería hunt	**forrajear** to forage	**el ocio** leisure
el canasto basket	**la hortaliza** vegetable	**el recolector** gatherer
el cazador hunter	**ingerir** to ingest	**tejer** to weave
cazar to hunt	**librar** to fight	

Una tarde de abril de 1975 visité por primera vez la aldea yanomami de Hasupuwe-teri, una comunidad de 87 habitantes situada en la región venezolana del Orinoco superior. Había llegado allí como estudiante de postgrado en antropología, con la intención de quedarme quince meses, que terminarían _____ en doce años.

1. (convertirse)

Había elegido Hasupuwe-teri por su aislamiento. La aldea, virtualmente desconocida en el mundo exterior, era el sueño de cualquier antropólogo. Para llegar a la aldea viajé en avioneta hasta la última misión, y luego remonté el río en canoa, _____

2. (atravesar)

los rápidos de Guajaribo...

Los yanomami, un pueblo de forrajeadores y horticultores de los bosques amazónicos de Venezuela y Brasil, probablemente comparten muchas características con sus antepasados que se establecieron en esa región hace cientos o aún miles de años. Es probable que hayan sido cazadores y recolectores antes de dedicarse a cultivar plátanos, producto que era desconocido en las Américas en las épocas precolombinas. Pero incluso con ese cultivo, en la actualidad los yanomami pasan prácticamente la mitad de su tiempo

_____ fuera de sus hogares y huertos.
    3. (forrajear)

Cinco personas se mecían en hamacas colgadas del techo de paja del «shapono»,

el edificio comunal. Una anciana tejía un canasto, mientras otra cocía uno plátanos en

las brasas del hogar familiar. En el extremo de la vivienda, otra mujer alimentaba a su

hijo mientras se mecía suavemente en su hamaca. El resto de los pobladores estaba

_____ , _____ o _____ alimentos silvestres...
    4. (cazar)   *5.* (pescar)   *6.* (recoger)

Luego supe que los yanomami se dedican a las actividades de subsistencia cuando

tienen ganas de hacerlo, y lo hacen durante dos o tres horas al día. Para ellos no existe

una verdadera distinción entre el trabajo y el ocio, de manera que nadie se siente obli-

gado a hacer nada en un determinado día. Pero en definitiva todos comparten las labores.

Más entrada la tarde regresaron todas las mujeres, _____ en sus espal-
         7. (cargar)

das canastos de frutas y hortalizas que habían recogido en el camino...

Estaba _____ notas y _____ su idioma cuando los hom-
    8. (tomar)   *9.* (practicar)

bres empezaron a regresar de la cacería... Muchos de ellos me miraron y se sonrieron, y

aparentemente preguntaron a sus esposas qué es lo que yo había estado _____ .
         10. (hacer)

Después de un breve descanso, las mujeres les ofrecieron los alimentos, que muy

probablemente eran los primeros que ingerían desde el amanecer. La mayor parte de los

hombres había regresado con las manos vacías... Luego supe que la caza es una tarea difícil

en la selva amazónica, y que el consumo de carne no es tan frecuente, sólo alrededor de

cincuenta gramos dos veces a la semana. De manera que lo que recogen las mujeres cons

tituye la única comida con la que pueden confiar la mayor parte de los días. Pero los ani-

males de caza son indispensables, ya que constituyen la principal fuente de proteínas, de

manera que los hombres siguen _____ cazar. Esta primera división del
        11. (intentar)

trabajo, entre hombres y mujeres, sigue _____ la única en la sociedad
        12. (ser)

yanomami.

A fines de los años sesenta, mientras realizaba investigaciones de campo para una misión situada río abajo, el antropólogo Napoleón Chagnon calificó a los yanomami como un «pueblo feroz», que atacaba constantemente a las demás aldeas, _____

13. (matar)

y _____ a las mujeres. Describió su vida diaria como brutal, en una con-

14. (secuestrar)

stante y agresiva confrontación incluso dentro de la misma aldea. _____ en

15. (Tener)

cuenta estos antecedentes, había llegado a la aldea con cierto temor acerca de la forma en que me tratarían. Pero el día que llegué, los pobladores estaban ocupados _____

16. (preparar)

e _____ sus comidas, _____ leña y _____ con

17. (ingerir)   18. (cortar)   19. (charlar)

sus vecinos mientras los niños reían y correteaban entre las hamacas...

Pero los yanomami han estado _____ una batalla devastadora, cuyas

20. (librar)

víctimas han sido los hombres y las mujeres, y con frecuencia incluso los niños. Es la batalla contra las bacterias, los virus y los parásitos. La mortalidad infantil es tan elevada que los yanomami, cuyos nombres son únicos e incluso no se mencionan después de la muerte, ni siquiera dan nombres a sus hijos hasta que han cumplido tres años...

(«Una antigua raza ante nuevos enemigos», *Américas*; octubre de 1998, vol. 50, no. 5, pp. 28–35.)

Preguntas

1. ¿Por qué escogió la aldea de Hasupuwe-teri el antropólogo?

   _____

2. ¿Cómo están pasando la mitad de su tiempo los yanomami?

   _____

3. ¿Qué estaban haciendo los yanomami cuando llegó el antropólogo?

   _____

4. ¿Qué sigue siendo la única división de labor entre hombres y mujeres en la sociedad yanomami?

   _____

5. ¿Qué están combatiendo los yanomami?

   _____

B. Lea la biografía de la cantante Lila Downs y complete las frases con la forma apropiada del gerundio. Entonces conteste las preguntas.

Lila Downs - Biografía

(Tema curricular: Identidades personales y públicas)

Lila Downs ha presentado este pasado 20 de Octubre su nuevo álbum, Pecados y Milagros. El título y los conceptos se inspiran en los temas de las tradicionales pinturas votivas de México, así como en su pequeño hijo. Las nuevas canciones nacen de la motivación para buscar elementos y símbolos que nos dan fuerza.

Nacida en Oaxaca, México, Lila es hija de la cantante mixteca Anita Sánchez y Allen Downs, un profesor de arte escocés-americano y director de cine. Ella creció en Oaxaca, California, y Minnesota, donde se graduó de la Universidad de Minnesota en dos carreras: Antropología Social y Canto. Su visión musical es de naturaleza antropológica, tan variada como las culturas antiguas que siguen _____

1. (alimentar)

su inspiración. Downs por lo general se hace acompañar en su viaje musical por su banda de hace mucho tiempo, La Misteriosa, multicultural, …que incluye a Paul Cohen, su colaborador, productor y esposo.

La temática de su música a menudo gira sobre la política y la justicia social, la inmigración y la transformación, todas las raíces de la condición humana. Ella se esfuerza por hacer una conexión significativa con sus diversas audiencias a través de su música y actuaciones. «Soy muy afortunada», comenta Downs, «la gente que sigue nuestra música proviene de todos los sectores de la vida y quiere arañar la superficie para saber el por qué y el cómo. Todos los días nos conectamos de muchas maneras».

Durante más de una década, Lila Downs ha cruzado el planeta, con su concepto innovador y único de la música tradicional mexicana y composiciones originales _____ con el blues, el jazz, el soul, la raíz africana, e incluso la música

2. (fusionarlas)

klezmer, todos ellos _____ su maravillosa voz. Algunos podrían clasificar

3. (confirmar)

a Lila como artista mexicana, pero no hay forma real de clasificar su música, excepto para decir que es una fusión única y emocionante de sonidos internacionales. Un viaje musical con Lila Downs es siempre fascinante, a la vez nervioso y potente, pero suntuoso y elegante.

A veces el sonido se siente como un fuego alimentado por un viaje en la carretera de Oaxaca a New Orleans. Pero Lila Downs no tiene miedo de sacudir las cosas con una cumbia rock, rap-poético, o incluso los chirridos de una iguana, _____ la
4. (tomar)
música en su propio mundo enigmático. El camino inesperadamente puede dar lugar a mundos antiguos, impregnados de la música nativa de Mesoamérica y el idioma de las culturas mixteca, zapoteca, maya y náhuatl. Pocos artistas pueden navegar con éxito el terreno de la música, aparentemente tan dispar, pero Lila Downs y La Misteriosa van a la esencia de ella, a hacerla suya, y la traen a la audiencia a lo largo de un viaje emocional y memorable.

Lila Downs ha sido reconocida por la industria de la música, _____
5. (recibir)
un Grammy Latino por el lanzamiento de «Una Sangre» y una nominación al Grammy con «Shake Away» (Ojo de Culebra), que también fue nombrado uno de los diez mejores discos de WOMEX, …

Además ha llenado las salas de conciertos en todo el mundo, ha aparecido en festivales y acontecimientos importantes como el Carnegie Hall, WOMAD, el Festival de Música Sacra — _____ con luminarias como el Dalai Lama, y en el
6. (figurar)
Latino Inaugural Ball del Presidente Barack Obama.

Otro nuevo proyecto en que está _____ es escribir música para la
7. (trabajar)
próxima presentación teatral de «Como Agua Para Chocolate», la premiada novela y película de Laura Esquivel…

(http://www.liladowns.com/mx/biography)

Preguntas

1. ¿Cuáles son algunas culturas que «siguen alimentando su inspiración».

   _____

   _____

   _____

2. ¿Cuáles son algunos temas de la música que continúa creando?

   _____

   _____

   _____

3. ¿Cuáles estilos de música está fusionando en su obra original?

   _____

   _____

   _____

4. ¿Qué está realizando Lila Downs que poco músicos pueden hacer?

   _____

   _____

   _____

   _____

AUTHENTIC ASSESSMENTS

1. Ud. tiene que preparar un editorial para el periódico en español de su escuela. El tema es el ganador/ la ganadora más reciente del Premio Nobel. Incluya las respuestas a las siguientes preguntas:

   ¿De dónde es?

   ¿Cuáles fueron su trabajo y su misión?

   ¿Cómo y por qué fue seleccionado(-a)?

   ¿Qué opina Ud. al respecto?

   ¿Cómo está reaccionando al premio el ganador?

2. Ud. decide ser un voluntario este verano en un parque zoológico porque Ud. está a favor de la protección de los animales salvajes. Escríbales un correo electrónico a los administradores de este parque zoológico, en el cual les explica por qué quiere trabajar allí. Envíeles también su resume.

9

Los derechos humanos: El progreso y el reto

The Past Participle; Compound Tenses

9.1. USES OF THE PAST PARTICIPLE AND THE PERFECT TENSES

Past participles are used to express the following communicative functions:

1. Forming the perfect tenses with the auxiliary verb **haber**.

   a. The present perfect expresses an action begun in the past and connected to the present.

      Elena me *ha hablado* del asunto que estamos discutiendo.

   b. The pluperfect expresses an action that preceded another past action.

      Carlos ya *había llegado* cuando Elena llamó.

   c. The preterit perfect is used in formal or literary writing to express an action that had just ended. It is used with expressions such as ***en cuanto, apenas, tan pronto como,*** and ***así que.***

      ***En cuanto se hubo acostado,* el teléfono sonó.**

   d. The future perfect expresses an action that will have taken place in the future.

      Sus amigos se *habrán enterado* del asunto cuando nos veamos.

   e. The conditional perfect expresses an action that would have taken place in the past.

      It is also used to express probability in the past.

      Les *habría dicho* todo si hubiera tenido la oportunidad.
      ¿*Habrían llegado* al aeropuerto a tiempo?

   NOTE: When preceded by the auxiliary verb **haber**, past participles never change.

2. Forming the passive voice with the verb *ser*.

   La puerta *fue abierta* por el dueño de la tienda.

   Los boletos para el concierto *fueron comprados* por los jóvenes rápidamente.

   NOTE: When the past participle functions as an adjective it agrees in number and gender with the noun(s) it modifies.

3. Stating a condition as a result of an action.

   La puerta está *abierta*.

   Todos los boletos *están* vendidos.

4. Forming a noun from a verb.

   El *invitado* llegó tarde porque se perdió.

   No dejaron a los *desconocidos* asistir a la fiesta.

   NOTE: When the past participle functions as a noun, it agrees in number and gender with the subject(s).

Examine the uses of the past participles in the following pre-test, and check your answers as you review the formation of the past participles explained in this chapter.

PRUEBA PRELIMINAR

Lea el siguiente artículo sobre progreso en México. Complete las frases con los participios pasados apropiados de los verbos indicados. Luego, conteste las preguntas.

Felicitan a México por avances en derechos humanos

(Tema curricular: Los desafíos mundiales)

VOCABULARIO			
el alcance reach		**el fideicomiso** trust	
los delitos crimes		**la franqueza** frankness	
exponer to expose		**la funcionaria** official	
la falla failure		**la queja** complaint	

Washington.- La Comisión Interamericana de Derechos Humanos (CIDH) felicitó hoy a México por su compromiso con el respeto a las garantías individuales, así como por la franqueza del gobierno para reconocer fallas.

«Se nota que ha ＿＿＿＿＿＿＿ avances muy importantes en el marco
　　　　　　　　　1. (haber)

jurídico, y la comisión felicita al Estado de México por lo que han ＿＿＿＿＿＿＿
　　　　　　　　　　　　　　　　　　　　　　　　　　　　2. (conseguir)

avanzar en los temas jurídicos», expresó el relator para México, ＿＿＿＿＿＿＿
　　　　　　　　　　　　　　　　　　　　　　　　　　　3. (comisionar)

James Cavallaro.Cavallaro, de nacionalidad estadounidense, consideró que las acciones

＿＿＿＿＿＿＿ por la subsecretaria de Asuntos Jurídicos y Derechos Humanos de
4. (exponer)

la Secretaría de Gobernación, Lía Limón García, evidencian el **compromiso de México**

con los derechos humanos. Hizo notar, de igual manera, el reto que presentará para ese

gobierno la implementación de estos programas y acciones.

Limón García dijo este jueves aquí que las reformas y acciones ＿＿＿＿＿＿＿
　　　　　　　　　　　　　　　　　　　　　　　　　　　　　5. (realizar)

durante 2013 en materia de derechos humanos son muestra del firme compromiso para

fortalecer y garantizar su observancia y protección.

Ante miembros de la CIDH, la funcionaria mexicana subrayó que el gobierno res-

petará sus obligaciones internacionales en la materia.

«México está ＿＿＿＿＿＿＿ a adoptar las mejores prácticas de derechos
　　　　　　　6. (decidir)

humanos que hay a nivel global y sobre todo a ser un Estado que cumpla y contribuya

con el sistema interamericano de protección de los derechos humanos», ofreció.

Limón García destacó como prueba de esto último la atención que México ha

＿＿＿＿＿＿＿ a las recomendaciones de la CIDH y las resoluciones y sentencias
7. (dar)

de la Corte Interamericana de Derechos Humanos (Corte IDH).

«México es uno de los países que más soluciones amistosas ha ＿＿＿＿＿＿＿
　　　　　　　　　　　　　　　　　　　　　　　　　　　　8. (firmar)

en el marco de este sistema, lo que demuestra su compromiso con acciones y no solo de

discurso», precisó.

Dio a conocer que el gobierno trabaja para ampliar los alcances del fideicomiso

＿＿＿＿＿＿＿ para dar cumplimiento de las obligaciones en materia de derechos
9. (crear)

humanos, y cubrir ahora soluciones amistosas y recomendaciones, tanto de la CIDH,

como de la Comisión Nacional de Derechos Humanos (CNDH).

Hablando en la audiencia _____ por México, Limón García hizo un
10. (solicita)

recuento de las acciones _____ por el gobierno para fortalecer el marco de
11. (implementar)

los derechos humanos como parte del intenso proceso de reforma _____ el
12. (iniciar)

año _____.
13. (pasar)

Aludió a las reformas al código penal, al código militar, acciones para combatir la

violencia contra personas de la comunidad gay y la implementación del mecanismo para

proteger a periodistas y defensores de derechos humanos, entre otras.

De igual forma, México lleva a cabo acciones _____ a la protección de
14. (orientar)

los migrantes, comunidades indígenas, de la niñez y atacar el fenómeno de la violencia

doméstica que afecta a las mujeres, así como para reducir las quejas, por abusos y vio-

laciones de los derechos humanos, contra miembros de las fuerzas _____.
15. (armar)

En el corto plazo, México trabaja en el desarrollo de un programa de derechos

humanos, así como otro para atacar y prevenir los delitos relacionados con la trata de

personas.

(http://eleconomista.com.mx/sociedad/2014/03/27/felicitan-mexico-avances-derechos-humanos)

Preguntas

1. ¿Por qué la Comisión Interamericana de Derechos Humanos felicitó a México?

   _____

   _____

   _____

   _____

2. ¿Cuáles reformas y acciones que combaten abusos de los derechos humanos fueron
   mencionadas en el artículo?

   _____

   _____

   _____

   _____

9.2. REGULAR PAST PARTICIPLES

1. The past participle of regular verbs is formed by dropping the infinitive ending and adding **-ado** to **-ar** verbs and **-ido** to **-er** and **-ir** verbs.

trabajar	**trabaj***ado*	worked
aprender	**aprend***ido*	learned
unir	**un***ido*	joined

NOTE: In English the past participles often end in *-ed*.

2. The past participles of **-er** and **-ir** verbs with stems ending in a vowel have an added accent mark on the **i**.

caer	**ca***í*do	**oír**	**o***í*do	**traer**	**tra***í*do
creer	**cre***í*do	**leer**	**le***í*do	**reír**	**re***í*do

9.3. IRREGULAR PAST PARTICIPLES

The following verbs have irregular past participles:

abrir	**abierto**	**absolver**	**absuelto**	**cubrir**	**cubierto**
decir	**dicho**	**describir**	**descrito**	**escribir**	**escrito**
freír	**frito**	**hacer**	**hecho**	**imprimir**	**impreso**
morir	**muerto**	**poner**	**puesto**	**resolver**	**resuelto**
romper	**roto**	**volver**	**vuelto**	**ver**	**visto**

NOTE: When a prefix is added to these verbs, the past participle remains irregular.

*com*poner	compuesto
*des*cubrir	descubierto
*de*volver	devuelto

9.4. COMPOUND TENSES

The perfect tenses are formed by combining a form of **haber** in the appropriate tense with a past participle. The past participle never changes in these compound tenses.

1. Present Perfect Tense

The present tense of **haber** + the past participle of the main verb.

LLAMAR	
he llamado	*hemos* llamado
has llamado	*habéis* llamado
ha llamado	*han* llamado

2. Pluperfect Tense

The imperfect tense of **haber** + the past participle of the main verb.

ESCRIBIR	
había escrito	*habíamos* escrito
habías escrito	*habíais* escrito
había escrito	*habían* escrito

3. Preterit Perfect Tense

The preterit tense of **haber** + the past participle of the main verb.

APRENDER	
hube aprendido	*hubimos* aprendido
hubiste aprendido	*hubisteis* aprendido
hubo aprendido	*hubieron* aprendido

NOTE: This tense is used mainly in literature.

4. Future Perfect Tense

The future tense of **haber** + the past participle of the main verb.

TRABAJAR	
habré trabajado	*habremos* trabajado
habrás trabajado	*habréis* trabajado
habrá trabajado	*habrán* trabajado

5. The Conditional Perfect

The conditional tense of **haber** + the past participle of the main verb.

SUBIR	
habría subido	*habríamos* subido
habrías subido	*habríais* subido
habría subido	*habrían* subido

E J E R C I C I O S

A. Lea el siguiente artículo sobre «El Día Internacional de la Niña». Busque y escriba los participios pasados que correspondan a los verbos en la lista que sigue la lectura. Entonces, conteste las preguntas en el tiempo apropiado.

El 11 de octubre es el Día Internacional de la Niña

(Tema curricular: Los desafíos mundiales)

VOCABULARIO	
la beca scholarship	**la inscripción** registration
la brecha the breach	**el liderazgo** leadership
la disminución decrease	**neto** net
el embarazo pregnancy	**el parto** childbirth, delivery
el enfoque focus	**precoz** precocious
el empoderamiento empowerment	**la tasa** the rate

CIUDAD DE PANAMÁ, 11 de Octubre de 2013 – Con ocasión del Día Internacional de la Niña, la Oficina Regional de UNICEF para América Latina y el Caribe hace un llamado a los gobiernos y a los tomadores de decisión para que garanticen que todas las niñas y todas las adolescentes en la región tengan el derecho a la educación.

«En UNICEF estamos muy preocupados sobre la situación de muchas niñas y adolescentes en la región que tienen dificultades para acceder y completar una educación con calidad, -afirmó la Asesora Regional de Género de UNICEF para América Latina y el Caribe, Luz Ángela Melo-. Hay que brindar oportunidades innovadoras para cerrar las brechas de género».

En América Latina y el Caribe, las niñas asisten a la escuela primaria más que nunca. En gran parte de la región, el acceso a la educación primaria de niñas es prácticamente universal, y niñas y niños asisten a la escuela primaria por igual. De hecho, hay más niñas que niños que asisten y terminan la educación secundaria y terciaria en la mayoría de los países.

	1999		2008		2010	
	Niños	**Niñas**	**Niños**	**Niñas**	**Niños**	**Niñas**
Inscripciones netas, Secundaria	63%	67%	71%	76%	71%	76%
Años Previstos de escolaridad	12,3	12,6	13,3	13,9	13,2	14,0

Sin embargo, todavía queda mucho por hacer para asegurar que cada niña y niña adolescente en la región disfrute de su derecho a la educación. Algunas niñas aún enfrentan desafíos que dificultan su permanencia en el sistema escolar, sobre todo aquellas que pertenecen a pueblos indígenas o afro descendientes o quienes viven en áreas rurales remotas o en zonas urbanas de bajos recursos…

Por ejemplo, aunque en general hay más niñas matriculadas en la escuela secundaria, en ciertos países aún es mayor la tasa de matriculación de niños. Aun cuando las niñas en la región tienen mejores niveles de educación, esto no se traduce en una mejor situación futura profesional o económica. Por ejemplo, la participación de las mujeres en el trabajo remunerado es un 12% menor que la de los hombres.

	1990	2011
Educación primaria	**.99** (cada 100 varones, hay 99 niñas)	**.97** (cada 100 varones, hay 97 niñas)
Educación secundaria	**1.06** (cada 100 varones, hay 106 niñas)	**1.07** (cada 100 varones, hay 107 niñas)
Educación terciaria	**.97** (cada 100 varones, hay 97 niñas)	**1.27** (cada 100 varones, hay 127 niñas)

El Día Internacional de la Niña, observado por las Naciones Unidas por segunda vez este 11 de octubre, es una celebración de los adelantos realizados en la promoción de los derechos de las niñas y un reconocimiento del trabajo que aún queda por hacer para eliminar las desigualdades de género entre niñas y niños.

Innovación para la educación de las niñas

La innovación para la educación de las niñas puede cambiar eso. Los resultados se pueden lograr al hacer cambios aparentemente pequeños, tales como proporcionar opciones de transporte para que las niñas vayan a la escuela, asegurar que las docentes reciban un sueldo justo y a tiempo, establecer alianzas entre sistemas escolares y el sector bancario para ofrecer becas a niñas, así como garantizar la participación de los mismos jóvenes en el proceso de creación de soluciones innovadoras para la educación de las niñas.

La educación de las niñas es una fuerza poderosa que puede transformar las sociedades. Hay evidencia incontestable que indica que la educación es un factor determinante para lograr cualquier resultado positivo en el desarrollo. Las niñas que han recibido una educación tienen menor probabilidad de casarse muy jóvenes, tener hijos a edad temprana, o morir a raíz del parto. Ellas están más capacitadas para protegerse de desnutrición, de infecciones de transmisión sexual y VIH, de la trata infantil y de la explotación sexual. Tienen una mayor probabilidad de obtener un trabajo y ganar mejores salarios. Estos resultados son intergeneracionales: niñas educadas tienen mayores probabilidades de tener hijos más sanos y de enviarlos a la escuela.

Lograr resultados efectivos y sostenibles en la promoción de educación con calidad para niñas y adolescentes en América Latina y el Caribe requiere pensar creativamente, hacer las cosas de una forma distinta e invertir en prácticas que funcionen. Sólo al poner la innovación en acción se logrará que las niñas reciban una educación que mejore su participación y aprendizaje y las empodere para que se ellas transformen los desafíos del siglo XXI en oportunidades.

Ejemplos de uso de innovaciones para mejorar la educación de las niñas

El enfoque de las 'Escuelas Amigas de la Infancia' de UNICEF, por ejemplo, hace énfasis en el derecho a la educación, promueve entornos de aprendizaje seguros y de calidad que sean libres de violencia y garanticen el acceso al agua potable y a servicios de higiene, y apoya mecanismos para la participación y el empoderamiento estudiantil. Este enfoque se ha extendido a más de 100 países.

Otros ejemplos en la región:

- En Argentina, se han establecido salas de cuidado de niños y niñas en escuelas secundarias para facilitar la permanencia en la escuela de madres y otras adolescentes con responsabilidades de cuidad.
- En Bolivia, facilitar un medio de transporte en zonas remotas y dispersas ha dado como resultado para las niñas un mayor acceso a la escuela y permanencia en ella.
- En Brasil, materiales multimedia tales como fotos, historias y/o dibujos animados son producidos por adolescentes embarazadas para fomentar debates entre estudiantes de secundaria sobre el embarazo precoz, los roles de género y la prevención del abandono escolar, lo que ha resultado en una disminución de un 88% en embarazos adolescentes en un proyecto piloto.
- En Guatemala, campañas públicas lideradas por madres indígenas promueven que familias indígenas envíen diariamente las niñas a la escuela y además buscan prevenir el trabajo infantil. También se promueve que niñas indígenas terminen la escuela primaria y desarrollen destrezas de liderazgo al facilitar su participación en consejos estudiantiles y en actividades comunitarias tales como el relato de historias y programas de radio.

Escriba las formas de los gerundios del artículo que corresponden a los infinitivos.

1. llamar   _____

2. preocupar   _____

3. matricular   _____

4. remunerar   _____

5. observar   _____

6. unir   _____

7. realizar   _____

8. resultar   _____

9. recibir   _____

10. educar   _____

11. capacitar   _____

12. extender   _____

13. establecer   _____

14. dar   _____

15. resultar   _____

16. producir   _____

17. embarazar   _____

18. animar   _____

19. prever   _____

20. liderar   _____

Preguntas

1. ¿Por qué fue iniciado el Día Internacional de la Niña?

   _____

   _____

   _____

2. ¿Qué revelan las estadísticas presentadas en el artículo?

   _____

   _____

   _____

3. ¿Cuál problema de las mujeres existe a pesar de las estadísticas presentadas?

   _____

   _____

   _____

4. Según el artículo, ¿cómo pueden «transformar la sociedad» las niñas que han recibidouna buena educación?

   _____

   _____

   _____

5. ¿Cuáles innovaciones son mencionadas y promovidas en el artículo?

   _____

   _____

   _____

B. Lea el siguiente artículo sobre las «madres de la Plaza de Mayo». Complete las frases con la forma apropiada del participio pasado y conteste las preguntas.

Las madres de la Plaza de Mayo luchan para la justicia

(Tema curricular: Los desafíos mundiales)

VOCABULARIO

anular to annul, cancel, rescind

blindar to shield

la bufanda scarf

la camioneta the van

el costado the side

el enjuiciamiento prosecution

inquebrantable unbreakable

instar to urge

el malhechor evil-doer

proporcionar provide, furnish

el rango rank

el testigo witness

Las madres de los _____ han _____ marchando en la Plaza
                    1. (desaparecer)   *2. (estar)*

de Mayo en Buenos Aires desde hace más de 36 años. Se han _____ frente
                                                            3. (reunir)

a la Casa Rosada, el nombre del lugar presidencial argentino, desde el 30 de abril de 1977.

Exigieron la justicia y una contabilidad completa para sus hijos e hijas que fueron

_____ en la «Guerra Sucia» en Argentina que duró del 1976 a 1983.
4. (desaparecer)

El gobierno puso la cifra del número de personas que fueron _____ antes
                                                            5. (torturar)

de ser _____ en alrededor de 9,000 a 11,000, pero las madres dicen que el
        6. (asesinar)

total era cercano de 30,000.

Ellas marcharon durante la Copa Mundial de 1978 que Argentina organizó y ganó.

Ellas marcharon durante la transición a la democracia que vio al Presidente Carlos

Menem firmar una ley de Amnistía que absolvió a los líderes del régimen militar de sus

crímenes.

Marcharon durante la separación de su grupo en dos—aquellos que aceptan dinero

del gobierno como compensación parcial por las muertes de sus seres _____
                                                                    7. (querer)

y quienes siguen pidiendo una contabilidad completa de lo que ocurrió. Marcharon

cuando el presidente Néstor Kirchner anuló la ley de Amnistía y abrió la puerta a más

enjuiciamientos de los generales de alto rango.

Y marcharon hoy.

Dos de las madres estaban en la periferia del círculo donde las mujeres marchan a pie bajo una carpa azul, donde venden libros, plumas y otros materiales sobre los desaparecidos.

Le pregunté si tendrían tiempo para responder a algunas preguntas acerca de sus experiencias.

Estaban trabajando, dijeron.

Madres de Plaza de Mayo-Línea Fundadora, el grupo que había _____
8. (aceptar)
la compensación económica del gobierno, marcharon primero.

Cinco mujeres, incluyendo a dos madres usando pañuelos blancos en la cabeza, mostraron una bandera blanca con el nombre del grupo … marcharon en un círculo alrededor de la plaza.

Los fanáticos más jóvenes marcharon con ellas. Una media docena llevaron fotografías en blanco y negro de sus seres queridos con ellas.

Esto incluyó a una mujer con un megáfono que clamaba nombres de las personas desaparecidas. «Presente», el grupo respondió al unísono.

A pesar de que sus _____ no estaban físicamente allí, las madres decían
9. (amar)
que estaban presentes.

Asociación Madres de Plaza de Mayo fue la próxima. Su grupo es más grande y

_____ por diez mujeres también usando pañuelos blancos en la cabeza.
10. (conducir)

Llevaban un estandarte azul con letras blancas que decían: «Hasta la victoria siempre _____ hijos.»
11. (amar)

Sus bufandas tenían las palabras, «Aparición con vida, los desaparecidos, las madres de Plaza de Mayo» _____ en un punto de cruz azul.
12. (coser)

Muchas de las madres llevaban gafas y caminaban con una rigidez lenta…

Marcharon, añadiendo otro capítulo a su incesante lucha de testigo …

Dijo que los votantes tuvieron que evaluar quién haría lo que dijeron que harían antes instando a todos a votar por Cristina Kirchner, la actual Presidenta y viuda del ex líder.

La multitud aplaudió nuevamente.

Concluyó su discurso y el grupo mezcló antes de empezar a dispersarse.

Muchas de las madres nuevamente caminaron dentro de la camioneta blanca con el nombre del grupo _____ en el costado.
13. (pintar)

Como muchos otros, me quedé fuera del área _____ que se estableció
14. (cordar)
para dar a las madres espacio para caminar dentro de la camioneta.

Tuvo el efecto de haciéndolos lucir como las estrellas por la alfombra roja.

Algunos fans solitarios aplaudieron nuevamente como se han _____
15. (pasar)
Un par de madres abrazó.

Las dos mujeres bajo la carpa seguían vendiendo.

Estas mujeres, quienes ya envejecen, algunos de las cuales son físicamente frágiles, aún no han _____ la justicia que buscan.
16. (alcanzar)
Pero también nunca se rindieron.

En su compromiso inquebrantable y feroz, no sólo han _____ la memo-
17. (honrar)
ria de los niños _____ cuyas ideas políticas muchos han _____
18. (asesinar)   19. (comenzar)
a adoptar.

Ellos también han _____ un ejemplo para la gente en todo el mundo a
20. (proporcionar)
seguir.

Han _____ a anular una ley que blindó a los malhechores de la
21. (ayudar)
impunidad.

Han ayudado a abrir la puerta para que los responsables sean _____
22. (castigar)
por lo que hicieron.

Lograron mostrar que a pesar de la falta de recursos, su _____ por la

<u>23.</u> (sentir)

justicia es inquebrantable.

(http://www.vivelohoy.com/noticias/8373679/las-madres-de-la-plaza-de-mayo-luchan-para-la-justicia)

Preguntas

1. ¿Por qué han marchado las mujeres alrededor de la Plaza de Mayo de Buenos Aires desde el 30 de abril de 1977?

_____

_____

_____

_____

2. ¿ Según el artículo, cuáles grupos de madres han marchado? ¿Cómo fueron divididos?

_____

_____

_____

_____

3. ¿Qué han realizado las madres? (Mencione 3 logros.)

_____

_____

_____

_____

T R A B A J O   C O O P E R A T I V O

A. Formen grupos de seis alumnos para discutir sobre los derechos de los indígenas latinoamericanos.

- El líder del grupo organiza el trabajo y ayuda a sus compañeros.
- Todos leen el artículo, notando y escribiendo los participios pasados y los tiempos perfectos que encuentren.
- Todos comparten sus listas para completarlas juntos.

- Dos miembros del grupo investigan y contestan: ¿Cuál fue el objetivo de la visita de la relatoría sobre los Derechos de los Pueblos Indígenas de la Comisión Interamericana de Derechos Humanos (CIDH) a Guatemala?
- Dos miembros del grupo discuten lo que descubrió la delegación.
- Otra pareja discute los talleres que fueron organizados por la CIDH durante esta visita.
- El grupo entero comparte y discute lo que han aprendido del artículo.

COMUNICADO DE PRENSA

Relatoría sobre los derechos de los pueblos Indígenas realizó visita de trabajo a Guatemala

(Tema curricular: Los desafíos mundiales)

VOCABULARIO	
la capacitación training	**la preocupación** concern, worry
encabezar to lead, head	**los recursos naturales** natural resources
el insumo input	**la relatoría, la relatora** official reporter;
el hostigamiento harassment	rapporteur
la manifestación demonstration	**suscrito** subscribed
	vigente in force, valid

Washington D.C. – La Relatoría sobre los Derechos de los Pueblos Indígenas de la Comisión Interamericana de Derechos Humanos (CIDH) realizó una visita de trabajo a Guatemala entre el 21 y 30 de agosto de 2013. El objetivo de la visita fue recabar información sobre la situación de los pueblos indígenas en Guatemala, con particular énfasis en la discriminación y exclusión de los pueblos indígenas, así como en la situación de sus tierras, territorios y recursos naturales, y el derecho a la consulta previa, libre e informada. La delegación estuvo encabezada por la Relatora sobre los Derechos de los Pueblos Indígenas, Comisionada Dinah Shelton.

La delegación se reunió con autoridades del Estado; organizaciones, autoridades, líderes, lideresas, y comunidades indígenas; defensores y defensoras de derechos humanos, organizaciones de la sociedad civil y miembros de la academia. La delegación visitó Ciudad de Guatemala los días 21 y 22 de agosto; Cobán, el 23 de agosto; el Valle del Polochic, el 24 de agosto; Nebaj, el 25 de agosto; Huehuetenango, el 26 de agosto; Totonicapán, el 27 de agosto; San Marcos, el 28 de agosto; Chichicastenango, el 28 de agosto; y Ciudad de Guatemala, los días 29 y 30 de agosto. La información obtenida en la visita será utilizada como uno de los insumos para la elaboración de un informe sobre la situación de los derechos humanos de los pueblos indígenas en Guatemala.

«Pudimos constatar que el racismo y la discriminación contra los pueblos indígenas persiste en Guatemala, pero también que el gobierno ha iniciado varios nuevos programas para atender la situación. Desafortunadamente, persiste una incidencia desproporcionada de la pobreza, la pobreza extrema y la desnutrición infantil en la población indígena rural», indicó la Relatora, Dinah Shelton. «También resulta alarmante que todas las licencias vigentes para explotación minera y plantas hidroeléctricas han sido otorgadas sin implementar la consulta previa, libre e informada a la que el Estado está obligado por los tratados internacionales suscritos por Guatemala», añadió la Relatora.

La Comisionada Shelton saludó el reconocimiento por parte del Gobierno de la necesidad de reformar la legislación, en especial las leyes sobre minería, agua y medio ambiente, a fin de cumplir con los compromisos internacionales del Estado. Asimismo, subrayó su gran preocupación por los asesinatos, violaciones sexuales, amenazas y hostigamientos de los que son objeto autoridades, líderes y lideresas indígenas y defensores de derechos humanos, incluyendo jueces y fiscales, en el país.

Por otra parte, la CIDH recibió información después de realizada la visita, que indica que el Presidente de Guatemala, Otto Pérez Molina, habría dado instrucciones a la Secretaría de la Paz de dar ayuda humanitaria a los familiares de las víctimas de los incidentes ocurridos el 4 de octubre de 2012, durante un operativo de las fuerzas armadas contra una manifestación, en el que murieron seis personas y otras 34 resultaron heridas. La Comisión valora positivamente esta iniciativa y espera que se implemente a la brevedad.

La Comisión agradece al Gobierno de Guatemala su anuencia para realizar esta visita y a las autoridades y a los pueblos de Guatemala por la hospitalidad con que recibieron a la delegación y por la asistencia prestada. Asimismo, la Comisión valora y agradece profundamente la información aportada por los pueblos indígenas, sus líderes, lideresas y autoridades ancestrales; así como por las autoridades del Gobierno, las organizaciones de la sociedad civil y otros actores.

Otras actividades realizadas en Guatemala

La Relatoría organizó además una reunión de expertas y un taller. En este sentido, los días 19 y 20 de agosto de 2013 se realizó en Ciudad de Guatemala una «Reunión de Mujeres Indígenas Expertas de Centroamérica y México», que contó con la participación de quince mujeres indígenas provenientes de Costa Rica, El Salvador, Guatemala, Honduras, Nicaragua, Panamá y México. El encuentro realizado forma parte del proceso de consultas y recopilación de información que está realizando la CIDH para elaborar un informe regional sobre la situación de mujeres indígenas en las Américas, que tendrá como propósito analizar las múltiples formas de discriminación y violencia que afectan a las mujeres indígenas en el ejercicio de sus derechos.

Asimismo, el 20 de agosto se llevó a cabo un taller de capacitación denominado «Diálogo sobre derechos de las mujeres indígenas ante el Sistema Interamericano», que contó con la participación como ponentes de las mujeres indígenas invitadas a la reunión de expertas, quienes compartieron con las/os asistentes acerca de los diversos mecanismos de protección del Sistema Interamericano de Derechos Humanos, con especial énfasis en mujeres indígenas.

La CIDH es un órgano principal y autónomo de la Organización de los Estados Americanos (OEA), cuyo mandato surge de la Carta de la OEA y de la Convención Americana sobre Derechos Humanos. La Comisión Interamericana tiene el mandato de promover la observancia de los derechos humanos en la región y actúa como órgano consultivo de la OEA en la materia. La CIDH está integrada por siete miembros independientes que son elegidos por la Asamblea General de la OEA a título personal, y no representan sus países de origen o residencia.

(www.oas.org/es/cidh/prensa/comunicados/2013/066.asp)

B. Formen grupos cooperativos de seis alumnos para leer y discutir el informe anual 2013 de Amnistía Internacional que aparece en *http://www.amnesty.org/es/annual-report/2013/essay.*

- El líder organiza el trabajo y ayuda a los demás. Divide la lectura del informe en tres segmentos y los divide entre las tres parejas.
- Cada pareja lee su segmento del informe anual 2013 de Amnistía Internacional.
- Cada pareja presenta lo que aprende al grupo.
- El grupos discute «la globalización de la comunicación» promovido en el informe y le presenta sus reacciones y propuestas a la clase entera.

M A S T E R Y   A S S E S S M E N T S

A. Lea el siguiente artículo sobre las grandes diferencias entre los ricos y los pobres del mundo. Escriba las formas del participio pasado en el artículo que corresponden con los infinitivos en la lista. Entonces conteste las preguntas.

85 ricos suman tanto dinero como 3.570 millones de pobres del mundo

(Tema curricular: Los desafíos mundiales)

VOCABULARIO		
la brecha the gap	**los paraísos fiscales** tax havens
frenar to brake, back away	**plasmar** capture
el ingreso income	**el rescate** rescue
el inversor investor	**socavar** undermine
la nitidez sharpness	**la tibieza** tepidity

La masiva concentración de los recursos económicos en manos de unos pocos abre una brecha que supone una gran amenaza para los sistemas políticos y económicos inclusivos, porque favorece a unos pocos en detrimento de la mayoría. Así que para luchar contra la pobreza es básico abordar la desigualdad. Esta es la conclusión del informe «Gobernar para las elites». Secuestro democrático y desigualdad económica, que publica hoy la ONG Oxfam Intermón.

El estudio parte de datos objetivos de varias instituciones oficiales e informes internacionales que constatan la «excesiva» concentración de la riqueza mundial en pocas manos. Datos como que 85 individuos acumulan tanta riqueza como los 3.570 millones de personas que forman la mitad más pobre de la población mundial. O que la mitad de la riqueza está en manos de apenas el 1% de todo el mundo. Eso sin contar, advierte el informe, que una considerable cantidad de esta riqueza está oculta en paraísos fiscales.

El informe de la organización, que será presentado en el Foro Económico Mundial de Davos junto a un clamor para que se adopten compromisos para frenar la desigualdad, advierte de que «las élites económicas están secuestrando el poder político para manipular las reglas del juego económico, que socava la democracia».

«Los inversores se han aprovechado de los rescates», afirma el informe

El informe va acompañado de datos que plasman con nitidez el aumento de la concentración de riqueza en pocas manos desde 1980 hasta la actualidad. O cómo la concentración y la brecha siguen aumentando pese a la gran recesión del año 2008. En Estados Unidos, por ejemplo, el 1% más rico de la población ha concentrado el 95% del crecimiento posterior a la crisis financiera. En Europa, los ingresos conjuntos de las 10 personas más ricas superan el coste total de las medidas de estímulo aplicadas en la Unión Europea entre 2008 y 2010 (217.000 millones de euros frente a 200.000).

La tibieza en la presión fiscal a los ricos, los recortes sociales o el rescate de la banca con fondos públicos son ejemplos de un fenómeno que es tan visible que crece la conciencia pública del aumento de este poder. Oxfam Intermón apoya esta afirmación en una encuesta realizada en España, Brasil, India, Suráfrica, Reino Unido y Estados Unidos, que revela que la mayor parte de la población cree que las leyes están diseñadas para favorecer a los ricos. En España, el 80% de la población cree que las leyes están hechas con este objetivo.

Sobre el caso español, el director de Oxfam Intermón, José María Vera, afirma que el país «no escapa a esta dinámica» y que la actual crisis se explica en parte por ella: «Los casos en los que los intereses de una minoría económicamente poderosa se han impuesto a los intereses de la ciudadanía de a pie son numerosos en la historia de nuestra democracia.

La crisis económica, financiera, política y social que padece España hoy tiene buena parte de su origen precisamente en esas dinámicas perniciosas donde el interés público y los procesos democráticos han sido secuestrados por los intereses de una minoría».

La organización pide que se tomen medidas contra los paraísos fiscales

Entre las políticas diseñadas en los últimos años que favorecen a la minoría de ricos, la organización enumera la desregulación y opacidad financiera, los paraísos fiscales, la reducción de impuestos a las rentas más altas o los recortes de gasto en servicios e inversiones públicas. El informe constata cómo, en el caso de Europa, «las tremendas presiones de los mercados financieros han impulsado drásticas medidas de austeridad que han golpeado a las clases baja y media, mientras los grandes inversores se han aprovechado de los planes de rescate públicos».

Por todo ello, Oxfam Intermón exigirá en el marco del Foro Económico Mundial de Davos a sus asistentes (sean particulares o representantes de Gobiernos) que adopten compromisos en áreas como los paraísos fiscales (que no se permita que se utilicen para evadir impuestos); que se hagan públicas las inversiones en empresas y fondos; que respalden sistemas fiscales progresivos; que exijan a sus Gobiernos que los impuestos se destinen a servicios públicos o que si lo son inviertan en atención sanitaria y en educación universales, o que las empresas que representan paguen salarios dignos a sus empleados y los países legislen en esta dirección, fortaleciendo umbrales salariales y derechos laborales.

Por si a alguien se le ocurre pensar que los planteamientos de Oxfam Intermón son utópicos, la organización recuerda que «esta peligrosa tendencia» es reversible y que existen ejemplos de ello. Fue el caso, recuerda, de Estados Unidos o Europa tras la II Guerra Mundial, cuando el crecimiento económico se compatibilizó con la reducción de la desigualdad, o el caso de América Latina, donde la brecha ha disminuido «significativamente durante la última década gracias a una fiscalidad más progresiva, los servicios públicos, la protección oficial y el empleo digno».

El informe también contempla ejemplos de concentración en países en desarrollo y alude a la superminoritaria élite india, millonarios que en buena parte han forjado sus fortunas en sectores cuyos beneficios dependen del acceso a los servicios básicos; al poder de las élites en Pakistán y su influencia en la manipulación legal; a la desigualdad en África, pese a la abundancia de recursos, o a lo que llama «red mundial de secretos bancarios», que no es otra que la que forman los paraísos fiscales.

(http://economia.elpais.com/economia/2014/01/19/actualidad/1390168909_581864.html)

Escribe las formas del participio pasado en el artículo que corresponden con los infinitivos en la lista.

1.	presentar	9.	ser
2.	acompañar	10.	secuestrar
3.	concentrar	11.	impulsar
4.	aplicar	12.	golpear
5.	realizar	13.	aprovechar
6.	diseñar	14.	emplear
7.	hacer	15.	disminuir
8.	imponer		

Preguntas

1. ¿Cuáles son los problemas descritos en este artículo?

_____

_____

_____

_____

_____

2. ¿Qué recomendaciones se mencionan en el artículo?

_____

_____

_____

_____

_____

B. Durante el siglo veinte, las mujeres han conseguido derechos humanos que han cambiado sus vidas. En el drama «La casa de Bernarda Alba», escrito al principio del siglo XX por Federico García Lorca, podemos contrastar las notables diferencias entre la situación de las mujeres de la época y las mujeres de hoy. Lea las siguientes frases que describen las situaciones en el texto y cámbielas para demostrar los contrastes en la vida actual de la mujer. Use el condicional perfecto en sus frases.

Ejemplo: Bernarda Alba encerró a sus hijas en casa siete años, en los cuales guardó luto a su marido.

Hoy en día, Bernarda Alba no *habría encerrado* a sus hijas en casa.

1. Las hijas no podían escoger a sus propios maridos.

   Hoy en día _____.

2. Bernarda le decía a Angustias que tendría que obedecer a su marido.

   Hoy en día _____.

3. Las hijas necesitaban un dote (dowry) suficiente para casarse.

   Hoy en día _____.

4. Las hijas de Bernarda Alba no trabajaban fuera de la casa.

   Hoy en día _____.

5. Adela sufrió porque se rebeló contra las tradiciones establecidas de aquella época.

   Hoy en día _____.

C. Compare y contraste otra obra literaria que trate de la mujer y que se haya escrito al principio del siglo XX o antes. ¿Mencione las diferencias en la obra si el autor o la autora la hubiera escrito en esta década. Use el condicional perfecto en su descripción.

   _____

   _____

   _____

AUTHENTIC ASSESSMENTS

1. En 1948 la Asamblea General de las Naciones Unidas aprobó la Declaración Universal de los Derechos Humanos. Pidió que se leyera y enseñara en todos los países miembros. Lealos treinta artículos de este documento publicado por el Departamento de Información Pública de las Naciones Unidas. Luego, investigue un país de Hispanoamérica que haya sido acusado de violar esta declaración. Después de conseguir información sobre las condiciones actuales, escríbale al embajador de este país para averiguar si el gobierno se está dedicando a proteger efectivamente los derechos y libertades fundamentales de toda la gente de su país y cómo lo ha hecho. Preséntele un informe a su clase sobre los resultados de su investigación.

2. Ud. trabaja para un canal de televisión y tiene que preparar un video documental sobre una persona que se haya destacado en la lucha por los derechos humanos en su país. Describa por qué causa había luchado, lo que había conseguido y cómo se ha afectado su vida.

10

La salud: El individuo y la comunidad
Reflexive Verbs

10.1. USES OF REFLEXIVE VERBS

Reflexive verbs are used to express the following communicative functions:

1. Expressing that an action is performed by the subject and on the same subject.

Elena *se baña* por la mañana.	*Elena bathes (herself) in the morning.*
Carlos *se afeita* a las seis.	*Carlos shaves at six o'clock.*

2. Expressing that the subject is acting on a part of the subject's own body or on a personal possession. In English the possessive adjective is used.

Elena *se lava* la cara.	*Elena washes her face.*
Carlos *se corta* el pelo.	*Carlos cuts his hair.*

3. Expressing changes or transformations in the nature, behavior or attitude of the subject. This is generally expressed in English by *get* or *become + adjective.*

Juan *se enfermó* después de la cena.	*Juan got sick after dinner.*
Elena *se cansó* durante el partido.	*Elena got tired during the game.*
Yo *me puse* nervioso antes del examen.	*I became nervous before the exam.*

4. Expressing a different meaning slightly related to the original meaning of the nonreflexive verb.

Elena *parece* muy contenta.	*Elena seems very happy.*
Elena *se parece* a su madre.	*Elena resembles her mother.*
Carlos *conduce* bien.	*Carlos drives well.*
Carlos *se conduce* bien.	*Carlos behaves well.*

| Acordamos *reunirnos* el martes. | *We agreed to meet Tuesday.* |
| *Nos acordamos* de la reunión. | *We remembered the meeting.* |

| *Hizo* el trabajo. | *He did the work.* |
| *Se hizo* el dormido para no trabajar. | *He pretended to sleep so as not to work.* |

5. Expressing a more colloquial emphatic style very common in familiar speech.

| Elena *comió* el pastel. | *Elena ate the pastry.* |
| Carlos *se comió* el pastel. | *Carlos ate the pastry up.* |

6. Expressing reciprocal action. This is expressed in English by *each other* or *one another.*

Los alumnos *se miran*.	*The students look at each other.*
No *se conocen*.	*They don't know each other.*
Se hablan uno al otro.	*They speak to each other.*

NOTE: *(El) uno al otro* and *(la) una a la otra* are sometimes added to clarify or emphasize the reciprocal meaning.

7. Expressing an unexpected or unplanned action.

| *Se le cayó* el cuaderno. | *He dropped his notebook.* |
| *Se apagó* la televisión de repente. | *The television went off suddenly.* |

8. Expressing an impersonal statement with the pronoun *se* when a particular subject is not specified.

| Aquí *se habla* español. | *Spanish is spoken here.* |
| Aquí *se puede* coger un taxi. | *You (one) can catch a taxi here.* |

PRUEBA PRELIMINAR

Lea el siguiente artículo y escriba las formas apropiadas de los verbos y de los pronombres correspondientes. Entonces, contesta las preguntas.

¿Por qué es inteligente hacer ejercicio?

(Tema curricular: Las familias y las comunidades)

VOCABULARIO

enjuto lean	**latar** to beat
el esquí de travesía cross-country skiing	**proclive** prone
fortalecer to strengthen	**el trastorno** disorder

Probablemente habrás oído incontables veces que hacer ejercicio es «bueno para ti» pero ¿sabías que, de hecho, también puede ayudarte a _____ bien? Hacer la

1. (sentirse)

cantidad adecuada de ejercicio puede aumentar tus niveles de energía e incluso ayudarte a _____ mejor desde el punto de vista emocional.

2. (encontrarse)

Efectos beneficiosos del ejercicio

- **El ejercicio es bueno para todas las partes del cuerpo, incluyendo la mente.** El ejercicio hace que el cuerpo produzca endorfinas, unas sustancias químicas que nos hacen sentir en paz y felices. El ejercicio puede ayudar a algunas personas a dormir mejor. También puede ayudar en los problemas de salud mental, como la depresión leve y la baja autoestima. Además, el ejercicio puede proporcionar una verdadera sensación de logro y orgullo cuando se alcanzan determinadas metas ...

- **El ejercicio puede ayudar a tener mejor aspecto.** La gente que practica ejercicio quema calorías y _____ más enjuta que la que no lo practica. De hecho,

3. (verse)

hacer ejercicio es una de las mejores formas de mantener un peso saludable.

- **Hacer ejercicio para mantener un peso saludable también reduce el riesgo de desarrollar determinadas enfermedades,** incluyendo la diabetes tipo 2 y la hipertensión arterial. Estas enfermedades, que solían ser propias de los adultos, cada vez son más frecuentes en los adolescentes.

- **El ejercicio ayuda a envejecer bien.** Las mujeres son especialmente proclives a un trastorno denominado **osteoporosis** (debilitamiento de los huesos) cuando _____ mayores. Los estudios han constatado que los ejercicios que impli-

4. (hacerse)

can cargar el propio peso, como correr o andar deprisa, ayuda a las chicas (¡y a los chicos!) a mantener fuertes los huesos.

Una rutina de ejercicio físico bien equilibrada consta de tres componentes: ejercicio aeróbico, ejercicios de fuerza y ejercicios de flexibilidad.

Ejercicio aeróbico

Como cualquier otro músculo, a tu corazón le gusta estar en forma. Y tú le puedes ayudar a lograr su objetivo practicando ejercicios aeróbicos. Por ejercicio aeróbico, entendemos cualquier tipo de ejercicio que hace que el corazón lata más deprisa y que los músculos utilicen oxígeno _____ cuenta de que tu cuerpo está utilizando oxígeno porque
5. (darse)
respirarás más deprisa).

Si practicas este tipo de ejercicios regularmente, se te hará más fuerte el corazón y el oxígeno te llegará mejor (a través de los glóbulos rojos) a todas las partes del cuerpo.

Además de estar activo cada día, los expertos recomiendan que los adolescentes hagan por lo menos tres sesiones de 60 minutos de actividad física vigorosa cada semana. Si formas parte de un equipo deportivo, probablemente estás haciendo más ejercicio del indicado en esta recomendación, lo que es genial. Algunos de los deportes de equipo que proporcionan un importante entrenamiento aeróbico son la natación, el baloncesto, el fútbol, el balonmano, el jockey y el remo.

Pero, si no practicas ningún deporte de equipo, no _____; hay multitud
6. (preocuparse)
de formas de hacer ejercicio aeróbico, sea a solas o en grupo. Esas formas incluyen ir en bici, correr, nadar, bailar, patinar, practicar esquí de travesía, hacer montañismo y andar de prisa. De hecho, es más fácil seguir practicando los tipos de ejercicios que se practican a solas al finalizar los estudios secundarios e iniciar los universitarios, lo que facilita

_____ en forma durante la etapa adulta.
7. (mantenerse)

Ejercicios de fuerza

El corazón no es el único músculo que _____ de la práctica regular de ejer-
8. (beneficiarse)
cicio—a la mayoría de los demás músculos de tu cuerpo también les va bien hacer ejercicio. Si utilizas los músculos y los fortaleces, podrás estar activo durante períodos de

tiempo más largos sin _____. Los músculos fuertes también tienen la ven-
9. (agotarse)

taja de ayudar a proteger las articulaciones durante la práctica del ejercicio y a prevenir

las lesiones. Además, el músculo quema más energía que la grasa cuando una persona está

en reposo, de modo que el hecho de desarrollar los músculos te ayudará a quemar más

calorías y a mantener un peso saludable.

Preguntas

1. Explica porque el ejercicio te ayuda a sentirte bien.

   _____

   _____

2. ¿Cuáles partes del cuerpo se benefician por la práctica de ejercicios? ¿Cuáles son los
   beneficios?

   _____

   _____

3. ¿Qué maneras de hacer ejercicios mencionadas en el artículo practicas y prefieres tú?

   _____

   _____

10.2. REFLEXIVE CONSTRUCTIONS

1. The reflexive pronouns, *me, te, se, nos, os,* and se precede the conjugated verb in
   both simple and compound tenses and in the negative imperative.

PRESENT	*me* levanto	*nos* levantamos
	te levantas	*os* levantáis
	se levanta	*se* levantan
PRETERIT	*me* levanté	*nos* levantamos
	te levantaste	*os* levantásteis
	se levantó	*se* levantaron
IMPERFECT	*me* levantaba	*nos* levantábamos
	te levantabas	*os* levantábais
	se levantaba	*se* levantaban

(cont.)

FUTURE	*me* levantaré *te* levantarás *se* levantará	*nos* levantaremos *os* levantaréis *se* levantarán
CONDITIONAL	*me* levantaría *te* levantarías *se* levantaría	*nos* levantaríamos *os* levantaríais *se* levantarían
PRESENT PERFECT	*me* he levantado *te* has levantado *se* ha levantado	*nos* hemos levantado *os* habéis levantado *se* han levantado
PLUPERFECT	*me* había levantado *te* habías levantado *se* había levantado	*nos* habíamos levantado *os* habías levantado *se* habían levantado
FUTURE PERFECT	*me* habré levantado *te* habrás levantado *se* habrá levantado	*nos* habremos levantado *os* habréis levantado *se* habrán levantado
CONDITIONAL PERFECT	*me* habría levantado *te* habrías levantado *se* habría levantado	*nos* habríamos levantado *os* habríais levantado *se* habrían levantado
IMPERATIVE (NEGATIVE)	No *te* levantes tarde. No *se* levante tarde.	No *nos* levantemos tarde. No *os* levantéis tarde. No *se* levanten tarde.

2. The reflexive pronouns are attached when they follow infinitives, gerunds, and affirmative imperative forms. Accent marks are added to present participles and affirmative imperatives to maintain the original stress.

Voy a *levantarme* temprano mañana.

Estoy *levantándome* temprano esta mañana.

Levántate temprano mañana.

E J E R C I C I O S

A. Lea el siguiente artículo que ofrece consejos sobre cómo protegerse del sol y complete las frases con la formas apropiadas de los verbos y pronombres reflexivos. Luego, conteste las preguntas.

Consejos para cuidarte: Seguros bajo el sol

(Tema curricular: Las familias y las comunidades)

VOCABULARIO			
la barrera barrier		**nocivo** harmful	
el bronceado suntan		**propensa** prone	
cauto cautious		**la quemadura** burn	
el escote neckline		**el raquitismo** rickets	
la espuma foam		**el riesgo** risk	
el empeine instep		**la sombrilla** sunshade, umbrella	
estropearse to spoil, ruin		**tupido** dense, close-woven	

Llega el verano y, con él, la fiebre del bronceado. No queremos alarmarte, pero los dermatólogos insisten en que _____ poco y mal. Y advierten que, si abusamos,
1. (protegerse)
tarde o temprano sufriremos las consecuencias (malas) que podríamos haber evitado. Disfruta del sol, aprovecha sus ventajas, pero siempre, siempre con la protección adecuada.

No _____ al sol después de _____ puesto perfumes y colo-
2. (exponerse)   3. (haberse)
nias con alcohol:… pueden producir manchas en la piel e incluso alguna lesión cutánea. Si estás

tomando medicación, pregúntale a tu médico o farmacéutico si puedes _____
4. (ponerse)
al sol. Algunos medicamentos provocan reacciones. _____ con productos
5. (Protegerse)
especialmente indicados para tu piel. La cara, el cuello, el escote, las manos y los empeines

son zonas sensibles y las más propensas a las manchas y las que más se estropean.

Utiliza también protección física: sombreros, gafas, camisetas… Pero no toda la ropa

es barrera. Hay que usar tejidos muy tupidos y ropa ancha y holgada. Evitar los tonos cla-

ros.

Bebe mucho agua y líquidos para no _____ . Y, si eres de los que se
6. (deshidratarse)
tumba al sol todo el sí y no _____ más que para darte la vuelta, cambia de
7. (moverse)
hábitos y da algún paseo. No es aconsejable _____ así durante horas.
8. (exponerse)
La radiación UV es acumulativa, no basta con descansar un rato del sol. Y no sólo hay

que _____ en la playa y en verano.
9. (protegerse)

_____ como mínimo un factor de protección 15 diario, también en
10. (Recomendarse)

invierno. A medida que aumenta la altitud también lo hace la intensidad de la radiación

(y el riesgo, claro).

No basta con _____ bajo la sombrilla en la playa: la arena refleja el 25
11. (ponerse)

por ciento de la radiación UV, y la espuma del mar, alrededor del 25 por ciento. La hierba, el

suelo y el agua reflejan menos del 10 por ciento, y la nieve llega hasta el 80 por ciento, por

lo que el lugar, la superficie y la altitud de tu destino juegan un papel muy importante en

cuanto a decidir qué fotoprotector elegir.

El bronceado de las camas o cabinas solares es igualmente nocivo. Los dermatólogos

insisten en que son tantas o más peligrosas que el sol. Por lo tanto, eso de que si vas a la playa

ya moreno sirve para no _____ ni hacerle daño a la piel es absolutamente falso.
12. (quemarse)

En estos casos, los expertos aseguran que el efecto de los rayos UVA se suma al de los UVB.

Los mayores son un segmento de la población bastante vulnerable frente al sol; lo

mismo ocurre con los niños. La Academia Española de Dermatología recuerda que los

ancianos deben tener un cuidado especial, pues las arrugas y la sequedad vuelven la piel

más sensible y aumentan las probabilidades de sufrir quemaduras solares. Asimismo, con-

viene mantener a los bebés menores de 6 meses lejos de la exposición directa al sol.

Puedes _____ sin _____ cuenta. La radiación UV no se
13. (quemarse) _14. (darse)_

nota, no es la responsable del calor solar. Por eso, aunque esté nublado, usa protección. Las

nubes también dejan pasar los rayos…

_(http://www.revistaprevenir.es/index.php/mod.pags/mem.detalle/relcategoria.1277/idpag.2247/chk.bb5d-
6c761eabdbf16d2c3424950e6990.html)_

Preguntas

1. Según el artículo, ¿por qué es necesario protegerse del sol?

_____

_____

2. ¿Qué sugiere el artículo? ¿Cómo nos podemos cuidar de los efectos negativos del sol?

_____

_____

B. Lea el siguiente artículo sobre la adicción al celular. Identifique y escriba los verbos y pronombres reflexivos correspondientes a los infinitivos en la lista. Luego, conteste las preguntas.

¿Sufre usted de nomofobia, la adicción al celular?

(Tema curricular: La vida contemporánea; Las familias y las comunidades)

VOCABULARIO	
agotarse to run out	**pegado** stuck
dañino harmful	**previsto** anticipated
encajar to fit	**refugiarse** to take refuge
estar pendiente de to keep an eye on	**revisar** to check, review
la herramienta tool	**timbrar** to ring
padecer to suffer	**el trastorno** upset, upheaval

Si usted es de los que no sale a ningún lugar sin su celular, si duerme con él al lado y lo primero que hace al despertar es revisarlo, si lo mira inconsciente y automáticamente, si siente ansiedad o estrés cuando no puede contestar y no sabe quién lo llama, si lo revisa al hacer ejercicio o va al baño y a cualquier otra parte de su casa con él, es probable que padezca o esté cerca de padecer nomofobia, el miedo irracional a estar sin su teléfono celular.

El fenómeno —que deriva su nombre de una abreviación de la expresión en inglés «no-mobile-phone-phobia» (no-mo-fobia)— aunque todavía no se ha catalogado como un trastorno sicológico propiamente, como otras adicciones a las nuevas tecnologías, ya causa problemas y es tratado por profesionales.

El estilo de vida actual implica estar conectados permanentemente a través de herramientas tecnológicas, lo que trae consigo un aumento de la dependencia a estos aparatos. El asunto problemático es cómo aprovecharlas y hacer un uso adecuado y moderado sin caer en la adicción a estas herramientas, pues no es fácil distinguir entre la dependencia habitual y necesaria, y la adicción dañina.

Javier Garcés, experto en Psicología del Consumo y sus adicciones, dice que «en los casos patológicos, en los que esa dependencia genera ataques de ansiedad, pánico, irritabilidad la diferencia está clara. Pero en los 'pequeños' ataques de ansiedad la diferencia no lo es tanto». Lo que quiere decir que el criterio no está únicamente el tiempo que se pasa frente al aparato sino en las causas y las repercusiones que tiene su uso.

Si la dependencia al celular existe por razones laborales únicamente y la persona se desprende con facilidad del aparato en ambientes sociales o personales, no parecería haber un problema, pero si se desarrolla una «relación no utilitaria con el teléfono», es decir, si con el simple hecho de desconectarse en cualquier momento o lugar presenta síntomas de nerviosismo o de ansiedad, estaríamos frente a un caso de nomofobia.

Los síntomas se manifiestan de diversas formas: cambios de comportamiento o de estados de ánimo, mayor facilidad para comunicarse por medio del chat que verbal y personalmente, irritabilidad o alteraciones en el sueño, sentir que vibra o timbra el aparato imaginariamente, no poder apagarlo ni ignorarlo en el cine, teatro, mientras se ejercita, en comidas o situaciones inapropiadas, y aprovechar cualquier momento para revisarlo o angustiarse más de la cuenta por el tiempo que queda de batería.

José Antonio Molina, sicólogo a cargo de *psicohealth.com*, afirma que «personas con déficit de habilidades sociales, que se sienten más cómodos interactuando con los demás a través de la tecnología, con cuadros depresivos», o personas introvertidas e inseguras, pueden ser más propensos a refugiarse en los aparatos y a desarrollar este tipo de adicciones.

Investigaciones recientes en España han revelado que entre un 53 y un 63% de los encuestados tienen comportamientos que los harían encajar dentro de esta enfermedad del siglo XXI. Y la cifra parece ir en aumento, pues el mayor riesgo lo tiene la población entre 18 a 25 años y además la tendencia es que cada vez sean más jóvenes los que empiezan a manipular celulares.

Las nuevas tecnologías son tan poderosas y tan útiles que lo primero que hay que hacer con ellas es notar sus efectos nocivos y auto-regular su uso para que el aparato no domine al usuario.

Cómo detectar los síntomas adictivos:

- No me separo del celular: Hasta en el baño, la cocina, durante las comidas o en el cine estoy pendiente de él.

- Alteración de los hábitos del sueño: a veces me despierto por la noche y miro el celular para ver si hay mensajes o tengo alguna llamadas. Estoy hasta altas horas de la noche hablando y duermo menos horas de las debidas. Lo primero que hago al levantarme es mirar el celular.

- Nerviosismo o ansiedad cuando no lo tengo: Siento nervios o angustia cuando no tengo el celular cerca o cuando se ha agotado la batería. Siento placer y tranquilidad cuando lo vuelvo a tener en mis manos.

- Oír a los amigos: normalmente las personas cercanas me dicen que me distraigo y no pongo atención o que es mala educación estar siempre pegado al celular.

- Reviso el celular de forma automática: Sin darme cuenta o para sentir que no pierdo el tiempo reviso el celular y cualquiera de sus aplicaciones por simple placer o por esperar con ansias a que entre un mensaje o una llamada.

- Cuentas exageradas: me llegan las cuentas por más de lo previsto por exceso de minutos, mensajes o datos.

- Por aquí sí te hablo: siento que me comunico con mayor facilidad por medio del chat o por llamadas telefónicas que en persona. Evito las conversaciones y las relaciones en persona por esa razón. Cambio de actitud cuando hablo por el celular, por ejemplo, ya no me siento tan tímido.

(http://www.semana.com/vida-moderna/articulo/sufre-usted-nomofobia-adiccion-celular/259456-3)

Escriba las formas de los verbos y pronombres reflexivos que correspondan a los siguientes infinitivos en el orden en que aparecen en el artículo.

1. (sentirse) _____
2. (pasarse) _____
3. (desprenderse) _____
4. (desarrollarse) _____
5. (desconectarse) _____
6. (comunicarse) _____
7. (ejercitarse) _____
8. (angustiarse) _____
9. (sentirse) _____

10. (refugiarse) _____
11. (repararse) _____
12. (despertarse) _____
13. (levantarse) _____
14. (distraerse) _____
15. (darse) _____
16. (comunicarse) _____
17. (sentirse) _____

Preguntas

1. ¿Cómo sabe una persona si sufre de nomofobia?

_____

_____

2. Según el autor del artículo ¿cómo se puede evitar y tratar esta adicción?

_____

_____

TRABAJO COOPERATIVO

A. Formen grupos de seis alumnos para discutir el uso del tabaco en los niños y adolescentes.

- El líder del grupo organiza el trabajo y forma tres subgrupos.
- Dos subgrupos leen y sacan apuntes sobre el informe que presenta datos sobre el uso del tabaco en los niños y adolescentes: *http://www.cancer.org/espanol/cancer/queeslo-quecausaelcancer/tabacoycancer/fragmentado/datos-sobre-el-uso-del-tabaco-en-los-ninos-y-adolescentes-child-and-teen-tobacco-use*
- El tercer subgrupo lee y saca apuntes sobre el informe que presenta lo que los padres pueden hacer para ayudar a sus hijos a cesar de fumar: *http://www.cancer.org/espanol/cancer/queesloquecausaelcancer/tabacoycancer/fragmentado/datos-sobre-el-uso-del-tabaco-en-los-ninos-y-adolescentes-what-to-do*
- El grupo entero comparte y discute lo que han aprendido de los informes.
- El grupo crea un video en español que explica los peligros del tabaco y los modos de cesar de fumar. Presentan el video en el sitio Web de la escuela y en reuniones organizadas para la comunidad hispana.

B. Formen grupos de seis alumnos para discutir cómo comer más sano.

- El líder del grupo organiza el trabajo y forma tres subgrupos.
- La primera pareja lee «Comida procesada controle a sus hijos», *http://www.eltiempo. com/estilo-de-vida/salud/comida-procesada-controle-a-sus-hijos/13803335*
- La segunda pareja lee «Comida procesada es mejor si es poca», *http://www.eltiempo. com/archivo/documento/CMS-14013824*
- La tercera pareja lee «Se puede comer más sano», *http://www.eltiempo.com/estilo-de-vida/salud/se-puede-comer-mas-sano-le-tengo-el-remedio/14013825*
- El grupo entero comparte y discute lo que ha aprendido de los artículos.
- El grupo crea y comparte menús ideales en español para comer más sanamente. También los presenta en el sitio Web de la escuela para la comunidad hispana y otros hispanohablantes.
- Los miembros del grupo presentan sus menús al director de la escuela y sugieren comida más sana en la cafetería.
- También organizan una presentación para los padres españoles para educarlos sobre la alimentación saludable y ayudarlos a proteger los niños de las «propagandas engañosas».

MASTERY ASSESSMENTS

A. El siguiente fragmento trata de un dentista que quiere vengarse y de su paciente nervioso. Escriba las formas apropiadas de los verbos y pronombres reflexivos. Luego, conteste las preguntas.

Un día de estos

(Tema curricular: Las familias y las comunidades)

VOCABULARIO			
el aguamanil	wash basin	**la guerrera**	military jacket
el alcalde	mayor	**hervir**	to boil
la araña	spider	**jadeante**	panting
la barra	bar	**la loza**	earthenware
el cabezal	headrest	**la muela**	molar
cauteloso	cautious	**la muñeca**	wrist
el cielo raso	ceiling	**el municipio**	township
el cordal	wisdom tooth	**las pinzas**	tweezers
el crujido	crackling	**el pomo**	jar
dañado	rotten	**la red**	netting
displicente	indifferent	**el suspiro**	sigh
la escupidera	spittoon	**el talón**	heel
estirar	to stretch	**la telaraña**	cobweb
la fresa	drill	**el trapo**	rag
el gabinete	consulting room	**la vaina**	thing
el gatillo	forceps	**la vidriera**	display cabinet

... Mientras hervían los instrumentos, el alcalde apoyó el cráneo en el cabezal de la silla

y _____ mejor. Respiraba un olor glacial. Era un gabinete pobre: una vieja
     1. (sentirse)

silla de madera, la fresa de pedal y una vidriera llena de pomos de loza... Cuando sintió

que el dentista _____, afirmó los talones y abrió la boca.
     2. (acercarse)

Don Aurelio Escovar le movió la cara hacia la luz. Después de observar la muela

dañada, ajustó la mandíbula con una cautelosa presión de los dedos.

—Tiene que ser sin anestesia— dijo.

—¿Por qué?

—Porque tiene un absceso.

El alcalde lo miró en los ojos.

—Está bien— dijo, y trató de sonreír. El dentista no le correspondió.

Llevó a la mesa de trabajo la cacerola con los instrumentos hervidos y los sacó del

agua con unas pinzas frías, todavía sin _____. Después rodó la escupidera
     3. (apresurarse)

con la punta del zapato y fue a _____ las manos en el aguamanil. Hizo todo
     4. (lavarse)

sin mirar al alcalde. Pero el alcalde no lo perdió de vista.

Era una cordal inferior. El dentista abrió las piernas y apretó la muela con el gatillo

caliente. El alcalde _____ a las barras de la silla, descargó toda su fuerza en
     5. (aferrarse)

los pies y sintió un vacío helado en los riñones, pero no soltó un suspiro. El dentista sólo

movió la muñeca. Sin rencor, más bien con una amarga ternura, dijo:

—Aquí nos paga veinte muertos, teniente.

El alcalde sintió un crujido de huesos en la mandíbula y sus ojos _____
     6. (llenarse)

de lágrimas. Pero no suspiró hasta que no sintió salir la muela. Entonces la vio a través

de las lágrimas. Le pareció tan extraña a su dolor, que no pudo entender la tortura

de sus cinco noches anteriores. Inclinado sobre la escupidera, sudoroso, jadeante,

_____ la guerrera y buscó a tientas el pañuelo en el bolsillo del pantalón.
     7. (desabotonarse)

El dentista le dio un trapo limpio.

— _____ las lágrimas— dijo.

       8. (secarse)

El alcalde lo hizo. Estaba temblando. Mientras el dentista _____ las

                                                    9. (lavarse)

manos, vio el cielo raso desfondado y una telaraña polvorienta con huevos de araña e

insectos muertos. El dentista regresó _____ las manos.

                                        10. (secarse)

— _____ — dijo — y haga buches de agua de sal. —El alcalde

         11. (acostarse)

_____ de pie, _____ , con un displicente saludo militar y

 12. (ponerse)   _13. (despedirse)_

_____ a la puerta estirando las piernas, sin _____ la guerrera.

14. (dirigirse)   _15. (abotonarse)_

—Me pasa la cuenta— dijo.

—¿A usted o al municipio?

El alcalde no lo miró. Cerró la puerta, y dijo, a través de la red metálica:

—Es la misma vaina.

(Gabriel García Márquez, «Un día de estos», Los funerales de la Mamá Grande. Buenos Aires: Editorial Sudamericana, 1962, pp. 29–31.)

Preguntas

1. ¿Por qué se sentía nervioso el alcalde?

   _____

   _____

2. ¿Por qué dijo el dentista que no podía servirse de la anestesia? ¿Qué piensa Ud.?

   _____

   _____

3. ¿De qué se vengó el dentista?

   _____

   _____

4. Explique de qué manera la autoridad y el poder se movieron de un personaje al otro.

   _____

   _____

5. ¿Qué se revela de la situación política de ese pueblo cuando el dentista llama «teniente» al alcalde, y cuando el alcalde responde, «Es la misma vaina», refiriéndose a quién pagaría la cuenta?

_____

_____

B. Escriba una entrada en su diario, describiendo sus esfuerzos para mantenerse en buena salud. Use los siguientes verbos reflexivos sugeridos.

acostarse	comprarse	ejercitarse	reforzarse
bañarse	cuidarse	prepararse	relajarse
comerse	despertarse	protegerse	vestirse

AUTHENTIC ASSESSMENTS

1. Su club de español decide preparar un folleto en el cual se les explica a los hispanohablantes de su comunidad los servicios de salud disponibles en ésa. Investigue los centros médicos, hospitales y otras organizaciones dedicadas a promover la salud y prepare descripciones de ellos. Incluya sugerencias para mantener la buena salud. Publique el folleto y distribúyalo.

2. Prepare un video educativo sobre la nutrición y los jóvenes. Incluya entrevistas en las cuales los jóvenes discuten lo que comen y dónde. Presente información y sugerencias sobre la buena nutrición para mantener la salud. Presénteles el video a los estudiantes de su clase de español y/o a los hispanohablantes de su comunidad.

CHAPTER

11

Los deportes: Competición y colaboración

Passive and Impersonal Constructions

11.1. USES OF THE PASSIVE

The passive is used to express the following communicative functions:

1. Expressing that a subject received an action, thereby focusing on that subject as acted upon by an agent.

Esta novela popular *fue escrita* por un autor joven.	*This popular novel was written by a young author.*
El alcalde *es respetado* de todos.	*The mayor is respected by all.*

2. Expressing that a subject received an action without identifying an agent.

***Se vendió* la motocicleta ayer.**	*The motorcycle was sold yesterday.*
***Se enviaron* los regalos por correo.**	*The presents were sent by mail.*
Su bicicleta *ha sido robada*.	*His/Her bicycle has been stolen.*

11.2. IMPERSONAL CONSTRUCTION WITH *SE*

The impersonal construction with se is used to express the following communicative functions:

1. Expressing a thought that is impersonal and objective. The agent is collective and replaces words such as *gente* or *uno*.

***Se vive* bien ton este país.**	*One lives well in this country.*
***Se lee* más en el verano, durante las vacaciones.**	*One reads more in the summer, during vacations.*

2. Expressing an action by an undetermined or collective agent with a person(s) or thing(s) as a direct object.

***Se detuvo* a los acusados.**	*The accused were detained.*
***Se vende* libros viejos aquí.**	*Old books are sold here.*

NOTE: *Se* functions as an undetermined or collective subject of the verb and is conjugated in the third-person singular.

PRUEBA PRELIMINAR

Lea el artículo, y escriba las formas de los verbos que completen correctamente esta lectura. Entonces, conteste la pregunta.

La fiebre del maratón

(Tema curricular: Los desafíos mundiales)

> **VOCABULARIO**
>
> **el agotamiento** exhaustion   **la llanura** plain
>
> **la carrera** race   **la meta** goal
>
> **la gesta** feat   **la molestia** inconvenience
>
> **la hueste** army   **el trayecto** route

Cada año, los maratones de Madrid, Barcelona, San Sebastián o Valencia congregan auténticas multitudes de corredores deseosos de someterse voluntariamente a lo que, en apariencia, es un suplicio...

Es _____ por todo el mundo cuál es el origen de la carrera de
1. (saber)
maratón. Nació en los I Juegos Olímpicos de la Era Moderna de 1886 en Atenas para conmemorar la gesta del soldado Filippides, que corrió desde la llanura de Marathon hasta Atenas para anunciar la victoria de las tropas atenienses sobre las huestes persas...

Cuenta la leyenda que al llegar a Atenas, sólo le dio tiempo a anunciar la buena nueva y acto seguido murió debido al agotamiento. La distancia que recorrió Filippides en ese trayecto no es _____ a ciencia cierta, pero se _____
2. (conocer)   _3. (estimar)_
que pudo ser algo menor de 40 kilómetros.

Entonces, ¿cuál es el origen de los actuales 42 kilómetros 195 metros de la carrera de maratón?

En el primero de los maratones olímpicos, el de Atenas, la distancia de la carrera fue de aproximadamente 40 kilómetros. Igual sucedió en las siguientes ediciones de los Juegos Olímpicos de 1900 en París y 1904 en San Luis. Los juegos de 1908 se _____ en Londres. La familia real británica, al encontrarse de vacaciones, no asistió a los Juegos, pero impresionados por la gesta que iban a afrontar los
4. (celebrar)

maratonianos, quisieron tener el privilegio de poder asistir en directo a la salida de la carrera. Para que no tuvieran que sufrir ninguna molestia, se _____ que
5. (acordar)

la salida del maratón se _____ desde el castillo de Windsor, residencia
6. (tomar)

de verano de la familia real.

La distancia que separaba el castillo, del estadio... donde se _____
7. (situar)

la meta, era exactamente de 26 millas y 385 yardas, o lo que es lo mismo, 42 kilómetros 195 metros. A partir de entonces todos los maratones que se _____, tienen
8. (disputar)

esa distancia y la carrera que no la tiene, tanto por exceso como por defecto, no es un auténtico maratón.

(«La fiebre del maratón», *Cambio 16*; 25 de agosto de 1997, no. 1.343, pp. 61–63.)

Preguntas

1. ¿Cómo se originó el maratón?

   _____

   _____

2. ¿Cómo se identifica un auténtico maratón?

   _____

   _____

11.3. FORMATION OF THE PASSIVE VOICE

1. The passive is composed of a form of the verb *ser* and a past participle that agrees with the subject in number and gender. The agent of an action is introduced by the preposition *por*.

La fiesta *fue organizada* por la clase.	*The party was organized by the class.*
Uds. *han sido invitados* a la fiesta por Ana.	*You have been invited to the party by Ana.*
***Es admirada de** sus amigos.**	*She is admired by her friends.*

2. The passive is frequently formed with *se* + *a verb* in the third-person singular or plural, depending on the subject, which generally follows the verb. This construction is preferred when no agent is mentioned.

***Se han enviado* las invitaciones ayer.**	*The invitations were sent yesterday.*
***Se servirá* la cena a las nueve.**	*Dinner will be served at 9:00.*

3. *Se* is also used to express the impersonal passive when the agent is unidentified, undetermined, or collective. The subject generally follows the verb form in the third-person singular or plural.

***Se vende* comida española.**	*Spanish food is sold (here); They sell Spanish food (here.)*
***Se compran* ropas viejas en esa tienda.**	*Old clothes are bought in that store (They buy old clothes in that store.)*

11.4. FORMATION OF THE IMPERSONAL CONSTRUCTION WITH *SE*

Se replaces such words as *gente*, *alguien*, or *uno* as the impersonal subject of a verb.*

***Se trabaja* mucho en este negocio.**	*People work hard in this business.*
***Se va de* vacaciones en agosto.**	*People go on vacation in August.*
***Se* ayuda a los pobres en este pueblo.**	*One helps the poor in this town.*

E J E R C I C I O S

A. Lea el siguiente artículo sobre las mujeres en los Juegos Olímpicos. Escriba las formas de los verbos en la voz pasiva o la construcción impersonal que aparecen en el artículo y corresponden a los infinitivos en la lista. Luego, conteste las preguntas.

---

*The preposition *de* is sometimes used to introduce the agent when the verb expresses an emotion or feeling.

Juegos Olímpicos de Londres le dan a las mujeres un inédito protagonismo que ellas quieren proyectar

(Tema curricular: Los desafíos mundiales)

VOCABULARIO

acabar to end	**impúdica** immodest
acaparar to monopolize, hoard	**pesas** weights
clave key	**el podio** the podium
cobertura mediática media coverage	**protagonismo** main role
el despeinado disheveled hair	**las redes sociales** social networks
el elogio praise	**el rendimiento** yielding
imperar to prevail	**superar** to surpass

Cuando las atletas abandonen los Juegos Olímpicos de Londres habiendo acaparado elogios y atención sin precedentes, algunas ex olímpicas tienen un consejo para las deportistas del 2012: sigan luchando.

Los Olímpicos de Londres han sido calificados como los Juegos de las Mujeres, con competidoras en las 204 delegaciones y en los 26 deportes por primera vez, incluido el debut olímpico para el boxeo femenino.

La participación de las primeras atletas de naciones islámicas como Arabia Saudita, Brunei y Qatar fue considerada clave en la lucha por la igualdad de sexos a nivel global y un paso más hacia el objetivo del Comité Olímpico Internacional de una participación del 50-50 por ciento.

Las mujeres superaron a los hombres en tres de los cinco equipos más numerosos —Estados Unidos, China y Rusia—, llevando el número de deportistas femeninas al 44 por ciento, frente al 42 por ciento de Pekín.

En Barcelona, hace 20 años, 25% de los atletas eran mujeres y 34 de los equipos no tenían representantes femeninas.

Las estadounidenses y chinas se hicieron con más medallas que sus compañeros masculinos, y las británicas, anfitrionas, acapararon titulares por llevarse la mitad de las medallas de su delegación, incluido el primer oro olímpico en boxeo femenino de la mano de Nicola Adams.

Las ex deportistas olímpicas consideran que el éxito de las mujeres en Londres debería usarse como trampolín para que el deporte femenino consiga un tratamiento similar en años no olímpicos, cuando tienen dificultades para obtener financiación y cobertura mediática.

«Las mujeres han dominado en tres Juegos Olímpicos y debería aprovecharse esta oportunidad para que se siga promocionando a ellas y sus deportes», dijo Nadia Comaneci, la gimnasta rumana que consiguió cinco oros en los Juegos Olímpicos de Montreal 1976 y Moscú 1980 y que hoy dirige una academia de gimnasia en Estados Unidos.

«Hay una mentalidad diferente hacia las mujeres en el deporte hoy, pero aún hay competencia entre hombres y mujeres. Eso tiene que acabar».

Apariencia frente a rendimiento. Las defensoras de los derechos de las mujeres celebraron el progreso en los Juegos, donde la neutralidad y la igualdad son dos valores claves.

Los Juegos Olímpicos son vistos como una oportunidad cada cuatro años para promocionar el deporte femenino y la igualdad de sexos porque las mismas reglas se aplican a todos los países.

Sin embargo, dijeron que la lucha no había acabado y que las mujeres compitieron en 30 pruebas menos que los hombres en Londres y que sólo había 132 medallas de oro disponibles para mujeres, frente a las 162 para los hombres.

Estos grupos protestaron porque las futbolistas japonesas y las jugadoras de baloncesto australianas tuvieran que viajar a Londres en clase turista mientras que los hombres lo hacían en primera.

Un estudio británico de la Women's Sport and Fitness Foundation descubrió que el deporte femenino consiguió 0,5% de patrocinio comercial, 5% de cobertura mediática y 43% de las adolescentes dijo que no tenían un modelo femenino en el deporte.

Jessica Mendoza, que ganó el oro con el equipo de sóftbol estadounidense en Atenas 2004 y la plata en Pekín 2008, dijo que la explosión en las redes sociales daba a las atletas medios para mantener el perfil que habían ganado en los Juegos de Londres.

«Las atletas tienen que crear su propia marca, encontrar su voz y seguir conectadas con los miles de seguidores que hoy tienen», dijo Mendoza, que fue presidenta de la *Women's Sports Foundation* con sede en Estados Unidos.

«Con las redes sociales, ya no se ha de depender de los grandes medios. Es el momento para que las atletas brillen».

La ciclista británica Lizzie Armitstead, medalla de plata, aprovechó el podio en Londres para subrayar el «sexismo generalizado» que persiste en el deporte en cuestiones de salario y cobertura mediática, en las que las atletas a menudo son llamadas «chicas» y la apariencia puede imperar frente al rendimiento.

Glamour. La gimnasta estadounidense Gabby Douglas, de 16 años y que ha ganado dos oros en Londres, fue criticada en Twitter por su pelo «despeinado».

La estadounidense Lolo Jones, que acabó cuarta en los 100 metros vallas, tuvo que contener las lágrimas cuando se encontró con que una información sugería que, al igual que la ex tenista Anna Kournikova, usaba su apariencia para conseguir más atención.

La levantadora de pesas británica Zoe Smith explotó cuando fue atacada en Twitter por su aspecto demasiado masculino.

El alcalde de Londres, Boris Johnson, describió a las «mujeres semidesnudas» del voleibol playa como «brillantes como las nutrias mojadas».

Pero al final de los Juegos, el punto de vista mayoritario es que las mujeres han contribuido al éxito de Londres 2012.

Sebastian Coe, presidente del comité organizador, dijo que algunos de los grandes momentos de la cita olímpica los protagonizaron mujeres, poniendo como ejemplo la participación de atletas de Arabia Saudita, donde los clérigos consideran impúdica la participación de las mujeres en el deporte.

«Creo que hemos avanzado en esta agenda en gran medida en Londres», dijo Coe a periodistas.

(http://www.americaeconomia.com/politica-sociedad/deportes/juegos-olimpicos-de-londres-le-dan-las-mujeres-un-inedito-protagonismo-qu)

EJEMPLOS: (ser) _____ calificado   ***han sido calificados***

(usar) _____   ***usarse***

1. (ser) _____ calificado

2. (ser) _____ considerados

3. (ser) _____ vistos

4. (aplicar) _____

5. (ser) _____ llamadas

6. (ser) _____ criticada

7. (encontrar) _____

8. (encontrar) _____ atacada

Preguntas

1. Según el artículo, por qué han sido calificado «Los Juegos de las Mujeres» los Juegos Olímpicos de Londres? (Mencione por lo menos 3 razones del artículo.)

_____

_____

2. ¿Por qué dijeron los defensores de los derechos de las mujeres que *«la lucha no había acabado»?*

_____

_____

TRABAJO COOPERATIVO

A. Formen grupos de seis alumnos para discutir el poder de los deportes.

- El líder del grupo organiza el trabajo y ayuda a los otros.
- Cada miembro del grupo lee y saca apuntes sobre los dos artículos que siguen que discuten «el Día Internacional del Deporte para el Desarrollo y la Paz» y la participación de FIFA.
- El grupo entero comparte y discute lo que han aprendido de los artículos y la importancia de este día.
- El grupo discute y sugiere como la escuela puede celebrar este día, el 6 de abril.
- Presentan sus ideas a los otros estudiantes y al director de la escuela.
- Organizan eventos en la escuela o con otras escuelas para celebrar el día y promover la buena voluntad y la paz.

ARTÍCULO 1

El mundo celebra el primer Día Internacional del Deporte
para el Desarrollo y la Paz

(Tema curricular: Los desafíos mundiales)

Ginebra – La Asamblea General de Naciones Unidas ha declarado el 6 de abril Día Internacional del Deporte para el Desarrollo y la Paz. Creado por iniciativa del Comité Olímpico Internacional y anunciado oficialmente en la sede de las Naciones Unidas el pasado mes de agosto, el Día Internacional del Deporte para el Desarrollo y la Paz promueve el papel del deporte como instrumento al servicio de la sociedad e instrumento universal para la paz.

El PNUD da la bienvenida a esta decisión, que representa un nuevo hito en la labor de las Naciones Unidas por destacar los beneficios del deporte y de un estilo de vida saludable para lograr un desarrollo social más amplio. El deporte se percibe como un importante instrumento para el desarrollo: potencia la autoestima. El deporte da autonomía a los jóvenes, favorece la buena salud y el deporte desempeña un importante papel en el esfuerzo global por lograr los Objetivos de Desarrollo del Milenio (ODM). El deporte pertenece a todos y habla un idioma internacional común. El deporte también es un sólido factor unificador en el proceso de transformación de los conflictos y consolidación de la paz.

Por su capacidad de convocatoria, el deporte resulta especialmente convincente como instrumento de defensa y comunicación. Así, el PNUD ha nombrado Embajadores de Buena Voluntad a personalidades del deporte con el fin de crear conciencia pública sobre cuestiones de desarrollo y promover la paz y la tolerancia. Entre los embajadores de buena voluntad del PNUD, hay seis campeones deportivos: Ronaldo Nazario, Zinédine Zidane, Didier Drogba, Iker Casillas, Marta Viera da Silva y María Sharapova.

Todos ellos han decidido prestar su tiempo y su imagen para promover el desarrollo sostenible a través del deporte y ahora se unen a las Naciones Unidas y a la comunidad deportiva mundial para celebrar el Día Internacional del Deporte para el Desarrollo y la Paz destacando la contribución que el deporte puede hacer a la educación, la salud, la igualdad de género, la inclusión social, la solidaridad, la tolerancia, el desarrollo y la paz.

«Celebrar este día ayudará a concienciar sobre la importancia del deporte como instrumento para construir un mundo pacífico y mejor y reconocer la capacidad del deporte de generar un cambio social positivo en todo el planeta. También es una oportunidad de unirnos y celebrarlo juntos», afirmó Didier Drogba en nombre del equipo del PNUD.

Todos los embajadores aparecerán en una serie de carteles invitando al público a celebrar este día todos juntos, como un equipo.

ARTÍCULO 2

FIFA celebra el Día Internacional del Deporte para el Desarrollo y la Paz

(Tema curricular: Los desafíos mundiales)

En 2013, la Asamblea General de las Naciones Unidas proclamó el 6 de abril Día Internacional del Deporte para el Desarrollo y la Paz para celebrar la contribución del deporte y la actividad física a la educación, el desarrollo humano, los modos de vida saludables y la paz en el mundo.

La fecha, propuesta por la organización sin ánimo de lucro Peace and Sport, con la recomendación del Comité Olímpico Internacional, se ha incluido en los días internacionales del calendario oficial de la ONU y se celebra este domingo 6 de abril por primera vez.

Como organismo gestor del fútbol mundial, la FIFA conmemora esta jornada y el poder del fútbol para contribuir al desarrollo humano y a la consolidación de la paz. En su mensaje en vídeo, el presidente de la FIFA, Joseph Blatter, declaró que cree «firmemente en el poder del fútbol para inspirar a las personas, construir puentes y cambiar vidas. Nuestro deporte tiene un alcance verdaderamente global y ofrece oportunidades inigualables para la comunicación con personas de todas las naciones y orígenes del mundo, y demuestra que incluso en los escenarios más difíciles, como Afganistán o Somalia, el fútbol puede traer esperanza».

Este año, la FIFA anunció que su apoyo financiero directo a través de sus numerosos programas de desarrollo del fútbol había alcanzado la cifra de 1.000 millones de dólares. Desde la creación de dichos proyectos, las 209 asociaciones miembro de la FIFA y las seis confederaciones han recibido un total de 778 y 331 millones de dólares respectivamente. Los fondos se han empleado principalmente en proyectos destinados a infraestructuras, planificación y administración, desarrollo técnico, competiciones nacionales masculinas y femeninas y fútbol juvenil.

En una iniciativa conjunta con el Centro Nobel de la Paz, la FIFA presentó el «Apretón de manos por la paz», un protocolo en virtud del cual los capitanes y los árbitros se reúnen en el centro del campo tras el encuentro y se estrechan las manos en nombre de la paz, independientemente del resultado. La campaña se llevará a cabo durante la Copa Mundial de la FIFA Brasil 2014™ y su objetivo es vincular la universalidad y el poder del fútbol con un gesto simple con el que se pretende transmitir un profundo sentimiento de buena voluntad, respeto y paz a toda la sociedad en su conjunto.

El presidente Blatter concluyó destacando el constante compromiso de la FIFA de contribuir a los ideales de desarrollo y paz para llevar a cabo su misión de desarrollar el fútbol en todo el planeta, conmover a todo el mundo a través de sus torneos y construir un futuro mejor para todos. / hf.

(http://www.lanacion.com.py/articulo/161372-fifa-celebra-el-dia-internacional-del-deporte-para-el-desarrollo-y-la-paz.html)

M A S T E R Y   A S S E S S M E N T S

A. Para enterarse de los deportes que se juegan por el mundo hispánico, forme preguntas para una encuesta, que puede enviar por correo electrónico a varias escuelas en España o Hispanoamérica. Use los siguientes verbos sugeridos en la voz pasiva o la construcción impersonal. Una vez obtenga las respuestas, analícelas y compártalas con su clase.

EJEMPLO: jugar   ¿Cuáles deportes **se juegan** en su escuela?

1. (participar) _____

2. (competir) _____

3. (hacer) _____

4. (usar) _____

5. (comprar) _____

6. (organizar) _____

7. (llevar) _____   12. (perder) _____

8. (preferir) _____   13. (ver) _____

9. (escoger) _____   14. (apoyar) _____

10. (vender) _____   15. (disfrutar) _____

11. (ganar) _____

B. Lea el siguiente segmento sobre Orlando Cepeda y complete las frases en la voz pasiva con las formas apropiadas de *ser + el participio pasado*. Entonces, conteste las preguntas usando la voz pasiva cuando conviene.

Orlando Cepeda elegido al Salón de la Fama

(Tema curricular: Los desafíos mundiales)

Orlando Cepeda, quien nació en Ponce el 17 de septiembre de 1937 es el segundo pelotero

de Puerto Rico que _____ al Salón de la Fama del Béisbol de Grandes Ligas.
        1. (elevar)

El primer pelotero de Puerto Rico que _____ es Roberto Clemente.
                             2. (honrar)

   Cepeda fue novato del año de la Liga Nacional en 1958, y _____ por
                                                            3. (designar)

unanimidad como el Jugador Más Valioso en 1967 al batear para .325. En su carrera

conectó 379 jonrones, impulsó 1365 carreras y dejó promedio de por vida de .297. Cepeda,

el «umpire» Nestor Chylak, el pelotero Smokey Joe Williams y el dirigente Frank Selee

_____ por el comité de Veteranos del Salón de la Fama en marzo.
4. (seleccionar)

   Los candidatos necesitaban el 75 por ciento de los votos para _____.
                                                                             5. (elegir)

Este grupo _____ en Cooperstown Nueva York el 25 de julio de 1999
              6. (elevar)

junto con Nolan Ryan, George Brett y Robin Yount, quienes _____ por la
                                                                7. (escoger)

Asociación de Cronistas.

   Cepeda no tuvo mucho respaldo la primera vez que su nombre _____
                                                                    8. (considerar)

en 1978. Es posible que al _____ en 1975 lo haya perjudicado para ingresar al
                        9. (arrestar)

salón _____ a cinco años de cárcel, pero pasó solamente 10 meses en prisión.
       10. (condenar)

Cepeda es el sexto latino que _____ tan alto honor. Además de Clemente
                          11. (otorgar)

_____ Juan Marichal, el venezolano Luis Aparicio, el panameño Rod Carew y
12. (instalar)
el cubano Martín Dihigo.

En su discurso de aceptación, Cepeda les agradeció a los compañeros de sus varios

equipos. Notó que _____ por Willie Mays a quien admiró mucho. Declaró
                  13. (influir)

que _____ de la pobreza porque pudo jugar el béisbol. También afirmó que
    14. (rescatar)

abrió la puerta por más hispanos. Les dijo a la juventud de Puerto Rico que estudien, se

preparen, y luchen para que Puerto Rico _____ como un país modelo y que
                                        15. (respetar)

sientan orgullosos de su tierra.

Preguntas

1. ¿Por qué fue instalado Orlando Cepeda al Salón de la Fama del Beisbol?

    _____

    _____

2. ¿Qué otros hispanos fueron elevados al Salón de la Fama?

    _____

    _____

3. ¿Qué les aconsejó Cepeda a la juventud de Puerto Rico en su discurso de aceptación?

    _____

    _____

AUTHENTIC ASSESSMENTS

1. Imagínese ser un reportero / una reportera para un periódico español. Tiene que escribir un artículo sobre la Copa Mundial de Fútbol y los futbolistas más conocidos que participan en esta competencia. Investigue y describa el partido más reciente.

2. Prepare un video educativo sobre el jai alai u otro deporte popular español. Explique el origen del deporte, las reglas, lo que se necesita para jugar y cómo se juega. Incluya demostraciones del juego.

CHAPTER

12

La globalización:
Los beneficios y las amenazas
The Subjunctive

12.1. USES OF THE SUBJUNCTIVE

The subjunctive mood is differentiated from the indicative mood because it expresses unreal, hypothetical, or unverified conditions or situations, while the indicative expresses factual statements or situations. Note the following communicative functions of the subjunctive:

1. Expressing actions, events, or states in dependent clauses that reflect the uncertainty, doubt, or negation expressed in the main clause, which is generally in the indicative mood.

Dudo que Felipe *venga* mañana.	*I doubt Felipe is coming tomorrow.*
Elena negó que él *llamara*.	*Elena denied that he called.*

2. Expressing actions, events, or conditions in dependent clauses that reflect the emotion expressed in the indicative in the main clause.

Pedro teme que su madre lo *regañe* por perder su chaqueta nueva.	*Pedro is afraid that his mother will scold him for losing his new jacket.*
Nos alegramos de que su familia nos *visite* este fin de semana.	*We're happy that your family is visiting us this weekend.*

3. Expressing actions or events in dependent clauses that reflect a request, demand, desire, advice, or hope expressed in the main clause.

Mis padres insisten que *estudie* hoy.	*My parents insist that I study today.*
Ellos prefieren que yo no salga esta noche con mis amigos.	*They prefer that I don't go out tonight with my friends.*
Ellas esperan que saque buenas notas en los exámenes.	*They hope that I'll get good grades on my exams.*

4. Expressing actions or conditions in a dependent clause that reflects the doubt, possibility, emotion, request, or advice expressed by an impersonal expression in the main clause.

Es posible que Felipe *trabaje* hoy.	*It's possible that Felipe is working today.*
Es dudoso que nos *veamos* pronto.	*It's doubtful that we'll see each other soon.*
Era imprescindible que *habláramos* con él.	*It was absolutely necessary that we speak with him.*

5. Describing an indefinite, nonexistent, or unidentified person or event in a relative clause that is introduced in the main clause.

Buscan empleados que *deseen* trabajar los fines de semana.	*They are searching for employees who want to work on weekends.*
¿Conoce Ud. a alguien que *quiera* trabajar los sábados?	*Do you know anyone who wants to work Saturdays?*
No encontraron a nadie que *pudiera* hacerlo.	*They couldn't find anyone who could do it.*

6. Expressing contrary-to-fact or hypothetical conditions, after *si* or *como si*, and expressing a result in clauses in place of the conditional.

Si él practicara más, *tocara* / tocaría mejor la guitarra.	*If he practiced more, he would play the guitar better.*
Si ella hubiera practicado más, *hubiera* / habría tocado la guitarra en el concierto.	*If she had practiced more, she would have played the guitar in the concert.*
Toca la guitarra como si *fuera* un músico profesional.	*She plays the guitar as if she were a professional musician.*

7. Expressing that an action has not yet occurred after a temporal conjunction.*

Él nos llamará tan pronto como *llegue*.	*He will call us as soon as he arrives.*
Lo ayudaré hasta que Carlos *venga*.	*I will help you till Carlos comes.*
Él se divertirá cuando nos *visite*.	*He'll have a good time when he visits us.*

8. Expressing a possible or hypothetical action after conjunctions that introduce a condition.**

Nunca la visito a menos que me invit*e*.	*I never visit her unless she invites me.*

---

*Other temporal conjunctions that are followed by the subjunctive if the action hasn't yet happened include *en cuanto, así que, luego que, mientras (que), después de que, de manera que,* and *de modo que.*

** Other conjunctions always followed by the subjunctive include *para que, a no ser que, antes de que, sin que,* and *a condición de que.*

> **Compro el coche con tal que Ud. me prest*e* el dinero.** *I'll buy the car if you lend me money.*
>
> **Deme su número de teléfono en caso de que necesit*e* llamarla.** *Give me your phone number in case I need to call her.*

Note the uses of the subjunctive in the pre-test that follows, and check your answers as you review the formation of the subjunctive in this chapter.

PRUEBA PRELIMINAR

(Tema curricular: Los desafíos mundiales)

Complete las frases con la forma apropiada del subjuntivo. Luego, conteste la pregunta. La mayoría de los economistas esperan que la globalización _____
1. (mejorar)

la calidad de vida y apuntan la creciente riqueza que ha producido. Pero todavía no ha aliviado la pobreza de los países en desarrollo. Por eso algunos expertos les recomiendan a los países desarrollados que _____ a los países
2. (ayudar)

en desarrollo. Por ejemplo, sugieren que _____ programas de edu-
3. (iniciar)

cación y que _____ la creación de empleos y salarios más altos en
4. (promover)

estos países.

También les aconsejan a los países desarrollados que _____
5. (crear)

instituciones que _____ cumplir legislación antimonopolios. Esperan
6. (hacer)

poder requerirles a las corporaciones multinacionales que _____ una
7. (usar)

porción de sus ganancias para mejorar los servicios sociales en los países menos

desarrollados.

Si las naciones desarrolladas _____ su riqueza de esta manera
8. (compartir)

la pobreza en los países en desarrollo _____, y todos ganarían con la
9. (disminuir)

globalización.

Pregunta

1. ¿Qué les sugieren los expertos que hagan los países desarrollados para ayudar a los países en desarrollo?

12.2. FORMATION OF THE PRESENT SUBJUNCTIVE

1. The Present Subjunctive of Regular Verbs

    a. The present subjunctive is generally formed by dropping the *-o* ending of the *yo* form of the present indicative and adding the appropriate endings.

ESTUDIAR *(estudio)*		COMER *(como)*		ESCRIBIR *(escribo)*	
estudie	estudiemos	coma	comamos	escriba	escribamos
estudies	estudiéis	comas	comáis	escribas	escribáis
estudie	estudien	coma	coman	escriba	escriban

    b. Verbs irregular in the *yo* form of the present indicative maintain that irregularity in the present subjunctive.

SALIR *(salgo)*		CONCLUIR *(concluyo)*	
salga	salgamos	concluya	concluyamos
salgas	salgáis	concluyas	concluyáis
salga	salgan	concluya	concluyan

VENIR *(vengo)*	
venga	vengamos
vengas	vengáis
venga	vengan

2. Verbs with Spelling Changes in the Present Subjunctive

    a. Verbs ending in *-car, -gar,* and *-zar* change from *c* to *qu, g* to *gu,* and *z to* c, respectively. Note that these same changes occur in the *yo* form of the preterit indicative.

    b. Verbs ending in *-ger, -gir, -guir, -guar,* *consonant* + *cer*, or *vowel* + *cer* change from *g* to *j, gu* to *g, gu* to *gü, c* to *zc,* and *c* to *z,* respectively.

    See the following chart:

INFINITIVE	CHANGE	PRESENT SUBJUNCTIVE	
buscar	c to qu before e	busque	busquemos
		busques	busquéis
		busque	busquen
llegar	g to gu before e	llegue	lleguemos
		llegues	lleguéis
		llegue	lleguen

(cont.)

INFINITIVE	CHANGE	PRESENT SUBJUNCTIVE	
gozar	**z** to **c** before **e**	*goce* *gocemos*	*goces* *gocéis*
		goce *gocen*	
averiguar	**gu** to **gü** before **e**	**averigüe** **averigüemos**	**averigües** **averigüéis**
		averigüe **averigüen**	
escoger	**g** to **j** before **a**	escoja escojamos	escojas escojáis
		escoja escojan	
exigir	**g** to **j** before **a**	exija exijamos	exijas exijáis
		exija exijan	
seguir	**gu** to **g** before **a**	siga sigamos	sigas sigáis
		siga sigan	
conocer	**c** to **zc** before **a**	conozca conozcamos	conozcas conozcáis
		conozca conozcan	
vencer	**c** to **z** before **a**	venza venzamos	venzas venzáis
		venza venzan	

3. Verbs with Stem-Changes in the Present Subjunctive

a. Stem-changing **-ar** and **-er** verbs change in the same ways, *o* to *ue* and *e* to *ie*, and in the same forms in the present subjunctive as they do in the present indicative.

ENCONTR*AR*		PERD*ER*	
encuentre	encontremos	pierda	perdamos
encuentre	encontréis	pierdas	perdáis
encuentre	encuentren	pierda	pierdan

b. Stem-changing **-ir** verbs change in the same ways and forms in the present subjunctive as in the present indicative. The stem of the **nosotros** and **vosotros** forms changes from *o* to *u* and from *e* to *i*.

MENT*IR*		DORM*IR*	
mienta	mintamos	duerma	durmamos
mientas	mintáis	duermas	durmáis
mienta	mientan	duerma	duerman

PEDIR	
pida	pidamos
pidas	pidáis
pida	pidan

c. Some verbs ending in **-iar** or **-uar** have an accent mark on the **í** or **ú** of the stem, on all forms except the **nosotros** and **vosotros** forms.

ENVIAR		CONTINUAR	
envíe	enviemos	continúe	continuemos
envíes	enviéis	continúes	continuéis
envíe	envíen	continúe	continúen

4. The Present Subjunctive of Irregular Verbs

Note all forms of the irregular verbs as they appear on the chart that follows.

DAR	ESTAR	HABER	IR	SABER	SER
dé	esté	haya	vaya	sepa	sea
des	estés	hayas	vayas	sepas	seas
dé	esté	haya	vaya	sepa	sea
demos	estemos	hayamos	vayamos	sepamos	seamos
deis	estéis	hayáis	vayáis	sepáis	seáis
den	estén	hayan	vayan	sepan	sean

12.3. FORMATION OF THE PRESENT SUBJUNCTIVE

The imperfect subjunctive is formed by dropping the ending of the **ellos/ellas** form of the preterit indicative (**-ron**) and adding either of two sets of endings: **-ra** or **-se**.

INFINITIVE	PRETERIT	IMPERFECT SUBJUNCTIVE
hablar	hablaron	hablara, hablaras, hablara, habláramos, hablarais, hablaran hablase, hablases, hablase, hablásemos, hablaseis, hablasen
comer	comieron	comiera, comieras, comiera, comiéramos, comierais, comieran comiese, comieses, comiese, comiésemos, comieseis, comiesen
pedir	pidieron	pidiera, pidieras, pidiera, pidiéramos, pidierais, pidieran pidiese, pidieses, pidiese, pidiésemos, pidieseis, pidiesen
ser ir	fueron	fuera, fueras, fuera, fuéramos, fuerais, fueran fuese, fueses, fuese, fuésemos, fueseis, fuesen

(cont.)

INFINITIVE	PRETERIT	IMPERFECT SUBJUNCTIVE
hacer	hicieron	hiciera, hicieras, hiciera, hiciéramos, hicierais, hiciesen hiciese, hicieses, hiciese, hiciésemos, hicieseis, hicieran
traer	trajeron	trajera, trajeras, trajera, trajéramos, trajerais, trajeran trajese, trajeses, trajeses, trajésemos, trajeseis, trajesen
leer	leyeron	leyera, leyeras, leyera, leyéramos, leyerais, leyeran leyese, leyeses, leyese, leyésemos, leyeseis, leyesen
dar	dieron	diera, dieras, diera, diéramos, dierais, dieran diese, dieses, diese, diésemos, dieseis, diesen
decir	dijeron	dijera, dijeras, dijera, dijéramos, dijerais, dijeran dijese, dijeses, dijese, dijésemos, dijeseis, dijesen

Mi profesor insistió en que (yo) *estudiara* (*estudiase*) **la lección.**	*My teacher insisted that I studied the lesson.*

12.4. FORMATION OF THE PRESENT PERFECT SUBJUNCTIVE

The present perfect subjunctive is formed by the appropriate present subjunctive form of **haber** plus a past participle.

ESTUDIAR	
haya estudiado	*hayamos* estudiado
hayas estudiado	*hayáis* estudiado
haya estudiado	*hayan* estudiado

Mi profesor espera que yo *haya estudiado* **la lección.**	*My teacher hopes (that) I studied the lesson.*

12.5. FORMATION OF THE PLUPERFECT SUBJUNCTIVE

The pluperfect subjunctive is formed by the appropriate imperfect subjunctive form of **haber** plus a past participle.

LLEGAR	
hubiera / *hubiese* llegado	*hubiéramos* / *hubiésemos* llegado
hubieras / *hubieses* llegado	*hubierais* / *hubieses* llegado
hubiera / *hubiese* llegado	*hubieran* / *hubiesen* llegado

12.6. SEQUENCE OF TENSES

The tense of the subjunctive depends on the form of the main verb.

MAIN CLAUSE	DEPENDENT CLAUSE	EXAMPLES
Present Indicative	Present Subjunctive or Present Perfect Subjunctive	*Insiste* en que *vayan.*
Present Perfect Future Command		*Espera* que *hayan ido.* *Insistirá* en que *vayan.* *Dígale* que *vayan.*
Imperfect	Imperfect Subjunctive or Pluperfect Subjunctive	*Dudaba* que Juan *llamara/llamase.*
Preterit		*Dudó* que Juan *hubiera/hubiese* llamado.
Conditional		*Dudaría* que Juan *llamara/llamase.*
Pluperfect		*Había dudado* que Juan *llamara/llamase.* *Dudó* que Juan *hubiera/hubiese* llamado.

12.7. CONDITIONAL SENTENCES

Conditional sentences include an if clause (*si* clause) and a main clause or result clause.

1. **Real Conditions**

   The present indicative is used to express real conditions, that is, conditions or situations that actually exist or occur.

Si *escuchas* el pronóstico del tiempo antes de salir, *sabrás* qué llevar.	*If you listen to the weather report before going out, you'll know what to wear.*
Si *llevas* un abrigo hoy, no *tendrás* frío.	*If you wear a coat today, you won't be cold.*

2. **Contrary-to-Fact Conditions**

   The imperfect subjunctive and pluperfect subjunctive are used to express contrary-to-fact conditions, that is, conditions or situations that do not actually exist or that have not occurred.

The present subjunctive is never used in a *si* clause.

TIME	*SI*-CLAUSE	RESULT CLAUSE	EXAMPLES
Present	Imperfect Subjunctive (*-ra* or *-se* forms)	Conditional or Imperfect Subjunctive (*-ra* form only)	Si *escucharas* / *escuchases* el pronóstico del tiempo, *sabrías* (*supieras*) qué llevar.
Past	Pluperfect Subjunctive (*-ra* or *-se* forms)	Conditional **Perfect** or Pluperfect Subjunctive (*-ra* or *-se* form)	Si *hubieras* / *hubieses* llevado un abrigo hoy, no *habrías*(*hubieras*) tenido frío.

3. **Como si (*as if*)**

    The expression *como si* also expresses an unreal condition and is followed by either the imperfect subjunctive to express present time, or the pluperfect subjunctive to express the past.

    Gasta dinero *como si fuera (fuese)* millonario.

    He spends money as if he were a millonaire. (But he isn't.)

    Habló español *como si hubiera* (*hubiese*) nacido en España.

    He spoke Spanish as if he were born in Spain. (But he wasn't.)

E J E R C I C I O S

A. Lea el siguiente artículo sobre los programas internacionales de la Universidad Autónoma de Chile e identifique los verbos en el presente del subjuntivo, notando sus usos. Luego, complete los ejercicios que siguen.

Programa De Español Y Realidad Latinoamericana

(Tema curricular: Los desafíos mundiales)

Considerando el interés de estudiantes internacionales en mejorar su manejo del idioma español, y lo atractivo que resulta la cultura latinoamericana, la Universidad Autónoma de Chile ha desarrollado un Programa de Español y Realidad Latinoamericana.

Este programa de 6 semanas está dirigido a alumnos internacionales que provengan de países no hispanoparlantes, que estén interesados en conocer la realidad latinoamericana a través de diferentes enfoques sociales, culturales, políticos y económicos.

El programa ha sido diseñado para estudiantes que hayan completado 4 semestres de español (o equivalente).

El Programa ofrece un curso de Español Intermedio más 2 cursos temáticos enfocados a estudiar la realidad latinoamericana desde diferentes perspectivas:

Curso de español: Curso de 45 hrs. en el cual se abarcarán temas gramaticales, de vocabulario, de cultura y sociedad latinoamericana que refuercen el uso y comprensión correcta del español formal y culto. Se trata de que los alumnos practiquen y adquieran confianzaen el manejo y uso de estructuras correspondientes a un nivel intermedio y puedan desenvolverse tanto en un plano coloquial como académico.

Curso «Negocios y Relaciones Internacionales en América Latina en el Siglo XXI»: Curso de 45 hrs. que tiene como objetivo general es comprender la evolución de las relaciones internacionales de América Latina para poder identificar cuáles son los conflictos políticos, económicos y sociales que existen en la región, los proyectos y personajes más destacados en ella. Además, se analizarán los principales desafíos y problemas para hacer negocios, incluyendo los marcos legales para la inversión extranjera y el desarrollo sustentable en la región.

Curso «Descubriendo América Latina a través de su cultura»: Curso de 45 hrs. que tiene como objetivo general que el estudiante aumente su comprensión acerca de diferentes episodios y problemáticas regionales, mediante el análisis del cine y de la música popular que se generó en cada etapa. La comprensión de estos contenidos, le entregará herramientas prácticas a los estudiantes para poder valorar las relaciones de intercambio cultural, como elemento consustancial de las relaciones internacionales.

El Programa de Español y Realidad Latinoamericana incluye además:

- Jornada de orientación
- Actividades sociales y culturales con estudiantes de la Universidad Autónoma de Chile
- Acceso a todos los servicios disponibles para los alumnos regulares de la Universidad Autónoma de Chile
- Excursiones y salidas a terreno
- Certificado final

Programas de Interés Especial

Programas elaborados a medida de los requerimientos de universidades extranjeras, interesadas en traer alumnos a Chile a cursar un programa específico sobre diversas temáticas, para lo cual, la universidad cuenta con la capacidad de organizar y gestionar integralmente los servicios académicos y logísticos que garanticen un programa de calidad.

(http://www.uautonoma.cl/index.php/rr-ii/programas-internacionales-especiales/)

Busque en el anuncio los verbos en el subjuntivo y escríbalos.

1. (provenir) _____
2. (estar) _____
3. (haber) _____
4. (reforzar) _____
5. (practicar) _____
6. (adquirir) _____
7. (poder) _____
8. (garantizar) _____

Preguntas

1. ¿Para quiénes está diseñado el programa?

   _____

   _____

2. Describa los tres cursos del programa.

   _____

   _____

3. ¿Cree que el informe describe un buen programa internacional? ¿Por qué sí, o no?

   _____

   _____

B. A Ud. y a su amigo les interesa una carrera internacional. Escríbale un correo electrónico a su amigo sobre el Programa de español y realidad latinoamericana de la Universidad Autónoma de Chile, que aparece en el Ejercicio A. Incluya las expresiones sugeridas, utilizando los verbos en el presente del subjuntivo, cuando sea necesario.

EXPRESIONES

es imprescindible que	es posible que	espero que
sugiere que	es mejor que	cree que / ¿cree que?
es importante que	es dudoso que	

VERBOS SUGERIDOS

dominar	visitar	saber	escoger
comprender	preguntar	entrevistarse	decidir
buscar	tener	intercambiar	conseguir
practicar	averiguar	realizar	

TRABAJO COOPERATIVO

A. Formen grupos de seis alumnos para discutir la globalización.

- El líder del grupo organiza el trabajo y ayuda a sus compañeros.
- Cada miembro del grupo lee y toma apuntes sobre los siguientes tres artículos que discuten varios desafíos de la globalización.
- El grupo se divide en tres parejas para hacer listas de los verbos en el subjuntivo que aparecen en los artículos.
- El grupo entero compara y comparte sus listas de verbos en el subjuntivo.

- El grupo comparte lo que aprendieron de los artículos.
- El grupo investiga y contesta la siguiente pregunta: ¿Qué se puede hacer para que todo el mundo se beneficie de la globalización?
- El grupo le presenta sus ideas a toda la clase y sube la información en el sitio Web de su clase o escuela.

ARTÍCULO 1

La globalización amenaza la música tradicional maya

(Tema curricular: Los desafíos mundiales)

El turismo, la globalización y la necesidad de un sueldo fijo han causado que los jóvenes mayas del estado de Quintana Roo, en el sureste de México, abandonen algunas de sus tradiciones para trabajar en sitios turísticos como Cancún.

Entre estas tradiciones se encuentra la maya pax, música tradicional maya de esta región que se interpreta en iglesias y santuarios. En 1997 se contaban 44 grupos que tocaban esta música, mientras que en 2013 sólo se registraron 14.

En el documental «La música de la guerra y de los dioses: la maya pax», estrenado el año pasado, un grupo de antropólogos mexicanos se dio a la tarea de buscar a los intérpretes de esta música para rescatar el ritual y el significado que la acompañan.

El documental fue realizado por los antropólogos Meztli Suárez, Margarito Molina y Karina Rivero, con apoyo del programa de desarrollo cultural maya y del gobierno de Quintana Roo.

La maya pax surgió hace más de 150 años, durante la guerra de castas de los mayas macehuales (originarios de Quintana Roo). Originalmente se trataba de música bélica y sacra que los indígenas interpretaban para darse valor en la batalla, pero con los años ha perdido su enfoque militar para permanecer como música religiosa.

El antropólogo y guionista del documental, Margarito Molina, convivió durante cerca de 20 años con los mayas macehuales, lo que permitió el acceso a los rituales de los indígenas de la región.

Molina dijo a Efe que la instrumentación de los grupos de maya pax, compuesta por un violín, un tambor redoblante y un bombo de doble parche, es única.

«En otros estados los mayas no tienen esta agrupación musical ni esta instrumentación, tienen grupos o pequeñas orquestas jaraneras, pero no tienen grupos de maya pax, que están muy vinculados a la iglesia», comentó Molina.

Por su parte, la directora del documental, Meztli Suárez Macliberty, dijo que esta música es completamente original de la región.

«Aunque tiene influencia de la música yucateca, la maya pax es una música que crearon los mayas macehuales, no existe en otro lado. De hecho es la primera vez que se graban estos rituales.», dijo la antropóloga social.

En el documental, los músicos más experimentados señalan que tienen un repertorio de aproximadamente 50 piezas, algunas de las cuales pueden bailarse, mientras que otras son exclusivamente sagradas. Los rituales de maya pax se acompaña con velas, oraciones y comida.

Molina señaló que el objetivo no era filmar una película contemplativa: «Queríamos hacer un documental dinámico donde a ellos se les diera voz e imagen, en donde la mirada externa no fuera lo predominante, sino que fuera su propia versión de la historia y de su música».

Los intérpretes de maya pax solían heredar la tradición a sus hijos para preservar viva esta música. Sin embargo, con el paso de los años, los jóvenes se muestran menos interesados en continuar con los pasos de sus antepasados.

«El turismo en Quintana Roo ha transformado las relaciones de trabajo. Los muchachos de mi generación prefieren trabajar en los hoteles, eso ha complicado mucho el panorama de las tradiciones porque hay una migración laboral masiva. Ésta puede ser la última generación de estos músicos», comentó Meztli Suárez.

«Ser músico en este caso es un trabajo simbólico y no remunerado. Es un sacrificio y creo que eso está afectando», dijo la directora del documental.

Por su parte, Molina considera que «la maya pax es un elemento de patrimonio cultural intangible de los mayas que está en riesgo, cada vez existen menos grupos».

«Esto se debe a la globalización económica vinculada al turismo. Muchos jóvenes de las comunidades macehuales emigran, y esto afecta la vida comunitaria y la vida religiosa musical de los mayas», agregó.

Aunque Molina reconoce que «ninguna cultura es estática», el cambio cultural es un asunto natural «y evidentemente se han ido adaptando a las circunstancias, principalmente económicas», lo que conlleva la pérdida de muchas tradiciones.

A diferencia de otras comunidades mayas, como las que habitan en los estados de Yucatán y Campeche, los mayas macehuales son más cerrados al exterior, lo que hizo que su música fuera prácticamente desconocida en el país.

«Es una comunidad más desconfiada, pero yo los conocía y por eso nos tuvieron confianza. Nos abrieron sus puertas, dormíamos en sus casas y compartíamos con ellos», dijo Molina.

(http://www.informador.com.mx/cultura/2014/505758/6/la-globalizacion-amenaza-la-musica-tradicional-maya.html)

ARTÍCULO 2

El futuro, según Mark Zuckerberg

(Tema curricular: Los desafíos mundiales)

The Wall Street Journal celebra este 8 de julio, 125 años de su primera edición. Para celebrarlo, solicitó a diferentes líderes de opinión que den su visión sobre el futuro de la humanidad. Uno de ellos fue el fundador de Facebook, Mark Zuckerberg.

En su texto, el joven empresario describe los desafíos que enfrenta internet para la integración de los usuarios. «Conectar a todos es uno de los retos fundamentales de nuestra generación», escribe Zuckerberg.

El problema actual, según el fundador de Facebook, es que los costos son aún demasiado elevados. «El desafío para nuestra industria será desarrollar modelos de acceso a internet que hagan que los servicios de datos sean más asequibles y que, al mismo tiempo, permitan a los operadores móviles seguir creciendo e invirtiendo de manera sostenible».

El objetivo final es, entonces, representar a «todo el mundo» «En los próximos años —escribe Zuckerberg— se librará una batalla para expandir y defender el Internet libre y abierto. Nuestro éxito determinará qué tan lejos puede ir esta visión de un mundo conectado. Conectar al mundo está a nuestro alcance y si trabajamos juntos, podemos hacerlo realidad.

Ha habido momentos en la historia en los que una nueva tecnología ha transformado completamente la forma en la que vive y funciona nuestra sociedad. La imprenta, la radio, la televisión, los celulares e Internet son algunas de ellas. En las próximas décadas veremos una mayor revolución, cuando miles de millones de personas se conecten por primera vez a la Web.

Actualmente, poco más de un tercio del mundo está conectado, cerca de 2.700 millones de personas. Es fácil olvidarse del valor que tiene Internet y asumir que la mayoría de las personas pronto tendrán el acceso y las oportunidades que tenemos, pero no es el caso. Conectar a todos es uno de los retos fundamentales de nuestra generación.

Cuando la gente tiene acceso, no sólo se conecta con sus amigos, familiares y comunidades, también obtiene la oportunidad de participar en la economía global. Una investigación de *McKinsey & Co.* de 2011 muestra que Internet ya representa una mayor participación en la actividad económica que la agricultura y la energía en muchos países desarrollados y durante los últimos cinco años ha generado 21% del crecimiento del Producto Interno Bruto. El acceso a herramientas en línea permite que la gente use la información para hacer mejor su trabajo y, a su vez, crear nuevos empleos, negocios y oportunidades. Internet es la base de esta economía.

Conectando al mundo

Conectar a todos los habitantes del mundo hace más que tan sólo compartir los beneficios mencionados con miles de millones de personas. Darle acceso a la web a los otros dos tercios del mundo les permitirá inventar y crear nuevas cosas que nos beneficiarán. Si podemos conectar a todos, todas nuestras vidas mejorarán drásticamente.

Pero esto no va a ocurrir por sí solo.

No solo la gran mayoría de la gente no tiene acceso a Internet, sino que sorprendentemente, la adopción de Internet está creciendo menos de 9% al año. Ese es un ritmo muy lento, considerando lo temprano que estamos en su desarrollo y el hecho de que esta tasa continúe desacelerándose.

Una creencia común es que a medida que más gente compre smartphones, también tendrá acceso a datos. Pero ese no es un hecho. En la mayoría de los países, el costo de un plan de datos es mucho mayor que el precio del propio celular. Por ejemplo, un iPhone con un plan de datos de dos años en Estados Unidos puede costar cerca de US$2.000, de los cuales US$500 o US$600 son para el teléfono y cerca de US$1.500 son para los datos.

Igualmente, la gran mayoría de los costos de los datos van directamente a cubrir las decenas de miles de millones de dólares que se invierten cada año en la construcción de infraestructura global de Internet. Hasta que esto no sea más eficiente, no podremos proveer el servicio de manera sustentable a todo el mundo a precios que puedan pagar. A menos que cambiemos esto, pronto viviremos en un mundo en el que la mayoría de personas con celulares los usen sin conectarse a la web.

Hay muchos estudios sobre cómo llevar Internet a los usuarios de formas totalmente nuevas. Algunas de estas involucran satélites, aviones, láseres y la proyección de la conexión a Internet desde el cielo. Estas investigaciones llegarán a ser necesarias para conectar a todo el mundo, ya que algunas personas viven en zonas remotas en las que no hay infraestructura para conectarlos. Pero ese no es el problema que tiene la mayoría de gente.

De hecho, casi 90% de la población mundial ya vive en el rango de una red celular. Para todos aquellos en esas áreas, no necesitamos construir nuevos tipos de infraestructura para ayudarlos a conectarse. Sólo necesitamos mostrarles por qué es valioso y volverlo accesible.

El desafío para nuestra industria será desarrollar modelos de acceso a Internet que hagan que los servicios de datos sean más asequibles y que, al mismo tiempo, permitan a los operadores móviles seguir creciendo e invirtiendo de manera sostenible.

Iniciativas como *Internet.org*, una sociedad global fundada por Facebook y otros líderes tecnológicos, están trabajando con los operadores para proveer servicios básicos de Internet gratuitos a gente en todo el mundo. Nuestra sociedad ya ha decidido que ciertos servicios telefónicos básicos deben ser gratuitos.

Cualquiera puede llamar al 911 (en EEUU) para obtener atención médica o reportar un delito, incluso si no ha pagado por un plan telefónico. En el futuro, todos también deberían tener acceso a servicios básicos de Internet, incluso si no han pagado por un plan de datos. Y de la misma forma que los servicios telefónicos básicos han alentado a más gente a comprar un celular, los servicios básicos de Internet alentarán a muchas personas a conseguir un plan de datos. Si estos esfuerzos funcionan, podemos conectar a miles de millones de personas en la próxima década y eso transformará sus vidas y comunidades.

Progreso humano

Un reciente estudio de Deloitte halló que expandir el acceso a Internet en países en desarrollo crearía 140 millones de trabajos y sacaría a 160 millones de personas de la pobreza. Esta nueva oportunidad incluso reduciría sustancialmente las tasas de mortalidad infantil. A lo largo de África subsahariana, el sudeste de Asia y América Latina, Internet ayudará a impulsar el progreso humano.

Quizás el cambio más importante sea un nuevo sentido global de comunidad. Hoy sólo podemos oír las voces y ser testigos de la imaginación de un tercio de la población mundial. A todos nos están robando la creatividad y el potencial de los dos tercios del mundo que no están en línea. En el futuro, si tenemos éxito, Internet realmente representará a todo el mundo.

Nada de este futuro está garantizado. En los próximos años se librará una batalla para expandir y defender el Internet libre y abierto. Nuestro éxito determinará qué tan lejos puede ir esta visión de un mundo conectado. Conectar al mundo está a nuestro alcance y si trabajamos juntos, podemos hacerlo realidad.

(http://www.diariodecultura.com.ar/costumbres-y-tendencias/el-futuro-segun-marck-zuckerberg/)

ARTÍCULO 3

Plataformas comunes, coches globales y llamadas a revisión millonarias. Lo que está por llegar

(Tema curricular: Los desafíos mundiales)

Ayer mismo, se confirmaba que Toyota llamará a revisión a un total de 6,4 millones de coches en todo el mundo. Entre los afectados, más de 800.000 en Europa y cerca de 30.000 en España.

Pero lo que sorprende y llama la atención no es el problema en sí, sino la magnitud de la llamada a revisión por el número de vehículos afectados. Pero el volumen de coches que producen al año marcas como Toyota; la naturaleza global de los nuevos modelos, es decir, su versatilidad para comercializarse en diferentes mercados de todo el mundo con pocos cambios; y la utilización de cada vez más plataformas y elementos compartidos a lo largo y ancho de una gama de modelos, anticipa que esto solo acaba de empezar.

No es un temor infundado que, gracias a la evolución que ha sufrido la industria del automóvil en estos últimos años, llamadas a revisión que hasta hace poco se saldaban con unos pocos millones de coches afectados (que no es una cantidad nada desdeñable), se conviertan muy pronto en decenas de millones de coches llamados a revisión en todo el mundo.

Ayer mismo aparecía un reportaje ... que personalizaba el problema en el caso del Grupo Volkswagen. No creo que tengan ninguna fobia al Grupo Volkswagen y de hecho el ejemplo me parece acertado. Pensad que los coches del grupo alemán son como un enorme LEGO, ... de plataformas comunes, motores, transmisiones y multitud de piezas no críticas, ... compartidas a lo largo de bastantes marcas, infinidad de modelos y millones de coches fabricados cada año.

Coches fabricados bajo un mismo patrón que, de haberlos, compartirán problemas Evidentemente ya sabemos que ninguna marca, y especialmente los alemanes, se toma a broma el tema de la seguridad y la calidad de sus productos. Es más, la ventaja teórica sería que esto debe reducir la probabilidad, pero no eliminarla por completo, de una hecatombe global, de un fallo crítico que, en el peor de los casos, tuviera consecuencias fatales.

Hablamos de un caso hipotético, que no tendría por qué suceder, pero que supondría un golpe para la reputación de una marca del que no sería fácil recuperarse.

Y evidentemente eso no quiere decir que los coches de hoy en día, aquellos que utilicen elementos y plataformas compartidas con otras marcas y modelos, vayan a ser más inseguros. Probablemente será todo lo contrario, una mayor experiencia en más modelos y más unidades producidas debería aportar mayor seguridad y fiabilidad al cliente. El problema, es que cualquier fallo que no se detecte a tiempo puede suponer una llamada a revisión millonaria, en el número de vehículos afectados. El Grupo Volkswagen roza ya los 10 millones de unidades fabricadas al año, la mayoría de las cuales utilizan piezas comunes.

Por supuesto, son tantas las ventajas de compartir plataformas y piezas a lo largo de varias marcas y varios modelos, que el mero temor a las consecuencias de un caso como el de los pedales de Toyota debe animar a los constructores a extremar la vigilancia, pero jamás a renunciar a esta estrategia que está siendo la base del crecimiento y la rentabilidad de muchas marcas de renombre...

(http://www.diariomotor.com/2014/04/11/plataformas-comunes-coches-globales-y-llamadas-a-revision-millonarias-lo-que-esta-por-llegar/)

B. Formen grupos de cuatro a seis alumnos para leer y discutir la siguiente entrevista sobre el origen de las tarjetas de UNICEF, mensajes internacionales de amor.

- El líder del grupo organiza el trabajo y ayuda a los demás.
- Todos leen el artículo y hacen listas de los verbos en el subjuntivo, que comparan.
- El grupo se divide en parejas, o grupos de tres para dividir y contestar las preguntas que siguen el artículo.
- El grupo discute y diseña una tarjeta que refleja las preocupaciones globales de UNICEF.
- El grupo presenta su tarjeta a la clase, y les pide a los otros alumnos que discutan el mensaje y el simbolismo.

Unicef, los niños y... unas tarjetas de amor

(Tema curricular: Los desafíos mundiales)

VOCABULARIO					
el afán	labor	**imprimirse**	to be printed	**solventar**	to cover
atesorar	to treasure	**presuroso**	speedy		
la guerra	war	**recaudado**	collected		

Usted habrá visto las lindas tarjetas de UNICEF, con saludos y felicitaciones... pero yo no sabía toda la elaboración que ellas exigían, ni su tierno origen hasta que conocí a Kathryne Andrews, ... de la Sección Desarrollo de Postales de UNICEF...

Nos hemos encontrado en México, en Buenos Aires, en Nueva York, siempre presurosa, buscando aquellas imágenes que interpreten el símbolo de UNICEF (Fondo de las Naciones Unidas para la infancia). En una ocasión la acompañé y compartimos aquellas búsquedas de cuadros que expresan esa idea, ese amor que surge de las tarjetas. Por eso y los muchos afanes de los programas que el Departamento de Arte realiza, quise que nos contara la historia de estas postales que llegan a nuestras manos con un mensaje de amor.

—**¿Cuándo se originó la idea de realizar las tarjetas de saludos de UNICEF?**

—La idea surgió de una historia verdadera, de algo que ocurrió en la vida real. En 1948, una niña de 7 años pintó un cuadrito para agradecer a UNICEF la ayuda que el organismo había dado a su aldea devastada por la guerra. El cuadrito tenía una casita, unas ventanitas y humo que salía de la chimenea y decía, «Gracias UNICEF». Causó tanta alegría recibir aquella cartita que llegaba de un pequeño pueblito de Checoslovaquia, que se imprimió para todo el equipo de UNICEF, y se volvió muy popular. Este hecho dio origen a la Operación Tarjetas de Felicitaciones...

—**Por lo que tú me contaste, existe una filosofía detrás de cada tarjeta, ¿podrías precisar los conceptos que las inspiran?**

—Los diseños expresan la preocupación de Naciones Unidas y UNICEF, reflejar una relación con el niño, con el mundo y con el futuro. Por una parte la imagen de la paz, el símbolo de la fraternidad, por otra, lo que evocan antiguas historias que ya son parte del patrimonio cultural, por ejemplo: el árbol de la vida, el Arca de Noé, y también las celebraciones como parte de las fiestas del mundo, me refiero a la Navidad, pero también al Año Nuevo en Asia, el Festival de la Luz en la India, Ramadan, Hanukah y pascuas judías, o sea las celebraciones que unen a los pueblos según sus creencias, ritos y ceremonias. Se tiene en cuenta la imagen del amor y la familia. La relación familiar es centro que ayuda al desarrollo del niño, la ternura y la alegría.

—**Vivimos en un mundo multicultural, ¿cómo es posible unir todas esas culturas?**

—Justamente porque vivimos en un mundo de gran diversidad cultural todas las culturas atesoran obras de arte como símbolos de su historia y de su identidad, así es importante que las tarjetas reflejen esa diversidad étnica y multicultural y tomen en cuenta temas que contemplen esas distintas culturas y sus expresiones.

Hay también un interés en que el niño y el joven sientan un mundo sano y constructivo, con valores positivos... La idea de salud y de construcción se extiende a la naturaleza. Hay una idea clara para que el niño viva en armonía con la naturaleza, la belleza de las flores y plantas, los animales, el paisaje y el cosmos como un lugar de paz y felicidad.

—**Esto suena muy bonito pero; ¿en qué medida se ayuda a los niños para que alcancen ese mensaje de amor que las tarjetas expresan?**

—Los diseños se publican y se venden en más de 140 países por conducto de una red de voluntarios. Todo lo recaudado forma parte del fondo para ayudar a la infancia y solventar los numerosos programas que UNICEF mantiene.

—**¿Recuerdas tú alguna historia en especial que te conmoviera durante el trabajo de las búsquedas de tarjetas?**

—Sí, tengo varias anécdotas pero recuerdo especialmente mi primer viaje a Brasil. En esa ocasión conocí a un artista primitivo, pero él no se consideraba artista, pensaba que lo que hacía no tenía valor, lo hacía porque le gustaba, pero sus trabajos eran muy bonitos y sí tenían valor. Después de hablar con él y tomar sus trabajos, tomé conciencia de cuántos artistas existen que no son conocidos ni valorados y con nuestra acción los ayudamos, los motivamos...

—**¿Cuántos artistas se presentan, cuántas obras se seleccionan?**

—Son muchos, alrededor de 2,500. Se escogen entre casi 100,000 diseños. Sólo se seleccionan para publicar unos 200, aquéllos que reúnan la idea de UNICEF...

(«Unicef, los niños y... unas tarjetas de amor», *El Diario/La Prensa*; 6 de enero de 1996, suplemento dominical, p. 6.)

Preguntas

1. ¿Qué busca Kathryn Andrews en sus viajes internacionales?

   _____

2. ¿Qué hizo una niña de Checoslovaquia en 1948 para agradecer al equipo de UNICEF?

   _____

3. Es importante que estas tarjetas evoquen conceptos particulares. ¿Cuáles son?

   _____

4. ¿Cómo es posible que se unan las culturas del mundo por medio de estas tarjetas?

   _____

5. ¿Qué espera UNICEF que haga el individuo a nivel mundial con estas tarjetas?

   _____

6. Describa los mensajes de los dibujos en las tarjetas que se presentan aquí.

Season's Greetings
Meilleurs Vœux
Felices Fiestas

Season's Greetings
Meilleurs Vœux
Felices Fiestas

a. _____

b. _____

C. En el futuro cercano, es probable que se pueda encontrar empleo con una empresa internacional en el Internet. Ya existen muchos sitios en el Web donde pueden encontrarse ofertas de trabajo de varios países. Formen grupos de cuatro a seis alumnos para investigar las posibilidades.

- El líder del grupo organiza el trabajo y ayuda a los demás.
- El grupo se divide en parejas o grupos de tres.
- Cada pareja usa los sitios del Web que se mencionan aquí, u otros que encuentren, para escoger puestos ideales.
- Los miembros de las parejas discuten, y cada uno contesta las siguientes preguntas.

  1. Si pudiera trabajar en una empresa en cualquier país del mundo, ¿cuál empresa escogería? y ¿por qué?
  2. Si tuviera la oportunidad de trabajar en cualquier puesto en esta empresa, ¿cuál sería? y ¿por qué?
  3. Describa el trabajo que haría, si consiguiera su puesto ideal.

- Los miembros del grupo le presentan sus respuestas al grupo y/o a la clase.

Sitios del Web con empresas internacionales y ofertas de trabajo:

http://www.goinglobal.com

http://www.monster.com/geo/siteselection/

http://www.internationaljobs.com

http://www.indeed.com/international

M A S T E R Y   A S S E S S M E N T S

A. Lea el siguiente artículo sobre la opinión de Rubén Blades respecto a las causas del racismo, y complete las frases con la forma apropiada del verbo en el indicativo o en el subjuntivo, según el caso. Luego, conteste las preguntas.

El racismo no es cuestión de piel sino de cultura

(Tema curricular: Los desafíos mundiales)

> **VOCABULARIO**
>
> | | |
> |---|---|
> | **abordar**   tackle, undertake | **destacado**   notable, outstanding |
> | **la cadena**   chain | **hacer hincapié**   to emphasize, stress |
> | **el comportamiento**   conduct | **el rechazo**   rejection |

«El racismo no es una cuestión de prejuicio por el color de la piel sino un asunto del espíritu, del comportamiento cultural de las personas, que al mismo tiempo que _____

1. (sentir)

miedo son ignorantes respecto de lo que les _____ diferente y les rodea»,

2. (resultar)

dijo el cantautor y actor panameño Rubén Blades.

Blades, que también es un destacado activista por los derechos humanos y contra discriminación de todo tipo, _____ designado ayer, junto a otras seis per-

3. (ser)

sonalidades, embajador de Buena Voluntad de las Naciones Unidas para la Conferencia Mundial contra el Racismo.

En esa calidad dio una conferencia de prensa en la sede de naciones Unidas donde

_____ hincapié que el problema hay que abordarlo desde la niñez, porque

4. (hacer)

los infantes _____ el peligro de repetir las actitudes negativas de sus

5. (correr)

padres y de su entorno social «Mientras más se _____ con los niños y se les

6. (hablar)

_____ sobre los mejores aspectos y ángulos del carácter humano mayor
7. (explicar)

oportunidad habrá que esos niños _____ siendo mucho más tolerantes y
8. (crecer)

mejor informados sobre el hecho de apreciar el carácter de una persona y no, por ejem-

plo, el color de su piel o su condición económica», dijo Blades.

«Cuando _____ que el racismo no es asunto de piel sino de culturas,
9. (hablar)

más que una lucha entre culturas es la mala información que _____ entre
10. (existir)

culturas», agregó Blades,que remarcó que el racismo _____ más allá del
11. (ir)

rechazo al color de la piel.

«Generalmente cuando la gente _____ de racismo cree que
12. (hablar)

_____ una actitud que _____ del rechazo a la piel, pero en
13. (ser)   14. (surgir)

realidad el asunto es más complejo, me parece que _____ más bien cul-
15. (ser)

tural », puntualizó.

«El racismo», continuó,«es una actitud que se basa en la ignorancia y en el temor.

En la medida que _____ nuestras posiciones y nuestra cultura, quizás
16. (explicar)

_____ posible crear un terreno común en el que _____ más
17. (ser)   18. (ser)

apreciados los valores como individuo que su procedencia o color de piel»...

Blades dijo sentirse honrado con la designación que la toma muy en serio y subrayó

el hecho de que Naciones Unidas _____ seleccionado a una personalidad
19. (haber)

hispana, como una forma de reconocimiento a un grupo humano que _____
20. (haber)

sido víctima de una larga cadena de abusos y violaciones de los derechos humanos.

(«El racismo no es cuestión de piel sino de cultura», *El Diario / La Prensa*; sábado, 11 de diciembre de 1999, p. 5.)

Preguntas

1. ¿Cómo explica Rubén Blades el racismo?

_____

_____

2. Según Rubén Blades, ¿por qué fue seleccionada una persona hispana como embajador de Buena Voluntad de las Naciones Unidas para la Conferencia Mundial contra el racismo?

_____

_____

3. ¿Cuál es su opinión respecto a las causas del racismo en el mundo?

_____

_____

B. Lea el siguiente artículo sobre la globalización de la ropa, y complete las frases con la forma apropiada del subjuntivo o del indicativo, según el caso.

Más fresco que una lechuga

(Tema curricular: Los desafíos mundiales)

VOCABULARIO		
afamado famous	**el gabán** overcoat	**provenir** to originate
el alfarero potter	**el lino** linen	**el sastre** tailor
confeccionar make	**el peluquero** hairdresser	**la tela** fabric
cosechar to harvest	**la prenda** garment	

Han aparecido en películas... y personalidades famosas desde Ernest Hemingway hasta Ronald Reagan las han usado. Aún así, si _____ una y _____
                                                                           1. (ponerse)   *2.* (irse)

a una fiesta en Estados Unidos, lo más seguro es que _____ el rato expli
                                                               3. (pasarse)

cando lo que es una guayabera.

Los aficionados a la guayabera no se ponen de acuerdo sobre el origen de esta prenda... Algunos expertos dicen que _____ los nativos de Yucatán quienes
                                                                          4. (ser)

_____ esta camisa. Otros sugieren que se _____ de una
5. (inventarse)   *6.* (derivar)

túnica militar española, lo que _____ que _____ a lugares
                                                 7. (explicar)   *8.* (llegar)

tan remotos como las Filipinas.

Pero si le _____ a don Ramón Puig, el dueño de «La casa de las
       9. (preguntar)

guayaberas» en Miami, la guayabera es mucho más que una camisa. Es un símbolo

nacional y parte intrínsica de su patriotismo cubano.

Según Puig, un sastre de 77 años de edad que lleva más de cinco décadas con-

feccionando a mano sus guayaberas, la afamada camisa _____ inventada
       10. (ser)

por Encarnación Núñez García, esposa de un alfarero andaluz, don José Pérez Rod-

ríguez, quienes llegaron a la ciudad de Sancti Spíritus, Cuba, a principios del siglo

XVIII. Aparentemente sofocado por las calurosas telas que se _____
       11. (usar)

en aquel entonces, don José mandó a pedir a España unas telas de lino y cuando las

_____ le pidió a su esposa que le _____ «unas camisas lar-
  12. (recibir)   *13. (hacer)*

gas con bolsillos grandes a los lados, como gabán, para poder llevar... cosillas al talle.»

Los nativos de Sancti Spíritus, copiaron la cómoda y aireada prenda y como

éstos cosechaban la guayaba, les decían guayaberos. Y de ahí proviene el nombre de

la guayabera.

_____ cual _____ su origen, parece que esta famosa
  14. (ser)   *15. (ser)*

prenda latina _____ adquiriendo popularidad en Estados Unidos. Y
       16. (ir)

aunque ahora nos _____ explicar que no es un uniforme de peluquero,
       17. (tocar)

quizás en el futuro las _____ comprar hasta en Kmart.
       18. (poder)

(«Más fresco que una lechuga», *People en español*; otoño de 1997, p. 70.)

Preguntas

1. Según los autores, ¿cuáles son los posibles orígenes de la guayabera? (Use las
expresiones *es posible que... + subjuntivo* o *es probable que... + subjuntivo* en sus
respuestas.)

_____

_____

2. ¿Qué predicen los autores sobre el futuro de la guayabera? (Use *esperan que...* + *subjuntivo* en su respuesta.)

3. ¿Conoce Ud. otros artículos de vestir que reflejen la globalización de la moda? Mencione algunos ejemplos.

AUTHENTIC ASSESSMENTS

1. El año que viene, Ud. piensa hacer un viaje a Europa con su clase de español y quiere aprender lo más posible sobre el euro para evitar confusión. Luego de investigar su origen, su apariencia y cómo se determina su valor, prepare una presentación para su clase.

2. Su clase decide organizar una fiesta internacional y Ud. está encargado de escoger música bailable española. Haga una encuesta internacional por correo electrónico y pregúnteles a jóvenes de varios países hispanohablantes, qué discos escogerían para bailar. Preséntele los resultados de su encuesta a la clase, notando los efectos de la globalización en la industria musical.

13

Los viajes: Reales y virtuales
Commands

13.1. USE OF COMMANDS

The command or imperative tense expresses the communicative functions of getting others to adopt or avoid a course of action by:

1. Suggesting: ***Charlemos*** **de la fiesta.**
2. Requesting: ***Abra*** **la puerta, por favor.**
3. Directing: ***Doblen*** **a la derecha.**
4. Warning: **¡*Ten* cuidado al cruzar la calle!**
5. Advising: ***No compres*** **esta blusa, que no te queda bien.**
6. Instructing: ***Agregar*** **una cucharada de sal.**

PRUEBA PRELIMINAR

Lea la siguiente lectura y complete las frases con la forma apropiada del verbo en el imperativo. Entonces, conteste la pregunta.

¿Cómo evitar un percance con las maletas a la hora de viajar?

(Tema curricular: La vida contemporánea)

Es hora de partir. Estamos ansiosos pero contentos porque dentro de poco estaremos en un avión volando hacia ese lugar que hemos escogido para pasar las vacaciones. La noche anterior hemos empacado todo, cuidando de no olvidarnos de cosas esenciales. Nos acostamos tranquilos pensando que hemos hecho todo lo que se tenía que hacer. Sin embargo, lo que la mayoría de nosotros pasa por alto es lo que puede pasar en el aeropuerto una vez facturado el equipaje. Este descuido nada más puede resultar en un retraso en la llegada del equipaje y, en el peor de los casos, en su pérdida. ¿Cómo evitar tales percances a la hora de viajar? ¿Cómo encontrar todo el equipaje al llegar al destino?

_____ de que la maleta que llevas está en buenas condiciones.
    1. (Cerciorarse)

_____ todas las etiquetas viejas que aún estén pegadas a la maleta,
    2. (Desechar)

sobretodo si éstas tienen información incorrecta. _____ tú mismo tu
                                                     3. (Empacar)

maleta. En caso de pérdida, podrás declarar y reclamar con facilidad lo que tenías

en ella. No es aconsejable empacar documentos importantes, objetos de valor como

joyas o cosas que puedas necesitar tan pronto bajes del avión como, por ejemplo, medi-

camentos que estés tomando. Por lo tanto, _____ todas estas cosas
                                                4. (llevar)

contigo en tu bolso de mano. No _____ de vista nunca de tu equipaje
                                     5. (perder)

desde el momento en que lo empacas en tu casa hasta facturarlo en el aeropuerto.

_____ con tiempo al aeropuerto. No es bueno andar corriendo, sobretodo
    6. (Llegar)

si se trata de viajes. La prisa puede llevar a errores que te pueden salir caro. Antes de

facturar tu equipaje, _____ etiquetas nuevas con tus datos personales en
                          7. (poner)

cada una de las maletas que lleves. _____ de pegar las etiquetas bien a
                                         8. (Asegurarse)

las maletas. Al llegar a tu destino _____ cuidado de reclamar todas las
                                         9. (tener)

maletas que habías facturado. _____ que el equipaje es tuyo cheque-
                                  10. (Confirmar)

ando las etiquetas de cada maleta.

Pregunta

¿Está de acuerdo con los consejos en la lectura? ¿Qué sugiere Ud.? (Use el imperativo.)

_____

_____

13.2. FORMATION OF FORMAL COMMANDS

The formal commands are the present subjunctive verb forms for **Ud.** and **Uds.** In
negative commands **no** precedes the verb.

INFINITIVE	**CAMINA*R***	**CORR*ER***	**SUB*IR***
AFFIRMATIVE COMMAND	**camine (Ud.)** **caminen (Uds.)**	**corra (Ud.)** **corran (Uds.)**	**suba (Ud.)** **suban (Uds.)**
NEGATIVE COMMAND	**no camine (Ud.)**	**no corra (Uds.)**	**no suba (Ud.)**

NOTE: Reflexive pronouns as well as direct-and-indirect object pronouns are attached to affirmative commands and an accent mark is written on the appropriate syllable of the command form to maintain the original stress. In negative commands these pronouns precede the verb.

INFINITIVE	**LEVANTARSE**	**DECÍRMELO**
AFFIRMATIVE COMMAND	**levántese (Ud.)** **levántense (Uds.)**	**dígamelo (Ud.)** **díganmelo (Uds.)**
NEGATIVE COMMAND	**no se levante (Ud.)** **no se levanten (Uds.)**	**no me lo diga (Ud.)** **no me lo digan (Uds.)**

E J E R C I C I O S

A. Ud. está viajando a España con su clase de español. En el aeropuerto, se encuentra con un hombre de negocios de Madrid que perdió su maleta. Puesto que Ud. ha tenido la misma experiencia en el pasado, lo aconseja.

EJEMPLO: reportar la pérdida inmediatamente
Reporte la pérdida inmediatamente.

1. mostrar las contraseñas de su maleta

   _____

2. llenar el formulario de pérdida de equipaje

   _____

3. agregar los reclamos de equipaje al formulario

   _____

4. pedir fotocopias del formulario y los reclamos

   _____

5. asegurarse que alguien se ocupe de la forma

   _____

6. apuntar el nombre y el número de teléfono de la persona que lo atendió

   _____

7. investigar la política de reembolso de los artículos perdidos.

_____

8. buscar todos los recibos de los artículos perdidos

_____

9. entregar los recibos después de fotocopiarlos

_____

10. insistir en el reembolso si la maleta no aparece en dos semanas

_____

B. Ud. y su grupo llegan a Madrid y conocen a su guía, la señora Delgado. Ella repasa las reglas y les explica la rutina de su visita. Escriba lo que ella les dice.

Ejemplo: despertarse a las siete

Despiértense a las siete.

1. bañarse de las siete hasta las ocho de la mañana.

_____

2. ponerse ropa apropiada

_____

3. llevar un sombrero y gafas de sol

_____

4. desayunarse en el comedor del hotel a las ocho

_____

5. subir el autobús a las ocho y media

_____

6. cambiar dinero en el banco de la esquina

_____

7. no separarse del grupo

_____

8. buscar a un policía u oficina turística si se pierde

_____

9. guardar con cuidado los documentos importantes y la bolsa

_____

10. no acostarse tarde

_____

C. En el Palacio Real, Ud. conoce a la señora Morales, miembro de un grupo turístico de Chile quien se separó de su grupo. Ella sabe que el grupo va a ir al Museo del Prado y quiere encontrarse con ellos allí. Le pide direcciones para llegar al museo y Ud. se las escribe.

EJEMPLO: ¿Sigo derecho?

Siga derecho.

1. ¿Camino por la Plaza de Oriente?

_____

2. ¿Tomo la Calle Arenal hasta la Puerta del Sol?

_____

3. ¿Cruzo la Plaza Puerta del Sol?

_____

4. ¿Sigo la Carretera de San Jerónimo?

_____

5. ¿Paso por la Plaza Canovas del Castillo?

_____

6. ¿Doblo a la derecha en el Paseo del Prado?

_____

7. ¿Encuentro el museo a la izquierda?

_____

8. ¿Consulto un plan de la cuidad si me pierdo?

_____

13.3. FAMILIAR COMMANDS

INFINITIVE	*CAMINAR*	*CORRER*	*SUBIR*
AFFIRMATIVE COMMAND	**camina (tú)** **caminad (vosotros)**	**corre (tú)** **corred (vosotros)**	**sube (tú)** **subid (vosotros)**
NEGATIVE COMMAND	**no camines (tú)** **no caminéis (vosotros)**	**no corras (tú)** **no corráis (vosotros)**	**no subas (tú)** **no subáis (vosotros)**

1. Regular Verbs

   a. Tú-commands have the same form as the third-person singular of the present tense indicative.

      José, *compra* la guitarra.   (command)

      José *compra* la guitarra.   (present tense)

   b. ***Vosotros*-commands** change the *-r* of the infinitive ending to *-d*. The ***vosotros*** form is commonly used in Spain. In Spanish America, ***Uds.*** is used instead.

   c. Negative familiar-command forms are the same as the corresponding forms of the present subjunctive, preceded by ***no***.

      ***No llegues* tarde al aeropuerto.**   (negative command)

      Es importante que no *llegues* tarde al aeropuerto.   (present subjunctive)

      ***No llevéis* demasiado equipaje en su viaje.**   (negative command)

      Es aconsejable que no *llevéis* mucho equipaje en su viaje.   (present subjunctive)

      NOTE: 1.   The ***vosotros*** command of reflexive verbs drop the *-d* before adding *-os*. ***Irse*** is an exception.

      comprarse: comprad   **Compraos unos zapatos nuevos.**

      irse: id   **Idos inmediatamente.**

      2.   To avoid a diphthong, an accent mark is added to the **í** before *-os* in the affirmative ***vosotros*** command.

      levantarse   irse   divertirse

      levantaos   idos   divertíos

E J E R C I C I O S

D. ¿Piensa hacer un viaje? Lea el siguiente artículo y decida si los mandatos que lo siguen son ciertos o falsos según la lectura. Luego busque y escriba el mandato informal que corresponda a cada uno de los infinitivos de la lista e incluya estos mandatos en un correo electrónico que escribe a su compañero de viaje.

La mejor manera de viajar

(Tema curricular: La vida contemporánea)

Si le preguntáramos a la gente si les gusta viajar, probablemente todos dirían que sí inmediatamente. Después de todo, los viajes son sinónimo de aventura, lo nuevo, diversión, descanso, placer, alegría. Sorprendentemente, nuestra experiencia nos demuestra que un número bastante grande de personas no saben viajar; no saben sacarle el máximo provecho a sus viajes y a sus vacaciones. Así pues, a continuación ofrecemos algunos consejos de viajeros expertos.

—Escoge muy bien el lugar a donde quieres ir. Trata de escoger uno con el que siempre has soñado por cualquier motivo o un lugar que realmente te llame la atención.

—Compra una guía turística del lugar. Léela antes del viaje; así empezarás a conocer la historia del lugar antes de ir. También podrás empezar a planear tu itinerario una vez que hayas llegado al lugar y evitar pérdida de tiempo innecesaria.

—Empaca estrictamente lo necesario. Uno de los errores más comunes de viajeros y vacacionistas es el de empacar como si se fueran a mudar de casa sin darse cuenta de que una maleta pesada resulta ser a la larga un estorbo y bastante pesado. Siempre es preferible llevar menos que más.

—Haz un presupuesto de cuánto vas a gastar. Antes del viaje, compra dinero del lugar a donde vas a viajar para llevar en efectivo. No lleves mucho; sólo lo necesario para los primeros días. El resto llévalo en cheques viajeros. Estos son más seguros ya que en caso de pérdida lo puedes denunciar inmediatamente al banco donde los compraste y el dinero se te devolverá a tu regreso.

—Escoge inteligentemente a la persona con la que vas a viajar. No todo el mundo es un buen compañero de viaje. Considera a aquellas personas con las que normalmente te llevas bien y con las que te diviertes un montón. Otra característica importante es la experiencia: mientras más haya viajado la persona, mejor. La experiencia es el mejor maestro.

Ahora lea los siguientes mandatos y escriba *cierto* si conforman con el artículo que acaba de leer o *falso* si no.

1. Compra una guía turística del lugar a donde quieres ir. _____

2. Ve al primer lugar que se te ocurra de vacaciones. _____

3. Lleva lo más que puedas de equipaje. _____

4. No hagas un presupuesto de lo que vas a gastar. _____

5. Escoge bien al compañero de viaje. _____

Busque y escriba los mandatos. Entonces escriba un correo electrónico a su compañero de viaje incluyendo estos mandatos y sus propias sugerencias para el viaje.

INFINITIVO	MANDATO (TÚ)
escoger	_____
tratar	_____
comprar	_____
leer	_____
empacar	_____
hacer	_____
llevar	_____
considerar	_____

E. Su amigo por correspondencia, el español Felipe Claros, viene a visitarlo/a durante el verano. Puesto que él nunca antes ha viajado por avión, Ud. le ofrece algunos consejos.

EJEMPLO: empacar ropa apropiada para el verano
   Empaca ropa apropiada para el verano

1. amarra a cada maleta una etiqueta con tu nombre y nuestra dirección aquí

   _____

2. no llevar maletas llenas para que quepan los recuerdos y regalos cuando vuelvas

   _____

3. no comer mucho antes del vuelo

   _____

4. guardar abordo contigo el dinero y los documentos importantes

   _____

5. traer cintas de música favorita

   _____

6. tratar de dormir durante el vuelo

   _____

7. mascar chicle cuando el avión descienda

   _____

8.   cambiar la hora en tu reloj antes de llegar

_____

9.   cambiar pesetas por dólares en un banco o en el aeropuerto

_____

10.   buscarme donde se reclama el equipaje

_____

F.   Ud. ha conseguido dos boletos para un concierto de rock y va a asistir con Felipe, quien acaba de llegar de España. Sus padres están preocupados y les aconsejan en inglés qué hacer y qué no hacer. Ud. le traduce los consejos a Felipe, porque él no comprende bien el inglés.

EJEMPLO: *Don't sit too close to the band.*
   No os sentéis demasiado cerca de la banda.

1.   Don't eat too much candy.

_____

2.   Don't shout too much.

_____

3.   Don't cross the street in the middle of traffic.

_____

4.   Sit with your friends.

_____

5.   Watch your belongings.

_____

6.   Don't try to meet the rock stars after the concert.

_____

7.   Travel home in a group.

_____

8.   Don't return home past midnight.

_____

9. Don't make noise when you come in after the concert.

_____

10. Have fun.

_____

2. Irregular Verbs

The following verbs are irregular in the affirmative *tú* command only. Their respective forms for the negative *tú* and the affirmative *vosotros* commands are all regular.

decir	**di**	**no digas**
hacer	**haz**	**no hagas**
ir	**ve**	**no vayas**
poner	**pon**	**no pongas**
salir	**sal**	**no salgas**
ser	**sé**	**no seas**
tener	**ten**	**no tengas**
venir	**ven**	**no vengas**
valer	**val**	**no valgas**

E J E R C I C I O S

G. Felipe no está en casa cuando su mamá llama de España. Ud. apunta lo que ella dice y luego le da el mensaje a Felipe.

EJEMPLO: llamar a cobro revertido a menudo

Llama a cobro revertido a menudo.

1. ponerse ropa apropiada

_____

2. no salir muy tarde por la noche

_____

3. ser cortés siempre

_____

4. comer vegetales

_____

5. decirle a ella si tiene problemas

_____

6. tener cuidado en la ciudad

_____

7. ir a los museos de arte y de historia natural

_____

8. poner atención a las reglas de la casa

_____

9. hacer los quehaceres necesarios

_____

10. venir a casa a la hora esperada

_____

13.4. INDIRECT COMMANDS

1. Indirect commands are expressed by **que** + _present subjunctive_. Generally the subject follows the verb and all pronouns precede the verb.

Que lo haga Juan.	_Let John do it._
¡Que tengas un feliz cumpleaños!	_May you have a happy birthday!_
¡Que te mejores pronto!	_Get well soon!_

2. The **nosotros** form of the present subjunctive is used to express the **nosotros** command, English _let us_ or _let's_. This may also be expressed by using **vamos a** followed by the infinitive.

¡Bailemos!	**¡Vamos a bailar!**	_Let's dance!_
Cantemos.	**Vamos a cantar.**	_Let's sing!_

The final **s** of the **nosotros** command is dropped before adding the reflexive pronoun **nos**.

Sentémonos aquí.	_Let's sit here._

E J E R C I C I O S

H. Es el cumpleaños de Felipe y Ud. está planeando una fiesta en el patio de su casa. Todos sus amigos quieren ayudar. Ud. prepara una lista de tareas para todos.

EJEMPLO: Ana quiere escoger la música.

      Que escoja Ana la música.

1. Carlos quiere tocar la guitarra.

   _____

2. Susana y Pepe quieren preparar los refrescos.

   _____

3. Elena y Antonio quieren hacer el pastel.

   _____

4. Eduardo quiere comprar los platos y las tazas de papel.

   _____

5. Todos quieren limpiar después de la fiesta.

   _____

I. Felipe y Ud. deciden pasar el fin de semana en la ciudad de Nueva York. Deciden qué hacer y preparan una lista juntos.

Ejemplo: tomar el tren

   Tomemos el tren.

1. visitar las Naciones Unidas

   _____

2. subir la Estatua de la Libertad

   _____

3. almorzar en un restaurante español

   _____

4. pasearse por la Quinta Avenida.

   _____

5. ver las exposiciones en el Museo de Historia Natural

   _____

6. mirar la película «El cartero», sobre Pablo Neruda y su cartero en Italia.

   _____

7. asistir a un partido de baloncesto en Madison Square Garden.

   _____

8. bailar en una discoteca popular

13.5. IMPERSONAL COMMANDS

1. Impersonal commands may be formed by using *se* and the third-person singular or plural of the present subjunctive. (This construction is rarely used.)

   ***Tradúzcase** al inglés el siguiente párrafo.*

   ***Complétense** las siguientes oraciones.*

2. The infinitive may also be used to express impersonal commands.

   ***Agregar** una cucharada de azúcar.*

   No *estacionarse.*

   No *fumar.*

E J E R C I C I O S

J. Felipe quiere compartir su receta para flan de leche. Él se la dice y Ud. la escribe.

EJEMPLO: Calienta el horno a una temperatura moderada de 160 grados Fahrenheit.
Calentar el horno a una temperatura moderada.

1. Pon 75 gramos de azúcar y una cucharadita de agua en una pequeña olla.

   _____

2. Dora el azúcar hasta que tenga la consistencia y el color de la miel.

   _____

3. Viértelo inmediatamente en un molde redondo de 20 centímetros en diámetro.

   _____

4. Déjalo enfriar.

   _____

5. Bate los huevos.

   _____

6. Agrega 2 tazas de leche caliente, los 3 huevos, 1 cucharadita de vainilla y una de sal.

   _____

7. Mezcla bien.

   _____

8. Vierte la mezcla sobre el azúcar caramelizado.

_____

9. Pon el molde dentro de un recipiente que contenga agua caliente.

_____

10. Hornéalo de una a una hora y media, hasta que se cuaje.

_____

11. Retíralo del horno y sácalo del agua.

_____

12. A los diez minutos, colócalo en la nevera.

_____

13. Cuando se enfríe, pasa un cuchillo alrededor de los lados del molde.

_____

14. Vuelva el flan sobre un plato que conserve su delicioso almíbar de caramelo.

_____

15. Sirve el flan.

_____

T R A B A J O   C O O P E R A T I V O

A. Su clase decide preparar una comida típica española para dar la bienvenida a un estudiante de intercambio que acaba de llegar de Valencia. Formen grupos de cuatro para buscar y compartir recetas y preparar la comida. Cada grupo investiga y prepara un plato diferente. Escriban las recetas usando el mandato informal.

- El líder organiza el trabajo del grupo y ayuda a los demás.
- Todos buscan recetas en la biblioteca.
- El grupo escoge una receta.
- Un miembro del grupo escribe la receta para la clase usando el mandato informal.
- Los otros miembros del grupo chequean las formas del verbo.
- El grupo prepara el plato para la clase: un miembro lee la receta mientras los demás demuestran las direcciones.

B. Su clase está comunicándose vía correo electrónico con una clase de un colegio en España. Uds. discuten la posibilidad de crear legislación internacional para controlar el mal uso del Internet. Formen grupos de trabajo para preparar recomendaciones para navegantes internacionales como Uds. Envíenselas por correo electrónico a sus amigos en España. Usen los mandatos impersonales.

- El líder organiza el trabajo del grupo y ayuda a los demás.
- Un miembro busca información sobre legislación y seguridad nacional sobre el Internet.
- Otro miembro busca información sobre censura y leyes internacionales relativas al Internet.
- El grupo prepara una lista de consejos para navegantes internacionales del Internet usando mandatos impersonales.
- El grupo le presenta la lista a su clase y después se la envía a sus amigos en España, esperando su reacción y respuesta.

MASTERY ASSESSMENTS

A. Complete estos consejos sobre seguridad para los viajeros, escribiendo la forma apropiada del mandato formal.

EJEMPLO: no abrir la puerta del hotel o motel sin antes verificar quién es
No abra la puerta del hotel sin antes verificar quién es.

1. usar la entrada principal cuando regrese tarde en la noche

   _____

2. observar a su alrededor antes de entrar en su habitación.

   _____

3. Cerrar la puerta con todas las cerraduras cuando esté en la habitación

   _____

4. No salir de la habitación sin cerrar la puerta completamente.

   _____

5. no exponer las llaves de la habitación sin necesidad alguna en lugares públicos

   _____

6. no dejar su bolsa o las llaves en lugares donde sea fácil robarlas

   _____

7. no llamar la atención llevando y exhibiendo mucho dinero o joyas finas

   _____

8. no invitar a extraños en su automóvil o a su habitación

   _____

9. poner todos sus objetos de valor en las cajas de seguridad del hotel

   _____

10. no dejar objetos necesarios o de valor en los automóviles donde se pueden ver.

    _____

B. Mande estos mismos consejos por correo electrónico a su amigo, que sale pronto para España.

EJEMPLO: No abras la puerta del hotel sin antes verificar quien es.

1. _____

2. _____

3. _____

4. _____

5. _____

6. _____

7. _____

8. _____

9. _____

10. _____

C. Ud. y su novio(-a) deciden hacer algo especial para celebrar su aniversario. Sus amigos les recomiendan varias actividades y Uds. las escriben.

EJEMPLO: rentar películas románticas

        Renten películas románticas.

1. ir a tomarse una foto juntos

   _____

2. preparar una cena romántica

   _____

3. intercambiar regalos

4. asistir a un concierto de un grupo musical popular

5. regalarse algo que puedan compartir

6. pasearse por el parque leyéndose poemas de amor

7. compartir dulces favoritos

8. organizar una fiesta con amigos

9. caminar juntos en la playa al atardecer

10. sorprenderse haciendo recados el uno por el otro

11. no olvidarse de intercambiar mensajes de amor originales

12. hacer un viaje al lugar donde se declararon su amor por primera vez

D. Escojan seis de las actividades de la lista.

Ejemplo: Rentemos películas románticas.

1. _____

2. _____

3. _____

4. _____

5. _____

6. _____

A U T H E N T I C   A S S E S S M E N T S

1. Ud. es un agente de viajes y tiene que organizar el itinerario de un viaje de luna de miel por España en automóvil. Prepare el itinerario, incluyendo:

   a. los horarios

   b. sitios culturales

   c. direcciones de hoteles

   d. mapas.

   Incluya también, una lista de sugerencias de cómo proteger el equipaje y sus pertenencias durante el viaje.

2. Ud. está encargado(-a) de promover una nueva atracción turística en Hispanoamérica. Tiene que preparar un video que describe el sitio y que convence a los turistas a visitarlo.

   Prepare el video y muéstreselo a su clase.

PART THREE

ARTICLES, NOUNS, PRONOUNS, ADJECTIVES, ADVERBS, AND PREPOSITIONS

C H A P T E R

14

La sociedad:
Entre la mujer y el hombre
Articles and Nouns

14.1. USES OF THE ARTICLES

1. The Definite Article

   The definite articles *el, la, los,* and *las* are used before nouns in the following cases:

   a. To indicate that the noun refers to a general class or an abstract concept. English, in contrast, states the same by removing the definite article.

El ejercicio es necesario para mantener la salud.	*Exercise is necessary to maintain your health.*
No le gustan *los* vegetales.	*He / She doesn't like vegetables.*
La discriminación se aprende.	*Discrimination is learned.*

   b. To replace the possessive adjective when referring to parts of the body and clothing. This is particularly common with reflexive verbs and pronouns.

Elena se lava *las* manos antes de ponerse *el* suéter blanco.	*Ellen washes her hands before she puts on her white sweater.*
Le duele la cabeza.	*His/Her head hurts. (He/She has a headache.)*

   c. Before titles, unless the person is being addressed directly. Note that definite articles do not precede the titles of *San, Sant-o, Santa, don* or *doña*.

El señor Gómez nos visita esta tarde.	*Mr. Gómez is visiting us this afternoon.*
Buenas tardes, señor Gómez.	*Good afternoon, Mr. Gómez.*
A Eva Perón la llamaron Santa Evita.	*Eva Perón was called Santa Evita.*
Don Juan es un símbolo literario universal.	*Don Juan is a universal literary symbol.*

d. In sentences expressing the time (hour).

Es la *una.*	*It's one o'clock.*
Son *las* **tres.**	*It's three o'clock.*

e. To express days of the week, except after the verb **ser**. Before days of the week, *los* indicates that the action or event always occurs on that day.

Fui al teatro *el* **sábado.**	*I went to the theater on Saturday.*
Hoy es domingo.	*Today is Sunday.*
Visito a mi abuela *los* **domingos.**	*I visit my grandmother every Sunday.*

f. To express seasons, except after *en*, which indicates that the event recurs every season.

El **verano que viene voy a España con mi amiga.**	*Next summer, I'm going to Spain with my friend.*
En **verano visito a mis abuelos.**	*Summers I visit my grandparents.*

g. To indicate the names of languages, except after the verb **hablar** and the prepositions *de* and *en*. It is generally omitted after **estudiar, enseñar, aprender, saber, escribir,** and **leer.**

El **portugués es uno de los idiomas romances.**	*Portuguese is one of the Romance languages.*
Felipe habla francés y estudia español.	*Felipe speaks French and studies Spanish.*
Tenemos mucha tarea en mi clase de español.	*We have a lot of homework in my Spanish class.*
La carta está escrita en español.	*The letter is written in Spanish.*

h. To indicate certain geographic locations including countries, cities, rivers, oceans, and seas. These include the following:

la **Argentina,** *el* **Ecuador,** *la* **China,** *La* **Habana,** *el* **Perú,** *el* **Paraguay,** *el* **Salvador,** *el* **Brasil,** *el* **Uruguay,** *el* **Japón,** *el* **Canadá,** *los* **Estados Unidos,** *el* **Escorial,** *el* **Guadalquivir,** *el* **Océano Atlántico,** *el* **Ebro.**

i. To introduce quantities, weights and measures, whereas the indefinite article is used in English.

Las rosas cuestan mil doscientas pesetas *la* **docena.**	*Roses cost one thousand two hundred pesetas a dozen.*
El queso está a quinientas pesetas *el* **kilo.**	*Cheese is five hundred pesetas a kilo.*

j. The definite article *el* is used before feminine nouns that begin with the stressed syllable *a* or *ha* to avoid the loss of the sound of the definite article. The plural forms, however, retain the *las*.

El **agua está fría.**	*Las* **aguas del río fluyen al mar**
El **ave es azul.**	*Las* **aves están volando al sur.**

   k. The definite article *el* is used before infinitives so that they function as nouns.

> ***El* estudiar es necesario para salir bien.**   *Studying is necessary to succeed.*

1. *A* + *el* becomes *al*. *De* + *el* becomes *del*, except before proper nouns. Note that *al* + *infinitive means* upon + *ing verb.*

> **Vamos *al* partido de fútbol.**
> **Carlos es el mejor jugador *del* equipo.**
> **El equipo *a el* Salvador para una competición.**
> **Miguel de Unamuno es el autor *de* «El otro».**
> ***Al* entrar vi a mi amigo Felipe.**

2.   The Indefinite Article

The indefinite articles ***un, una, unos,*** and ***unas*** are used before nouns that are being modified.

> **Es *un* profesor erudito y simpático.**   *He is a learned, nice teacher.*
> **Elena es *una* amiga fiel.**   *Elena is a trustworthy friend.*

Unlike English, the indefinite article is omitted before nouns that identify professions and political or religious affiliations.

> **El señor González es abogado.**   *Mr. González is a lawyer.*
> **Susana es ingeniera.**   *Susana is an engineer.*
> **Carlos es liberal.**   *Carlos is a liberal.*

It is also omitted before certain words preceded by an indefinite article in English.

> **Recibí otro regalo.**   *I received another gift.*
> **Cuesta ciento veinte dólares.**   *It costs a hundred and twenty dollars.*
> **Tiene más de mil libros.**   *He has more than a thousand books.*
> **Tal estudiante no es común.**   *Such a student is not common.*

The indefinite article ***un*** is used before feminine nouns beginning with the stressed *a* or *ha* to avoid the loss of a syllable. The plural form doesn't change.

> **Es un ave exótica.**   ***Unas* aves negras vuelan en el cielo.**

3.   The Neuter Article *lo*

The neuter article *lo* preceding an adjective forms an abstract noun or general concept.

> ***Lo* importante es la comunicación.**
> ***Lo* bueno siempre vence a *lo* malo en los cuentos de hada.**

    Complete the pretest that follows, noting the uses of the articles and checking the forms as you review the section Gender of Nouns in this chapter.

PRUEBA PRELIMINAR

Lea el artículo y complete las frases con la forma apropiada de los artículos o de las contracciones al y del. Luego, conteste la pregunta.

Heredia: El poder de las mujeres es un poder que hace la diferencia

(Tema curricular: Las identidades personales y públicas)

_____ primera dama, Nadine Heredia, envió a través de _____
1.   2.

redes sociales _____ saludo por el Día Internacional de _____
3.   4.

Mujer, en _____ que destacó _____ «vital aporte» de
5.   6.

_____ ciudadanas en «_____ construcción nacional a
7.   8.

_____ largo de nuestra milenaria historia».Heredia, a _____
9.   10.

sazón, presidenta _____ Partido Nacionalista, destacó que poco a poco se
11.

ha avanzado en _____ cierre de «brechas e inequidades» entre varones y
12.

mujeres. «Sabemos bien que es un camino largo, donde hay muchas historias y muchos

rostros que valorar y reconocer», sentenció. Resaltó que cada vez es más frecuente ver a

mujeres ocupando _____ puestos decisivos, «a _____ cabeza
13.   14.

de un emprendimiento, _____ mando de _____ gobernación,
15.   16.

como regidora o alcaldesa, como congresistas o ministras de Estado».

«En esta larga marcha, _____ gobierno _____ presi-
17.   18.

dente Ollanta Humala ha querido alentar políticas que aporten a _____
19.

inclusión y desarrollo de _____ peruanas», comentó.
20.

«A _____ largo y ancho de nuestro territorio, _____
21.   22.

mujeres del Perú son _____ socias más importantes _____ Gob-
23.   24.

ierno para avanzar en _____ lucha contra _____ desnutrición,
25.   26.

_____ protección y _____ desarrollo de _____
27.   28.   29.

primera infancia», añadió.

La primera dama también destacó que en _____ actualidad hay más
30.

mujeres en puestos de decisión y en espacios de influencia «en _____ mundo
31.

empresarial, en _____ sociedad y en _____ política».
32.   *33.*

«_____ poder de las mujeres en _____ Perú
34.   *35.*

es _____ poder que hace _____ diferencia, desde
36.   *37.*

_____ deporte pasando por cultura y la política. No es poder para destruir,
38.

sino para construir. Nunca excluyente, sino complementario», comentó.

«Esta es _____ fecha que también compromete a sumar voluntades
39.

para cerrar _____ brechas de género; para acabar con _____
40.   *41.*

cultura machista que impone límites estrechos a _____ expansión de
42.

_____ capacidades de las mujeres y a su derecho a decidir y participar»
43.

sentenció.

(http://www.rpp.com.pe/2014-03-08-heredia-el-poder-de-las-mujeres-es-un-poder-que-hace-la-diferencia-noticia_675245.html)

Pregunta

1. ¿Cómo describe Nadine Heredia el poder de las mujeres?

_____

_____

_____

14.2. GENDER OF NOUNS

1. Almost all nouns are either masculine or feminine. Nouns referring to males are masculine, while those referring to females are feminine.

    el hombre   **la mujer**
    el padre   **la madre**
    el rey   **la reina**

    a. Feminine Nouns

    1. The following endings generally indicate that nouns are feminine.
        -ión: **la nac*ión*, la canc*ión*, la estac*ión*, la un*ión*, la mis*ión***
        -ie: **la ser*ie*, la superfic*ie*, la espec*ie*, la planic*ie***

-ad:	la verdad, la felicidad, la libertad, la ciudad, la bondad
-ud:	la juventud, la plenitud, la multitud, la salud, la actitud
-umbre:	la certidumbre, la legumbre, la cumbre, la costumbre
-sis:	la tesis, la crisis, la perífrasis, la psicosis
-itis*:	la faringitis, la conjuntivitis, la apendicitis, la amigdalitis

NOTE: 1. A few words that end in **-o** are feminine. They are:

la mano   **la foto** (short form of **fotografía**)

la moto (short for **motocicleta**)

2. Letters are feminine.

la *che,* la *elle,* la *eme,* and so on..

3. Fruits are feminine while the corresponding trees are masculine.

la fruta: la pera, la manzana, la cereza, la castaña

el árbol: el peral, el manzano, el cerezo, el castaño

b. Masculine Nouns

1. The following endings generally indicate that nouns are masculine.

-aje:	el pais*aje,* el equip*aje,* el tr*aje,* el gar*aje,* el cor*aje*
-ambre:	el enj*ambre,* el cal*ambre,* el al*ambre*
-or:	el am*or,* el val*or,* el ferv*or,* el despertad*or,* el clam*or*
-ma:	el progra*ma,* el proble*ma,* el telegra*ma,* el poe*ma,* el siste*ma,* el idio*ma*

2. The days of the week and months of the year are masculine.

el lunes   el febrero

3. Numbers are masculine.

Hoy es el diez de noviembre.

4. Colors are masculine when used as nouns.

Prefiero el azul.

5. Infinitives that become nouns are all masculine.

El *hablar* está prohibido durante el examen.

6. Compound words made up of a verb and a noun are masculine.

el abrelatas, el lavaplatos, el tocadiscos, el paraguas, el rascacielos

---

*The suffix *-itis* refers to illnesses or inflammations.

7. The names of rivers, seas, oceans, mountains, and straits are all masculine.

el Amazonas	**el Estrecho de Magallanes**
el Mediterráneo	**el Ebro**
el Canal de Panamá	**el Guadalquivir**
el Popocatéptl	**el Tajo**

8. Languages are masculine.

Se habla el francés y el inglés en el Canadá.

9. The following nouns ending in **-a** are masculine.

el día   **el planeta**   **el tranvía**

c. Masculine or Feminine

1. Masculine nouns that end in **-or, -és,** or **-n,** add **-a** to form the feminine equivalent.

el profesor	**la profesora**	**el alemán**	**la alemana**
el doctor	**la doctora**	**el francés**	**la francesa**

NOTE: **1.** The accent mark is dropped in the feminine form.
          2. **Emperador, emperatriz, actor,** and **actriz** are exceptions.

2. Some nouns change only their article to indicate masculine or feminine.

el / la artista	**el / la dentista**	**el / la testigo**
el / la modelo	**el / la astronauta**	**el / la periodista**
el / la atleta	**el / la telefonista**	**el / la ciclista**

3. Some nouns change their meaning with a change in gender.

el cura	*priest*	**la cura** *cure*
el mañana	*future*	**la mañana** *morning*
el orden	*order, tidiness*	**la orden** *command*
el capital	*money*	**la capital** *capital city*
el corte	*cut*	**la corte** *court*
el guía	*guide, male*	**la guía** *guidebook (female guide)*
el policía	*policeman*	**la policía** *police force, policewoman*
el radio	*radio (set)*	**la radio** *radio (broadcasting system)*

4. Some nouns maintain a single gender but are applied to both males and females.

Él (Ella) es *la víctima* del crimen de robo.

***El personaje* más importante de la novela es Jorge (María).**

El bebé se llama Carlos (Ana).

Mi padre (madre) es *la persona* que me influye más.

14.3.   NUMBER OF NOUNS

1. Nouns that end in a vowel form the plural by adding an *s*.

libro	libro*s*	diente	diente*s*
casa	casa*s*	ojo	ojo*s*

2. Nouns that end in consonants, *y*, *ú*, or *í* form the plural by adding *-es*.

papel	papel*es*	tabú	tabú*es*
frijol	frijol*es*	coquí	coquí*es*
mes	mes*es*	rubí	rubí*es*
ley	ley*es*	buey	buey*es*

3. Nouns that end in *z* change the *z* to c and add *-es* to form the plural.

lápiz	lápi*ces*	pez	pe*ces*
nuez	nue*ces*	luz	lu*ces*

4. Nouns that have an accent mark on the last syllable generally lose the accent mark but maintain the stress on that syllable in the plural form.

inglés	ingl*eses*	limón	lim*ones*
autobús	autob*uses*	canción	canci*ones*

    NOTE: An exception is **país**: *países.*

5. Nouns that end in a vowel + *s* do not change in the plural.

la crisis	las crisis	el atlas	los atlas	el lunes	los lunes

6. Compound nouns do not change in the plural.

el abrelatas	los abrelatas	el paraguas	los paraguas
el parabrisas	los parabrisas	el lavaplatos	los lavaplatos

7. The plural of nouns that refer to both genders are expressed in the masculine plural form.

    los hermanos = las hermanas + los hermanos
    los hijos = la hija + el hijo
    los reyes = el rey + la reina

E J E R C I C I O S

A.   Lea el artículo que sigue sobre la «igualdad de oportunidades» e identifique los nombres, notando sus usos. Luego complete los ejercicios que siguen.

Diez medidas para fomentar la igualdad entre hombres y mujeres

(Tema curricular: Las identidades personales y públicas)

VOCABULARIO

el ámbito laboral workplace	**el eje** axis
acortar to reduce	**la expectativa** expectation
asesorar to advise, counsel	**el presupuesto** budget
la brecha breach, gap	**retribuido** paid, rewarded

Consejo de Ministros ha dado luz verde este viernes al Plan Estratégico de Igualdad de Oportunidades (PEIO) 2014-2016, que cuenta con un presupuesto de 3.140 millones de euros y cuyos ejes principales serán la igualdad en el ámbito laboral, la conciliación y la lucha contra la violencia de género. Destacamos diez de estas medidas que pretenden acortar la brecha entre sexos:

1. Facilitar la incorporación al trabajo de las mujeres tras un período de inactividad por cuidado de hijos u otros familiares, con programas de formación.

2. En cuanto a la brecha salarial, se reforzará la vigilancia en inspección para asegurar que se cumpla la normativa sobre igualdad salarial. El Instituto de la Mujer asesorará a mujeres víctimas de discriminación retributiva e informará de sus derechos.

3. Asimismo, se realizarán campañas informativas para que los jóvenes elijan sus estudios o profesión basándose únicamente en sus capacidades y expectativas, y no en roles de género, ya que la desigualdad se debe, en gran medida, a que las mujeres ocupan mayoritariamente puestos en sectores peor retribuidos y valorados.

4. El Plan pretende aumentar la participación femenina en todos los ámbitos, también el rural. Para ello, se pondrá en marcha un Plan Especial para la Promoción de las Mujeres Rurales, para visibilizar las especiales dificultades a las que se enfrentan y combatirlas con medidas como la promoción de su presencia en órganos directivos de cooperativas agrarias y pesqueras.

5. Ampliación del derecho a la reducción de jornada de los padres y madres de niños afectados por cáncer o enfermedades graves para cubrir lagunas que existen en la actualidad, como las que afectan a familias de acogida. Asimismo, se introducirán medidas para que los padres y madres trabajadores puedan asistir a las reuniones escolares de sus hijos e hijas menores.

6. En cuanto a la racionalización de horarios, en el ámbito del empleo público van a estudiarse nuevas medidas de flexibilidad horaria, que permitan disminuir, en determinados periodos y por motivos relacionados con la conciliación, la jornada semanal, recuperándose el tiempo en las jornadas siguientes. Lo que se conoce como «bolsa de horas».

7. El Ministerio también pedirá su colaboración a los medios de comunicación para que ajusten su programación y contribuyan, de este modo, a la necesaria modificación de horarios.

8. Para que las mujeres no tengan que elegir entre ser madres y mantener su puesto de trabajo, el Ministerio está trabajando en un Plan de Apoyo a la Maternidad, que contendrá medidas como la mejora de las deducciones fiscales para las familias con hijos.

9. El Plan contempla la creación de un sistema de información que contenga todas las ayudas estatales, autonómicas y locales, así como información de recursos públicos y privados. Estas y otras medidas se desarrollarán a través del Plan Integral de Apoyo a la Familia...

10. Además, el Plan contempla aprobar un protocolo de actuación en el ámbito de la Administración General del Estado para facilitar la movilidad a las víctimas de la violencia de género en situación de especial protección.

(http://www.abc.es/sociedad/20140308/abci-diez-medidas-igualdad-201403072152.html)

B. Escriba un resumen de las 10 medidas presentadas en el artículo.

_____

_____

_____

_____

_____

C. Lea los comentarios siguientes que responden al artículo, y escriba su propio comentario.

COMENTARIOS

1. « ¿Por qué pretenden que seamos iguales si no lo somos ni entre los hombres ni entre las mujeres? Yo, que mido 1,40 m. exijo trato de igualdad y que por ley pueda jugar a básquet. ¿A qué no? Mejor aún; por igualdad que pueda jugar en la Liga Femenina. O al revés. Como dicen los franceses: ¡Viva la diferencia! Bueno, lo dicen en francés».

2. «Vistos los comentarios de los lectores, parecería que estamos ante un asunto banal. Cuando echan del trabajo a una mujer competente por quedarse embarazada, aunque en la carta de despido le digan que es por no cumplir las expectativas, estos temas dejan debanalizarse».

3. _____

_____

_____

_____

_____

_____

TRABAJO COOPERATIVO

A. Formen grupos de cuatro a seis alumnos para discutir el papel cambiante de la mujer en el mundo del empleo y en la familia.

- El líder del grupo organiza el trabajo y ayuda a los demás.
- Todos leen y discuten la historieta cómica.
- Se ha dicho que la igualdad entre los hombres y las mujeres sucederá con el cambio de actitud de las nuevas generaciones. Preparen una encuesta para verificar o refutar esta conclusión. Parte del grupo prepara preguntas sobre el papel de la mujer de la generación de sus padres. La otra parte prepara una encuesta semejante para sus abuelos.

- Incluyan preguntas sobre las profesiones o trabajos típicos de las mujeres y de los hombres de la generación en particular. Incluyan los empleos siguientes: astronauta, periodista, telefonista, artista, piloto, policía, médico/médica, cantante, actor/actriz, abogado/abogada, juez/jueza.
- Después de entrevistar a sus parientes y/o a otros miembros de esa generación, discutan las respuestas.
- Preséntenle los resultados de la encuesta y sus conclusiones a la clase.

B. Formen grupos de seis alumnos para discutir la equidad de género en el mundo.

- El líder del grupo organiza el trabajo y ayuda a sus compañeros.
- El grupo se divide en tres parejas para leer el «blog» y completarlo con el artículo definido, indefinido o neutro apropiado, o con la contracción *al o del*.
- Las parejas discuten las siguientes preguntas:
    1. ¿Cuáles son algunas desigualdades que enfrentan muchas mujeres en el mundo?
    2. ¿Por qué es importante para todo el mundo que las mujeres seanempoderadas?
- Los miembros presentan sus respuestas al grupo.
- El grupo investiga y contesta la siguiente pregunta: ¿Qué se puede hacer paracombatir las desigualdades en el mundo?
- El grupo presenta sus ideas a la clase entera y en el sitio Web de su clase o escuela.

¿Dónde está la equidad de género? 15 diferencias entre hombres y mujeres en el trabajo

(Tema curricular: Las familias y las comunidades; Los desafíos mundiales)

Hoy en día muchas más niñas van a la escuela y viven más tiempo, tienen incluso vidas más saludables que hace 30 o 10 años. Sin embargo, en _____ nuevo reporte

1.
sobre el Desarrollo Mundial _____ Empleo, Jim Yong Kim, Presidente de

2.
The World Bank Group, explica que «esto no se ha traducido en beneficios más amplios. Demasiadas mujeres aún carecen de _____ libertades básicas y oportuni-

3.
dades para hacer frente a enormes desigualdades».

_____ informe reconoce que menos de _____ mitad de

4.   5.
las mujeres tienen puestos de trabajo, frente a las casi cuatro quintas partes de los hombres. Adicionalmente, el reporte *'Gender at work'* defiende la necesidad de invertir más en _____ capacidades de las mujeres y la urgencia de eliminar las barreras

6.
estructurales, así como de leyes que impiden que la mujer tenga una propiedad, acceda a financiación o trabaje sin permiso de _____ pariente masculino.

7.

'Gender at work' establece que ningún país ha alcanzado _____ equidad

8.
de género en los salarios pese a que los trabajos pueden aportar beneficios a las mujeres, sus familias, las empresas y _____ comunidades.

9.

15 Diferencias entre hombres y mujeres que expone _____ informe

10.

'Gender at work':

- En 15 países las mujeres siguen necesitando consentimiento de sus maridos para trabajar.

- Las mujeres representan aproximadamente el 83% de los trabajadores domésticos en todoel mundo.

- Las mujeres hacen la mayor parte _____ 11. trabajo no remunerado en el mundo, tanto en el hogar como en las empresas familiares donde, una de cada cuatro mujeres trabaja sin remuneración y sin participación formal en el negocio.

- Casi cuatro de cada 10 personas en el mundo (cerca de la mitad en el desarrollo países) está de acuerdo en afirmar que, cuando los empleos son escasos, los hombres deben tener más derecho de puestos de trabajo que las mujeres.

- Las mujeres ganan en promedio entre 10 y 30 por ciento menos que los hombres. _____ 12. brechas son especialmente graves en el Medio Oriente y el Norte de África, pero también persisten en los países de altos ingresos de la OCDE (The Organisation for Economic Co-operation and Development) esto, de acuerdo con _____ 13. análisis realizado en 83 países por la OIT (Organización Internacional del Trabajo)

- Las mujeres tienen tan solo _____ 14. mitad de probabilidades que los hombres de tener empleos de salario de tiempo completo.

- Colombia Fiji, Jamaica, Lesotho y Filipinas son _____ 15. únicos países en los que las mujeres alcanzaron o superaron _____ 16. paridad con los hombres en ocupaciones tales como legisladores, altos funcionarios y directivos.

- A nivel mundial, tan sólo el 47% de las mujeres han abierto _____ 17. cuenta en una institución financiera formal en comparación con el 55% de los hombres.

- En América Latina y el Caribe, la mitad de las empresas de propiedad de las mujeres no tienen empleados en comparación con 38% de las empresas de propiedad de hombres.

- Los ingresos de las mujeres suelen declinar cuando tienen hijos, _____ 18. situación quese vive en un 71 % de las mujeres menores de 30 años y 88% en el caso de las mujeres entre 30 y 39 años de edad, en cambio los hombres, de todas _____ 19. edades, con niños son propensos a tener ingresos más altos que los hombres sin hijos, _____ 20. cual no es el caso de las mujeres en cualquier grupo de edad.

- _____ proporción de mujeres en puestos de alta dirección a nivel mundial es

21.
  de sólo 24%, así lo indica el último reporte de negocios de 'Grant Thornton International'.

- Las mujeres están mucho más concentradas en trabajos de ventas _____

22.
  por menor, frecuentemente en el sector informal.

- Las tareas _____ hogar, crianza de los hijos y el cuidado de los ancianos a

23.
  menudo son considerados principalmente responsabilidad de las mujeres.

- En _____ mayoría de _____ países en desarrollo, las

24. *25.*
  mujeres tienen menos oportunidades de decidir en áreas fundamentales de la vida
  diaria, incluyendo su propia salud sexual y reproductiva o cómo utilizar el ingreso
  económico del hogar.

- _____ Organización Mundial de la Salud estima que más

26.
  _____ 35 por ciento de las mujeres han experimentado violencia basada

27.
  en el género. _____ gran proporción de mujeres en el mundo carecen de

28.
  protección contra la violencia.

La igualdad de género en el trabajo sí importa

De acuerdo con los objetivos del Banco Mundial, «empoderar a las mujeres y las niñas es
fundamental para acabar con la pobreza extrema (meta para el año 2030) e impulsar la
prosperidad compartida».

No obstante, casi la mitad del potencial productivo de las mujeres a nivel mundial
no es utilizado, en comparación con el 22% del de los hombres, según la Organización
Internacional del Trabajo. Mientras tanto, en _____ lugares donde el tra-

29.
bajo remunerado de las mujeres ha aumentado, ha sido en América Latina y el Caribe, allí
las ganancias han hecho contribuciones significativas a _____ reducción de

30.
la pobreza en general.

(http://blogs.elespectador.com/maleta-de-vieja/2014/03/07/donde-esta-la-equidad-de-genero-15-diferencias-
entre-hombres-y-mujeres-en-el-trabajo/)

M A S T E R Y   A S S E S S M E N T S

A. Lea el siguiente fragmento sobre el trabajo de extraer chicle, materia que se usa para la goma de mascar. Escoja la parte que hay que cambiar para que cada oración sea correcta, y escriba la letra.

Preparar chicle

(Tema curricular: La vida contemporánea)

VOCABULARIO

almacenar to store

el chicozapote tropical evergreen

colar to strain

la marqueta crude cake of wax

la materia prima raw material

---

1. _____ A $\underset{A}{\underline{los}}$ chicleros les toma todo $\underset{B}{\underline{un}}$ día de fuerte trabajo cocer $\underset{C}{\underline{la}}$ resina que

   han extraído en una semana de $\underset{D}{\underline{las}}$ árboles de chicozapote.

2. _____ Durante $\underset{A}{\underline{los}}$ meses de julio a febrero ellos se concentran en $\underset{B}{\underline{la}}$ extracción

   de $\underset{C}{\underline{la}}$ chicle, materia prima $\underset{D}{\underline{de\ la}}$ goma de mascar.

3. _____ Los trabajadores pican $\underset{A}{\underline{los}}$ chicozapotes con sus machetes, haciendo $\underset{B}{\underline{unos}}$

   cortes en forma de $\underset{C}{\underline{un}}$ «V» en $\underset{D}{\underline{una}}$ cara del tronco.

4. _____ Transportan $\underset{A}{\underline{el}}$ goma que cada uno saca de $\underset{B}{\underline{los}}$ árboles en $\underset{C}{\underline{un}}$ saco de lona,

   y la vacían a $\underset{D}{\underline{una}}$ bolsa más grande, donde la almacenan.

5. _____ $\underset{A}{\underline{Un}}$ vez llenas, es día de «cocinar». Así le llaman los trabajadores $\underset{B}{\underline{al}}$ pro-

   ceso para extraer chicle: primero cuelan $\underset{C}{\underline{la}}$ resina y luego la ponen $\underset{D}{\underline{al}}$ fuego

   por hora y media, aproximadamente.

6. _____ Cuando $\underset{A}{\underline{la}}$ agua que contiene $\underset{B}{\underline{la}}$ goma se evapora, ésa se vuelve más con-

   sistente y chiclosa, hasta que toma $\underset{C}{\underline{un}}$ color café claro. Los chicleros saben

   entonces que cuajó, que está cocida y lista para retirarla $\underset{D}{\underline{del}}$ fuego...

7. _____ Entonces, la dividen y la colocan en <u>unos</u> moldes de madera. Para manejar
A

el chicle que está caliente, humedecen <u>los</u> manos con agua y lo separan <u>del</u>
B   C

molde. Entonces se escribe <u>las</u> iniciales del chiclero.
D

8. _____ <u>Los</u> domingos los chicleros se quedan con sus mujeres e hijos y preparan
A

<u>los</u> provisiones que van a necesitar <u>la</u> próxima vez que salen para <u>el</u> bosque.
B   C   D

B. Lea el siguiente fragmento sobre los bancos comunales y escribe el artículo definido o indefinido, al o del según el texto en la lista de sustantivos. Luego conteste las preguntas.

Los bancos comunales manejan $ 120 millones

(Tema curricular: La vida contemporánea)

El también conocido como «sistema financiero de los pobres» se diferencia de las grandes entidades privadas y cooperativas de ahorro y crédito porque la propia comunidad se encarga de organizar, cobrar y pagar

En el país se estima que hay alrededor de 14.600 organizaciones financieras del sector comunitario, principalmente representadas por unas 12.000 cajas y bancos comunales, según datos de la Superintendencia de Economía Popular y Solidaria (SEPS).

Los bancos comunales, también conocidos como «sistema financiero de los pobres», tienen una cartera de crédito de aproximadamente $ 120 millones, indicó Javier Vaca, director ejecutivo de la Red Financiera Rural (RFR).

Vaca explicó que la banca comunal es una metodología para llegar a las personas de menos recursos económicos, específicamente a mujeres. «En muchas ocasiones son madres solteras, cabezas del hogar que necesitan de un emprendimiento para poder subsistir», subrayó.

Según la RFR, hay cerca de dos millones de microempresarios en Ecuador. El 65% obtiene créditos - El director de la RFR destacó que ante la necesidad que tenían las mujeres para obtener un crédito y no contar con garantías, referencias, etc., que exige el sistema formal bancario, se creó la metodología de banca comunal en la que se reúnen grupos de entre 10 y 20 féminas. «Todas son garantes solidarias, porque si una no paga el crédito las otras lo cubren. Son grupos de apoyo mutuo», señaló Vaca.

Este sistema se diferencia de los grandes bancos y cooperativas de ahorro y crédito porque es la propia comunidad la que se organiza, cobra y hace los pagos. Se estima que cerca de 180.000 familias se benefician de los bancos comunales.

Para conocer más detalles del manejo de esta actividad, así como para buscar alternativas que mejoren y fortalezcan estos emprendimientos, se realizó hasta ayer, en Guayaquil, el «VI Foro Latinoamericano de Banco Comunal», en el que hubo más de 150 participantes.

180 mil familias, aproximadamente, se benefician con las cajas y bancos comunales que funcionan en el país - El evento fue organizado por la RFR y otros organismos para fortalecer la banca comunal en la región, en el marco de una nueva estructura del sistema financiero y en la línea de consolidar a estos actores a un mejor desarrollo sustentable. «Nos falta estructurar una política de Estado para fortalecer la banca comunal.

Ahora tenemos una Ley de Economía Popular y Solidaria que menciona esta actividad como un eje estratégico del Gobierno, pero aún necesitamos concretar varias cosas para desarrollar este emprendimiento», indicó Vacas.

Este criterio lo comparte Gloria Díaz, representante del Movimiento Manuela Ramos, de Perú, agrupación que es parte de dos redes financieras, cuya metodología de bancos comunales es una de las estrategias que implementan para impulsar la inclusión económica de las personas pobres de ese país. «En este foro hemos compartido nuestras experiencias para que las mujeres logren una mejor y mayor autonomía, y sean libres y tomen sus decisiones con mayor conocimiento y fortaleza», señaló.

Metodología

Algunas de las bancas comunales que hay en el país y tienen presencia en muchas provincias son las administradas por la Fundación Espoir, que trabaja con microcrédito y educación. «La banca comunal es una metodología de crédito que agrupa, la mayoría, mujeres. No solo el crédito debe mejorar la vida, este debe estar acompañado de educación para que esa mejora sea integral», manifestó Claudia Moreno, ejecutiva de Espoir.

La entidad tiene 79.000 socios y posee 3.900 bancos comunales con una cartera actual de $56 millones, por lo que es la fundación más grande con este sistema en Ecuador. «Nuestros clientes en un 98% son mujeres microempresarias pobres, comerciantes que venden en las calles con sus charoles y carameleras. El crédito promedio es de $ 600», expresó Moreno.

Agregó que desde hace dos años también se otorga crédito a hombres, pero fue creado y fundado exclusivamente para mujeres.

Respecto a las seguridades de este sistema comunitario, Moreno subrayó que cuentan con auditorías externas, calificadores de riesgo y un sinnúmero de controles, muchas veces superior a los de la Superintendencia de Bancos y Seguros.

De su parte, José Chuma, microempresario del sector Colinas de los Samanes 7, norte de Guayaquil, manifestó que a través de la banca comunal ha obtenido un crédito y aumentado la oferta de su tienda. «Los trámites en los grandes bancos son demasiados, incluso teniendo los papeles en regla no dan crédito. Los bancos comunales nos ayudan a superarnos», expresó Chuma.

(http://www.telegrafo.com.ec/economia/item/los-bancos-comunales-manejan-120-millones.html)

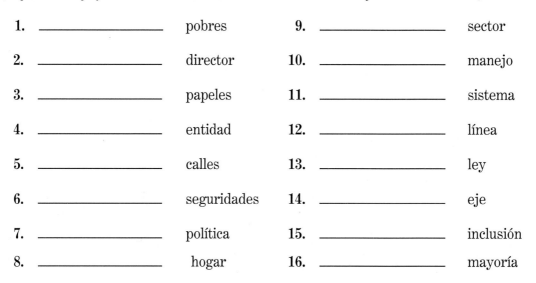

1. _____ pobres   9. _____ sector

2. _____ director   10. _____ manejo

3. _____ papeles   11. _____ sistema

4. _____ entidad   12. _____ línea

5. _____ calles   13. _____ ley

6. _____ seguridades   14. _____ eje

7. _____ política   15. _____ inclusión

8. _____ hogar   16. _____ mayoría

17. _____ trámites   19. _____ fundación

18. _____ país   20. _____ metodología

Preguntas

1. ¿Cuáles son las diferencias entre los bancos tradicionales y los bancos comunales?

   _____

   _____

   _____

2. ¿Quiénes son los clientes de los bancos comunales? ¿Cómo los ayudan los bancos comunales?

   _____

   _____

   _____

AUTHENTIC ASSESSMENTS

1. Imagínese que Ud. está encargado(a) de crear el guión de una comedia de televisión que refleje la vida familiar típica española. Investigue la vida familiar usando artículos corrientes de revistas y periódicos de España para enterarse de situaciones típicas entre esposos. Conteste las siguientes preguntas:

   ¿Cuántos hijos tiene la familia típica?

   ¿Trabajan los dos padres?

   ¿Quién gana más?

   ¿Quién hace la mayoría de las tareas domésticas?

   ¿Quiénes cuidan a los niños?

   ¿Qué problemas típicos confrontan?

   Escriba su guión y dramatícelo con algunos miembros de su clase haciendo los papeles de los miembros de la familia.

2. Imagínese que Ud. está encargado de investigar y presentar un informe sobre el progreso de la mujer en el mundo del trabajo durante la última década en los países de Hispanoamérica. ¿Tienen oportunidades y salarios iguales a los de los hombres? Ud. tiene que presentarle su informe a la Comisión Interamericana de Derechos Humanos de la OEA (Organización de Estados Americanos.) Cree gráficas que demuestren el progreso de la mujer en Hispanoamérica y que lo comparen con el progreso de la mujer en los Estados Unidos. Preséntele su informe a su clase.

CHAPTER

15

La comunicación:
El arte y la práctica
Pronouns

15.1. PERSONAL PRONOUNS

Personal pronouns are used both in Spanish and English to replace nouns, but sometimes function differently in Spanish than in English.

1. Subject Pronouns

    Subject pronouns are used less often in Spanish than in English since verb endings in Spanish refer to the subject. When used, they generally express the following communicative functions:

    a. Clarifying the subject of the verb when there are several possibilities.

        Yo tocaba el piano y *ella* cantaba.

    b. Expressing politeness and the appropriate level of formality.

        Ud. puede sentarse aquí, Profesor González.
        ¿Qué pensáis hacer *tus* amigos y *tú* esta tarde?   (in Spain)
        ¿No tenéis *vosotros* un examen?   (in Spain)
        ¿Qué piensan hacer *tus* amigos y *tú* esta tarde?   (in Spanish America)
        ¿No tienen *Uds.* un examen?   (in Spanish America)

    c. Emphasizing the subject.

        Ella estudia hoy para el exámen, pero *yo* estudio todos los días.

    NOTE: 1. The subject pronoun *you* in English has multiple forms in Spanish. The *tú* is used when addressing a friend, peer or close relation. *Ud.* (*usted*) is used to address a person you don't know well or someone older that you. It is also used as a sign of respect. Both *tú* and *Ud.* are used throughout the Spanish-speaking world. However, while *vosotros* is used to express the plural form of *tú* in Spain, in Spanish America *Uds.* is used in both formal and informal situations.

2. *It* is expressed through the verb form in Spanish.

¿Qué es? — *What is it?*

Es una fruta tropical. — *It's a tropical fruit.*

2. Prepositional Pronouns

Prepositional pronouns function as object of prepositions and always follow them. Except for the *mí* and *ti* forms, which correspond to *yo* and *tú*, they are the same as the subject pronouns.

Este regalo no es para *ti*. Es para *ella*.

Ana vive cerca de *nosotros*.

Va a la escuela *conmigo*, pero quiere ir *contigo*.

NOTE: The preposition *con* combines with *mí*, *ti*, and *sí* to form the contractions *conmigo, contigo*, and *consigo*.

3. Object Pronouns

In Spanish, object pronouns may be either direct or indirect.

a. Direct object pronouns replace direct object nouns, which may be persons or things.

¿Has visto mi mochila? — Sí, *la* tengo aquí.

¿Has visto a María? — Sí, *la* puedes encontrar en la biblioteca.

b. Indirect object pronouns replace and/or accompany indirect object nouns, which generally refer to persons. The prepositions *to* or *from* are stated or understood in English.

Le escribí una carta *a* mi hermana. — *I wrote my sister a letter.*

Le compré el coche a mi primo. — *I bought the car from my cousin.*

(1) Certain verbs require an indirect object in Spanish while its English equivalent takes a subject pronoun.

Me gusta el helado. — *I like ice cream.*

Les encantan los postres de aquí. — *They love the desserts here.*

A Juan *le* falta una cuchara. — *Juan is missing a fork.*

NOTE: Some other verbs that use indirect object pronouns are:

convenir	hacer	quedar
falta	importar	sobrar
fascinar	interesar	tocar

(2) Indirect object pronouns sometimes function as English possessives with parts of the body or articles of clothing.

Él *me* quitó el abrigo. — *He took off my coat.*

El peluquero *te* lavará el pelo. — *The hairdresser will wash your hair.*

(3) Certain impersonal expressions may be used with indirect object pronouns to indicate a particular person or persons.

Le es difícil subir la escalera.	*It's hard for him to climb the stairs.*
Me es importante viajar.	*It's important for me to travel.*

(4) Indirect objects are used with the passive **se** construction to indicate that the person is involved in an unexpected or unplanned event.

Se *le* **perdió la billetera.**	*He lost his wallet.*
Se *le* **cayó en la gasolinera.**	*He dropped it at the gas station.*

4. Double-Object Pronouns

Direct and indirect object pronouns may appear together in a sentence or clause. Unlike English, the indirect object precedes the direct object.

¿Me enviaste una postal? — No, pero te la enviaré mañana.	*Did you send me a postcard? — No, but I will send it to you tomorrow.*

NOTE: 1. *Le* and *les* become **se** before *lo, la, los,* or *las.*

2. The neuter object pronoun **lo** may be used to replace a noun of either gender —singular or plural— an adjective, or a clause. Generally, it has no equivalence in English.

Es estricto tu profesor? — Sí, *lo* es.	*Is your teacher strict? — Yes, he is.*
Tenemos un examen mañana.	*We have an exam tomorrow.*
— Sí, lo sé.	*— Yes, I know.*
Las alumnas de esta clase son muy simpáticas y diligentes. — Sí, *lo* son.	*The girls in this class are very nice and diligent. — Yes, they are.*

5. Reflexive Pronouns

Reflexive pronouns are used when the subject receives the action of the verb. (See Chapter 10.)

Me **levanto a las seis.**	*I get (myself) up at six.*

6. Possessive Pronouns

Possessive pronouns replace nouns described or modified by possessive adjectives.

¿Hiciste tu tarea? Aquí está la *mía*.	*Did you do your homework? Here is mine.*
¿Dónde está la *tuya*?	*Where is yours?*

Note the uses of the pronouns in the pre-test that follows. Check your answers as you review the forms and positions of pronouns in this chapter.

PRUEBA PRELIMINAR

Lea este fragmento de un artículo que provee consejos a los padres sobre el arte de la comunicación, y complete las frases con el pronombre apropiado. Entonces, conteste las preguntas.

Discute sin enojarte

(Tema curricular: Las familias y las comunidades)

> **VOCABULARIO**
> **contraproducente**   counterproductive
> **el contratiempo**   setback, hitch
> **la crianza**   raising (children)
> **ineficaz**   ineffective
> **poner empeño**   to put one's mind (to something)
> **retirarse**   to withdraw, move back

Con frecuencia, los padres muy ocupados adoptan el papel de sargentos para que el día transcurra sin contratiempos. Esta táctica no sólo es ineficaz, sino que deja a padres e hijos enojados y descontentos.

Entonces, ¿qué debe decir para que _____ hijos hagan lo que
_1._
_____ desea? Los expertos en crianza de niños _____
_2._   _3._
recomiendan las siguientes soluciones:

_____ hijo sufre un percance. Respuesta impulsiva: «¿Otra
_4._
vez? ¡Qué torpe eres!» En vez de eso, diga: «¿Qué necesitas hacer ahora para resolver el problema?»

_____ molesta el desorden de la habitación de _____
_5._   _6._
hijo. Respuesta impulsiva: «¡Ordena _____ cuarto, si no...!» En
_7._
lugar de eso, diga: «Recoge ahora o dentro de diez minutos, _____
_8._
decides».

No _____ levanta a tiempo por las mañanas. Respuesta impul-
_9._
siva: «¡Levánta _____! Esta es la última vez que _____
_10._   _11._
llamo». En vez de eso, diga: «Buenos días. Son las 7 de la mañana. ¿Qué tienes que hacer?»

Quiere que _____ ayude a hacer la tarea otra vez. Respuesta
12.

impulsiva: «¡Qué flojo eres!

Deberías poner más empeño». En vez de eso, diga: «Estoy seguro de que

puedes _____ solo». La guerra de la tarea es un suceso diario en
13.

muchos hogares. Algunas veces los chicos flojean. Pero ayudar _____
14.

demasiado resulta contraproducente. Primero, hága _____ saber
15.

que _____ confía en _____ capacidad, y después es-
16.   17.

tablezca reglas claras para el estudio. No se siente con _____ hijo
18.

mientras _____ trabaja; esto _____ hará demasiado
19.   20.

dependiente. Explíque _____ en qué consiste la tarea y retire
21.

_____. Y nunca haga el trabajo de _____ pequeño,
22.   23.

porque no aprenderá.

Preguntas

1. Según este artículo, ¿cómo deben los padres comunicarse con sus hijos para que arreglen sus dormitorios?

   _____

2. ¿Qué les sugiere el artículo a los padres al comunicarse con sus hijos sobre la tarea?

   _____

15.2. FORMS AND PLACEMENT OF PERSONAL PRONOUNS

1. Subject Pronouns

SUBJECT PRONOUNS			
yo	*I*	**nosotros (-as)**	*we*
tú	*you* (familiar)	**vosotros (-as)**	*you* (fam. pl.)
él	*he*	**ellos**	*they*
ella	*she*	**ellas**	*they*
Ud.	*you*	**Uds.**	*you*

a. In Spanish, subject pronouns are used less often than in English, since the verb normally indicates the subject. Subject pronouns are mostly used for clarity, emphasis, and politeness.

(Yo) me levanto a las seis de la mañana.   *I get up at six in the morning.*

b. Subject pronouns generally precede the verb, except in a question.

***Ellos* vienen al baile.**	*They are coming to the dance.*
¿Vienen *ellos* al baile?	*Are they coming to the dance?*

2. Prepositional Pronouns

PREPOSITIONAL PRONOUNS			
mí	*me, myself*	**nosotros (-as)**	*us, ourselves*
ti	*you* (fam.), *yourself*	**vosotros (-as)**	*you, yourselves*
él	*him, it* (m.)	**ellos**	*them*
ella	*her, it* (f.)	**ellas**	*them*
sí	*himself, herself, yourself*	**sí**	*yourselves, themselves*
Ud.	*you*	**Uds.**	*you*

Prepositional pronouns follow prepositions. The preposition ***con*** is contracted with ***mi, ti,*** and ***sí*** to form ***conmigo, contigo,*** and ***consigo.***

Mi hermana Luisa viaja *conmigo.*	*My sister Luisa travels with me.*
Lleva una maleta grande *consigo.*	*She brings along a large suitcase.*
Vamos a traer regalos *para ti.*	*We are going to bring presents for you.*

NOTE: Subject pronouns and prepositional pronouns have the same forms except the first-and-second person singular

3. Object Pronouns

DIRECT OBJECT PRONOUNS		INDIRECT OBJECT PRONOUNS	
me	*me*	**me**	*(to) me*
te	*you* (fam.)	**te**	*(to) you* (fam.)
lo	*him, you* (m.), *it* (m.)		
le*	*him, you* (m.)	**le**	*(to)* him, her, you (formal), *it*
la	*her, you* (f.), *it* (f.)		
lo	*neuter*		
nos	*us*	**nos**	*(to) us*
os	*you* (fam.)	**os**	*(to) you (fam.)*
los	*them, you* (m.)	**les**	*(to) them, you*
las	*them, you* (f.)		

*The usage of *le* as a direct object pronoun occurs mostly in Spain.

a. Object pronouns, direct and indirect, replace direct and indirect objects, respectively. Object pronouns generally precede a conjugated verb.

María *me* lo contó ayer.	*Carlos told it to me yesterday.*

b. Object pronouns follow and are attached to infinitives and present participles without auxiliary verbs, and to affirmative commands.

A Carlos le gustaría visitar*nos*.	*Carlos would like to visit us.*
Quiere hacerse bilingüe hablándo*nos* solamente en español.	*He / She wants to become bilingual by speaking to us only in Spanish.*
Ana, escríbe*le* una invitación y mándas*ela* pronto.	*Ana, write him/her an invitation and send it to him/her quickly.*

NOTE: Accent marks are added when a pronoun is attached to maintain the stress on the syllable that was stressed before the pronoun was added.

Dame mi libro. Dá*melo*, por favor.	*Give me my book. Give it to me, please.*

c. When an auxiliary verb is used with the infinitive or present participle the object pronouns may either precede the auxiliary verbs or be attached to the infinitive or present participle.

Estoy esperándo*lo* con ansia. or **Lo estoy esperando con ansia.**	*I am anxiously waiting for it.*
¿Quieres preguntar*le* cuando piensa llegar? or **¿*Le* quieres preguntar cuando piensa llegar?**	*Do you want to ask him/her when he/she expects to arrive?*

d. Object pronouns precede negative commands, but follow and are attached to affirmative commands.

No *se lo* digas por teléfono. Dí*selo* en persona.	*Don't tell it to him/her over the phone. Tell it to him personally.*

e. The indirect-object pronoun precedes the direct-object pronoun. If both object pronouns are in the third person se replaces **le** or **les**. Since **se** has many possible meanings, **a** + a prepositional pronoun may be used for clarification.

Compramos el boleto que Carlos nos pidió el mes pasado. Se lo daremos a él cuando venga.	*We bought the ticket that Carlos asked us for last month. We will give it to him when he comes.*

4. Possessive Pronouns

POSSESSIVE PRONOUNS		
el mío	los míos	} *mine*
la mía	las mías	
el tuyo	los tuyos	} *yours* (fam.)
la tuya	las tuyas	
el suyo	los suyos	} *his, hers, its, yours* (formal)
la suya	las suyas	
el nuestro	los nuestros	} *ours*
la nuestra	las nuestras	
el vuestro	los vuestros	} *yours* (fam.)
la vuestra	las vuestras	
el suyo	los suyos	} *theirs, yours*
la suya	las suyas	

a. Possessive pronouns are formed by combining the appropriate definite article and the long form of the possessive adjective. (See Chapter 16.) They agree in number and gender with the noun(s) being modified.

b. The definite article may sometimes be omitted after the verb **ser**.

Esta pluma es mía. ¿Dónde está la tuya?   *This pen is mine. Where is yours?*

c. Because the third-person form (**suyo**, etc.) has many possible meanings, a definite article + **de** + a prepositional pronoun may be used in its place.

Mi coche es bueno pero *el de* **Uds. es mejor.**   *My car is good but yours is better.*

El mío está en el garaje y el de *ellos* **está en la calle.**   *Mine is in the garage and theirs is in the street.*

E J E R C I C I O S

A. Lea el siguiente fragmento del cuento «La prodigiosa tarde de Baltazar» de Gabriel García Márquez. El poder se comunica y se intercambia en la discusión entre los personajes. ¿Quién gana? ¿Quién pierde? Note los pronombres y frases subrayados y su significado. Luego, complete el ejercicio y conteste las preguntas.

La prodigiosa tarde de Baltazar

(Tema curricular: Las familias y las comunidades)

VOCABULARIO

agarrar to grab	**jaula** cage
agolparse to crowd	**morderse los labios** to bit one's lips
agregar to add	**muñeca** wrist
al fin y al cabo after all	**parpadear** to blink
alboroto dint	**peludo** hairy
apaciguar to calm (someone) down	**perplejo** mystified
atiborrado crammed	**pestaña** eyelash
cacharro piece of junk	**rabiar** to rage
calzoncillos underpants	**rebanada** slice
candor innocence	**rizado** curly
capaz capable	**rogar** to beg
chillar to squeal	**ronquido** howling
cobrar to charge	**rostro** face
coger rabia to get angry	**salto** jump
contagioso contagious	**sonido gutural** throaty sound
contratar to contract	**susurrar** to whisper
corpulento big	**tejido metálico** wire mesh
demorar to tarry	**trasto** piece of junk
derramar to shed	**un cualquiera** a nobody
enrojecer redden	**vano** opening
gallera cockfighting arena	**yacer** to lay
impasible impassive	

... En verdad, José Montiel no era tan rico como parecía, pero había sido capaz de todo por llegar a <u>serlo</u>. A pocas cuadras de allí, en una casa atiborrada de arneses donde nunca había sentido un olor que no se pudiera vender, permanecía indiferente a la novedad de la jaula. Su esposa, torturada por la obsesión de la muerte,... yació dos horas con los ojos abiertos en la penumbra del cuarto, mientras José Montiel hacía la siesta. Así la sorprendió un alboroto de muchas voces. Entonces abrió la puerta de la sala y vio un tumulto frente a la casa, y a Baltazar con la jaula en medio del tumulto, vestido de blanco y acabado de afeitar, con esa expresión de decoroso candor con que los pobres llegan a la casa de los ricos.

—Qué cosa tan maravillosa— exclamó la esposa de José Montiel, con una expresión radiante, conduciendo a Baltazar hacia el interior. —No había visto nada igual en mi vida—dijo, y agregó, indignada con la multitud que se agolpaba en la puerta. —Pero llé-vasela para adentro que <u>nos van a convertir</u> la sala en una gallera ...

—¿Está Pepe?— preguntó.

Había puesto la jaula en la mesa del comedor.

—Está en la escuela— dijo la mujer de José Montiel. —Pero ya no debe demorar.

Y agregó: —Montiel se está bañando...

—Adelaida— gritó. —¿Qué es lo que pasa?

—Ven a ver qué cosa maravillosa— gritó su mujer.

José Montiel —corpulento y peludo, la toalla colgada en la nuca— se asomó por la ventana del dormitorio.

—¿Qué es eso?

—La jaula de Pepe— dijo Baltazar.

La mujer lo miró perpleja.

—¿De quién?

—De Pepe— confirmó Baltazar. Y después dirigiéndose a José Montiel: —Pepe me la mandó a hacer.

Nada ocurrió en aquel instante, pero Baltazar se sintió como si le hubieran abierto la puerta del baño. José Montiel salió en calzoncillos del dormitorio.

—Pepe— gritó.

—No ha llegado— murmuró su esposa inmóvil.

Pepe apareció en el vano de la puerta. Tenía unos doce años y las mismas pestañas rizadas y el quieto patetismo de su madre.

—Ven acá— le dijo José Montiel. —¿Tú mandaste a hacer esto?

El niño bajó la cabeza. Agarrándolo por el cabello, José Montiel lo obligó a mirarlo a los ojos.

—Contesta.

El niño se mordió los labios sin responder.

—Montiel— susurró la esposa.

José Montiel soltó al niño y se volvió hacia Baltazar con una expresión exaltada.

—Lo siento mucho, Baltazar— dijo. —Pero has debido consultarlo conmigo antes de proceder. Sólo a ti se te ocurre contratar con un menor.

A medida que hablaba, su rostro fue recobrando la serenidad. Levantó la jaula sin mirarla y se la dio a Baltazar.

—Llévatela en seguida y trata de vendérsela a quien puedas— dijo. —Sobre todo te ruego que no me discutas.— Le dio una palmadita en la espalda, y explicó: —El médico me ha prohibido coger rabia.

El niño había permanecido inmóvil, sin parpadear, hasta que Baltazar lo miró perplejo con la jaula en la mano. Entonces emitió un sonido gutural, como el ronquido de un perro, y se lanzó se lanzó al suelo dando gritos.

José Montiel lo miraba impasible, mientras la madre trataba de apaciguarlo.

—No lo levantes —dijo. Déjalo que se rompa la cabeza contra el suelo y después le echas sal y limón para que rabie con gusto.

El niño chillaba sin lágrimas, mientras su madre lo sostenía por las muñecas.

—Déjalo — insistió Montiel.

Baltazar observó al niño como hubiera observado la agonía de un animal contagioso. Eran casi las cuatro. A esa hora, en su casa, Úrsula cantaba una canción muy antigua, mientras cortaba rebanadas de cebolla.

—Pepe— dijo Baltazar. Se acercó al niño, sonriendo, y le tendió la jaula. El niño seincorporó de un salto, abrazó la jaula, que era casi tan grande como él, y se quedó mirando a Baltazar a través del tejido metálico, sin saber qué decir. No había derramado una lágrima.

—Baltazar— dijo Montiel, suavemente. —Ya te dije que te la lleves.

—Devuélvela— ordenó la mujer al niño.

—Quédate con ella— dijo Baltazar. Y luego, a José Montiel: —Al fin y al cabo, para eso la hice.

José Montiel lo persiguió hasta la sala. —No seas tonto, Baltazar— decía, cerrándole paso. — Llévate tu trasto para la casa y no hagas más tonterías. No pienso pagarte ni un centavo.

—No importa— dijo Baltazar. La hice expresamente para regalársela a Pepe. No pensaba cobrar nada.

Cuando Baltazar se abrió paso a través de los curiosos que bloqueaban la puerta, José Montiel daba gritos en el centro de la sala. Estaba muy pálido y sus ojos empezaban enrojecer.

—Estúpido— gritaba. —Llévate tu cacharro. Lo último que faltaba es que un cualquiera venga a dar órdenes en mi casa ...

(Gabriel García Márquez, «La prodigiosa tarde de Baltazar» en *Los funerales de la Mamá Grande*. Argentina: Editorial Sudamericana, S.A.; 1962.)

Escriba las oraciones reemplazando las palabras subrayadas por los pronombres apropiados.

1. José Montiel había sido capaz de todo por llegar a ser rico.

   _____

2. Pepe me mandó a hacer la jaula.

   _____

3. Montiel le devolvió la jaula a Baltazar.

   _____

4. Trata de venderle la jaula a quien puedas.

   _____

5. El médico le ha prohibido a Montiel coger rabia.

   _____

6. No levantes al niño.

   _____

7. Baltazar acabó por regalar la jaula al niño.

   _____

8. —Quédate con la jaula— dijo Baltazar.

   _____

9. La jaula era casi tan grande como el niño.

_____

10. Llévate tu cacharro.

_____

Conteste las preguntas sustituyendo pronombres por las palabras subrayadas.

1. ¿Por qué motivo lleva Baltazar la jaula a los Montiel?

_____

_____

2. ¿Cuál es la reacción de José Montiel al oír el motivo de Baltazar?

_____

_____

3. ¿Por qué chillaba Pepe sin lágrimas?

_____

_____

4. Aunque José Montiel no tiene que pagarle dinero a Baltazar, ¿de qué se enoja?

_____

_____

5. ¿Quién gana y quién pierde la discusión? Explique.

_____

_____

15.3. RELATIVE PRONOUNS

Relative pronouns are used to introduce, relate, and join a clause to a preceding antecedent. They can replace either a person or a thing and may be the subject or object of the verb in the relative clause.

1. Forms

The various forms of relative pronouns, their antecedents, and their placement in the relative clause are summarized in the following table.

Relative Pronouns	Antecedents	Placement In Clause
que	persons and things things (after **a, de, con, en**)	Introduces the clause.
quien, quienes	persons	Introduces clause in apposition after prepositions.
el (la) cual los (las) cuales el, (la) que los (las) que	persons and things	After prepositions.
lo que lo cual	abstract ideas	Introduces clause or follows prepositions.
cuyo, cuyos cuya, cuyas	persons and things	Introduces clause and precedes the noun it modifies.

2. Uses

    a. *Que* is the most common relative pronoun and may refer to both persons and things. However, after the prepositions *con, de, en*, and *a, que* refers only to things.

El libro *que* pedí la semana pasada llegó a la librería hoy.	*The book (that) I ordered last week arrived at the bookstore today.*
El dependiente *que* me llamó es mi amigo.	*The clerk who called me is my friend.*
El libro *de que* hablamos es muy popular.	*The book (that) we talked about is very popular.*

    NOTE: While the relative pronoun may sometimes be omitted in English, it is never omitted in Spanish.

    b. *Quien* (*Quienes*) refers only to persons.

        (1) **Quien** (**Quienes**) is used after the prepositions **con, de, en**, and **a**.

El joven *con quien* sales es el hermano de Felipe.	*The young man (whom) you are going out with is Felipe's brother.*
Felipe, *de quien* hemos hablado, llegó hoy.	*Felipe, whom we have talked about, arrived today.*

        (2) **Quien** (**Quienes**) may be used as the subject of a parenthetical clause.

Mi prima, *quien* está en el hospital, quiere leer este libro.	*My cousin, who is in the hospital, wants to read the book.*

        (3) **Quien** may be used to mean *he/she who* and is used most commonly in proverbs.

Quien busca, halla.	*Seek and you shall find.* *(He/She who seeks shall find.)*

c. ***El, (la, los, las) que*** and ***el (la) cual, los (las) cuales*** refer to both persons and things.

   (1) They are used after prepositions.

Viajé en avión, *desde el cual* pude llamarte por teléfono.	*I traveled by plane, from which I could call you on the telephone.*
Visité varios museos en España, *entre los cuales* prefiero El Prado.	*I visited several museums in Spain among which I prefer the Prado.*

   (2) They can be used to clarify number and/or gender when there are two possible antecedents.

El hermano de mi amiga, *el cual* vive en Barcelona, me ayudó en mi viaje.	*My friend's brother, who lives in Barcelona, helped me in my trip.*

   (3) ***El (la, los, las) que*** may function as a subject containing the antecedent. It is equivalent to *he who, she who,* or *those who.*

***Los que* viajan a España siempre quieren volver.**	*Those who travel to Spain always want to return.*

d. ***Lo que*** and ***lo cual*** are neuter relative pronouns that refer to an abstract idea rather than a single word.

Felipe me dijo que no le gustó el hotel, *lo que* me sorprendió.	*Felipe told me that he didn't like the hotel, which surprised me.*
Elena lo invitó a quedarse con su familia, *lo que* le gustó más.	*Elena invited him to stay with her family, which he preferred.*

e. ***Cuyo, (-a, -os, -as)*** is a relative pronoun that may refer to persons and things. It also functions as a possessive adjective, and therefore agrees in number and gender with the noun it modifies.

El primo de Elena, *cuyo* nombre no recuerdo, nos encontró en Barcelona.	*Elena's cousin, whose name I don't remember, met us in Barcelona.*
Aquella ciudad, *cuyas* calles están llenas de tiendas y cafés, me encanta.	*That city, whose streets are filled with stores and cafes, enchants me.*

15.4. DEMONSTRATIVE PRONOUNS (See Demonstrative Adjectives in Chapter 16.)

éste, ésta **éstos, éstas**	*this one* *these*
ése, ésa **ésos, ésas**	*that one* (near you) *those* (near you)
aquél, aquélla **aquéllos, aquéllas**	*that one* (far from speaker and listener) *those* (far from speaker and listener)

1. Demonstrative pronouns have the same forms as demonstrative adjectives except that they have accent marks to distinguish them.

2. Demonstrative pronouns agree in number and gender with the noun(s) and adjectives they replace.

No me gusta esta blusa, prefiero *ésa*.	*I don't like this blouse, I prefer that one.*
Esta tienda no vende ropa bonita como *aquélla* en la Quinta Avenida.	*This store doesn't sell pretty clothes like that one on 5th Ave.*

3. The neuter forms *esto, eso*, and *aquello* refer to an idea or situation.

Pedro salió mal en el examen y eso le preocupa mucho.

4. Demonstrative pronouns are used to express *the former* and *the latter*; but the order is different in Spanish and in English. In Spanish, the latter is stated first and refers to the second person or thing mentioned.

Elena y Carla son hermanas; *ésta* lleva una blusa azul y *aquélla* lleva una blusa verde.	*Elena and Carla are sisters; the latter is wearing a blue blouse and the former is wearing a green blouse.*

E J E R C I C I O S

A. Lea el siguiente diálogo entre dos jóvenes que tienen dificultad comunicándose con sus padres. Complete las frases con los siguientes pronombres relativos y luego conteste las preguntas.

que	el (la, los, las) que	los (las) cuales	lo cual
quien(-es)	el (la) cual	lo que	cuyo(a, os, as)

¿De qué planeta vienen tus padres?

(Tema curricular: Las familias y las comunidades)

MARISOL: Carlos, estoy desesperada. Conozco a otras chicas _____ tienen
1.

problemas con sus padres, pero estoy segura de _____ mi
2.

mamá es de otro planeta. Cuando le digo _____ quiero hacer
3.

en vez de estudiar todas las noches, ella se pone furiosa. No me deja salir

con mis amigas, _____ son muy simpáticas. Tampoco me per-
4.

mite hablar por teléfono las noches de escuela, _____ destruye
5.

mi vida social. Lo peor ocurrió cuando mi mamá leyó mis cartas, incluyendo

_____ mi novio me envió. No comprende que tengo una vida
    6.

personal y privada, _____ no la incluye.
                            7.

PEDRO: Comprendo. Mi papá es de otro planeta también, ¡probablemente de Marte!

Siempre quiere saber _____ estoy discutiendo con mis amigos.
                              8.

Cuando quiero salir con ellos a un concierto o fiesta, insiste en que yo vuelva

a medianoche, _____ tú sabes es imposible. Mis amigos se ríen
                        9.

de mí. Me gustaría convencerlo de que puedo hacer mis propias decisiones.

Pero temo que no comprenda los motivos por _____ necesito
                                                      10.

más independencia.

Preguntas

1. ¿Cuáles son los motivos por los cuáles están quejándose los jóvenes?

_____

2. ¿Cómo pueden mejorar estos jóvenes la comunicación con sus padres?

_____

T R A B A J O   C O O P E R A T I V O

A. Formen grupos cooperativos de cuatro alumnos para leer y discutir la siguiente historieta cómica sobre un problema de comunicación.

- El líder del grupo organiza el trabajo y ayuda a los demás.
- Todos leen la historieta cómica y hacen una lista de todos los pronombres que se encuentran en ella. Identifiquen los complementos directos e indirectos, los pronombres reflexivos y los relativos.
- Todos discuten el problema de comunicación y como mejorarlo.
- Preparen una historieta cómica, o una conversación original que presente esta situación u otra situación familiar parecida, pero que refleja mejor comunicación.
- Presenten su historieta cómica o conversación a la clase.

B. Formen grupos cooperativos de cuatro a seis alumnos para leer y discutir las siguientes cartas.

- El líder del grupo organiza el trabajo y ayuda a los demás.
- Todos leen las cartas y hacen una lista de todos los pronombres que se encuentran en ella. Identifiquen los complementos directos e indirectos, los pronombres reflexivos y los relativos.
- Todos discuten los problemas descritos en las cartas y cómo resolverlos.
- El grupo se divide en parejas para escribir respuestas a las cartas.
- Cada pareja lee su carta de respuesta al grupo y/o a la clase.

Querida Susana

(Tema curricular: La vida contemporánea)

Carta 1

Querida Susana:

Tengo un problema y no sé que hacer. Mi novio me dice que está enamorado de mí, pero lo que veo es que cuando habla con otras muchachas, les da un beso para saludarlas. Yo soy sumamente celosa. ¿Qué puedo decirle para que comprenda mi sufrimiento?

MJR
Puerto Rico

Carta 2

Querida Susana:

Tengo un gran problema. He entablado una relación por el Internet con una joven y nunca nos hemos visto. ¡Ni mi nombre verdadero sabe! Mi problema es que es tan divertida, bondadosa e inteligente que la he empezado a querer. Tengo miedo de decirle la verdad, pero no quiero perderla tampoco. Por favor, ayúdeme.

Anónimo
Durango, México

Carta 3

Querida Susana:

Tengo un problema muy complejo. Resulta que a mí me gusta el mismo joven que a mi mejor amiga. Ella no lo sabe. Cuando yo me enteré que a mi amiga también le gustaba, dejé de intentar cualquier cosa con él, pero me busca más a mí que a ella. Mientras tanto mi amiga ha cambiado su forma de ser conmigo porque sospecha algo. Siento como si la hubiera traicionado. ¿Qué hago?

Desesperada
San José, Costa Rica

MASTERY ASSESSMENTS

A. Lea el siguiente artículo. Complete las frases con la formas apropiadas de los complementos directos o indirectos, pronombres sujetivos, preposicionales, reflexivos, posesivos, demonstrativos o relativos. Luego, conteste la pregunta.

Una sonrisa vale más que mil palabras

(Tema curricular: Las familias y las comunidades)

Vocabulario		
acuerdo agreement	**derribar** to knock down	**hielo** ice
contrincante opponent	**equivocado** wrong	**pleito** lawsuit

Cuando se discute, aunque sea por una insignificancia, es común que las cosas resulten

peor de _____ _____ eran si no sabemos controlar
                     1.   *2.*

_____. En una situación en _____ _____
     3.   *4.*   *5.*

podemos terminar con un gran pleito o con un largo distanciamiento, lo importante no es

ganar o perder, sino llegar a un acuerdo.

Si no _____ conseguimos, hay que decidir si vale la pena iniciar la
          6.

batalla. Sin embargo, esa batalla no es con la otra persona, es interna. Cuántas veces

_____ hemos puesto a pensar si en verdad teníamos razón y si escuchamos
     7.

a la otra persona. O _____ arrepentimos por algo _____ diji-
             8.   *9.*

mos sin pensar, _____ da miedo que esas pequeñas discusiones terminen
         10.

con la hermosa relación _____ teníamos... No necesitamos la fórmula
           11.

secreta para no discutir o para evitar la diversidad de opiniones. _____
                                     12.

sería verdaderamente aburrido y no _____ permitiría pensar libremente.
                           13.

Esa fórmula siempre ha existido y es muy sencilla. Consiste en tener siempre pre-

sente que, aunque la otra persona piense diferente o esté equivocada, no puede ni debe cambiar sus ideas. Quizás deba cambiar su manera de reaccionar con _____

_14._

y _____ se resuelve hablando tranquilamente.

_15._

Esta fórmula puede funcionar, pero a lo mejor la salvación no sea _____,

_16._

sino un gesto _____ rompa el hielo. Una sonrisa a tiempo puede de-

_17._

rribar una enorme muralla de hostilidad. Es uno de los mejores argumentos, siem-

pre y cuando sea sincera. Nunca _____ esperará y, lejos de pensar en

_18._

_____ _____ hace unos minutos _____

_19._ _20._ _21._

separaba, _____ dará cuenta de lo mucho que significa para

_22._

_____ y cuanto _____ duele discutir. Es posible que, en otro

_23._ _24._

momento, puedan hablar _____ con más tranquilidad y llegar a un acuerdo

_25._

satisfactorio para ambos. Por lo pronto, recuerda que es más importante conservar una

buena relación, respetando tanto sus puntos de vista como los _____, que

_26._

demostrar _____ a tu contrincante que tus ideas son más acertadas que las

_27._

_____.

_28._

(«Una sonrisa vale más que mil palabras», _Buenhogar_; agosto de 1997, p. 23.)

Pregunta

¿Qué es importante recordar y comunicar durante una discusión?

_____

_____

B. En cada de las siguientes oraciones hay un error gramatical. Elija la parte que hay que cambiar para que cada oración sea gramaticalmente correcta, y escriba la letra de la palabra equivocada.

1. _____ Piensa bien lo que vas a decir, y dila lo más conciso y claramente que
                 A   B C   D
   puedas.

2. _____ Si a ti no le gusta que te griten, entonces no grites y así estarás en posición
        A   B   C
   de exigir que nadie te levante la voz.
                 D

3. _____ Aprende a escuchar para saber <u>lo que</u> está pensando la otra persona <u>cuyos</u>
A   B
sentimientos valen <u>tanto</u> como <u>las tuyas</u>.
C   D

4. _____ <u>Lo</u> más importante es manifestar claramente tus sentimientos, y decir
A
siempre <u>que</u> es <u>lo que</u> <u>te</u> molesta.
B   C   D

5. _____ Muchas discusiones <u>que</u> pudieron haber sido resueltas fácilmente, <u>se</u>
A   B
vuelven auténticas guerras en cuanto empiezan los insultos. Estos no son

más <u>de</u> un recurso pobre y humillante <u>al que</u> de ninguna manera deberás
C   D
recurrir.

6. _____ Reconocer <u>que</u> estamos equivocados no <u>nos</u> hace menos dignos, al con-
A   B
trario, aceptando los errores y <u>corrigiéndolas</u> es como <u>nuestras</u> relaciones
C   D
van a progresar.

7. _____ Recuerda <u>que</u>, si además de <u>respetarte</u> a <u>sí</u> mismo, respetas a los demás,
A   B   C
mejorarás todo tipo de relaciones en tu vida porque sabrás <u>relacionarte</u>
D
con respeto y armonía.

(De «El Arte de discutir», *Buenhogar*; agosto de 1997, pp. 21–22.)

AUTHENTIC ASSESSMENTS

1. Ud. decide organizar un grupo de estudiantes en su escuela para ayudar a sus compañeros de clase a resolver conflictos. Investigue modos establecidos de mejorar comunicación y resolver conflictos entre jóvenes. Entreviste a los consejeros de su escuela y busque información en el Internet. Escriba un plan y presénteselo a los miembros de su clase.

2. Imagínese que Ud. trabaja para una revista española y que está encargado(a) de escribir un artículo que discute cómo los novios pueden mejorar la comunicación entre sí. Busque y lea los consejos que aparecen en varias publicaciones. Entreviste a algunas parejas para averiguar su opinión acerca de estos consejos, y entonces, escriba su propio artículo.

CHAPTER

16

La juventud:
Los niños y los jóvenes
Adjectives, Adverbs, and Comparisons

16.1. ADJECTIVES

1. **Uses**

Adjectives are used to express the following communicative functions:

a. Modifying nouns in order to distinguish or emphasize them.

Vivo en la casa *azul*.	*I live in the blue house.*
Tiene un patio *grande*.	*It has a large yard.*

b. Describing an inherent characteristic of a noun. (Adjectives generally precede the noun in this case.)

La *blanca* nieve cubre la calle.	*The white snow covers the street.*
El *famoso* cantante Plácido Domingo presentó un concierto anoche.	*The famous singer Placido Domingo held a concert last night.*

c. Comparing characteristics or qualities of nouns.

Carla es más *tímida* que Elena.	*Carla is shyer than Elena.*
El tiburón es *menos* inteligente que el delfín.	*The shark is less inteligent than the dolphin.*
Es el libro más *antiguo* que tengo.	*It's the oldest book (that)I have.*
Pedro es un chico *popularísimo*.	*Pedro is a very popular boy.*
Carlos es tan *diligente* como Elena.	*Carlos is as hard working as Elena.*

d. Denoting possession or ownership. (possessive adjectives)

***Tu* libro está en *mi* coche, con *mis* cuadernos.**	*Your book is in my car, with my notebooks.*

e. Indicating position of nouns in relation to the speaker and listener. (demonstrative adjectives)

Me gusta leer *esa* revista.	*I like to read that magazine.*
Este periódico me aburre.	*This newspaper bores me.*

f. Counting or indicating the order of nouns. (cardinal and ordinal numbers)

Gané *tres* millones de dólares en la lotería.	*I won three million dollars in the lottery.*
Gloria es la *tercera* muchacha en la segunda fila.	*Gloria is the third girl in the second row.*

g. Acting as a noun, when preceded by a definite article.

Los *pobres* necesitan nuestra ayuda.	*The poor need our help.*
La *generosa* le dio dinero al anciano.	*The generous (woman) gave the old man money.*

h. acting as an abstract noun when preceded by **lo.**

Lo *importante* es que somos amigos.	*The important thing is that we are friends.*

Examine the uses of adjectives in the following pre-test, and check your answers as you review the formation and placement of adjectives explained in this chapter.

PRUEBA PRELIMINAR

Lea el siguiente comentario sobre la tecnología y los jóvenes y complete las oraciones con la forma apropiada del adjetivo indicado.

Los jóvenes en la era de la hiperconectividad: Tendencias, claves y miradas

(Tema curricular: La vida contemporánea)

El smartphone, las redes ___1.___ y las aplicaciones de mensajería ___2.___ se han convertido en espacios ___3.___ de los jóvenes y de los adolescentes desde edades cada vez más ___4.___. Existe una preocupación cada vez ___5.___ por las implicaciones ___6.___ de este proceso.

La relación entre educación y TIC (Tecnologías de la Información y las Comunicaciones) desborda hoy, en este ___7.___ contexto de hiperconectividad, los planteamientos más ___8.___ al aprendizaje con tecnología, a la aplicación ___9.___ y ___10.___, y se adentra

1. social _____
2. instantáneo _____
3. vital _____
4. temprano _____
5. mayor _____
6. educativo _____
7. nuevo _____
8. ligado _____
9. didáctico _____
10. pedagógico _____

en campos más __11.__ de la psicología __12.__ y de la psicología __13.__ . Es necesario, por ello, reflexionar sobre la educación en un contexto en el que la tecnología se hace __14.__ y permea __15.__ los ámbitos de la vida de las personas, en especial la de los jóvenes.

11. propio
12. social
13. evolutivo
14. ubicuo
15. todo

(http://www.redetis.iipe.unesco.org/publicaciones/los-jovenes-en-la-era-de-la-hiperconectividad-tendencias-claves-y-miradas/#.VNJcJp3F-L0)

Preguntas

1. Según el artículo, ¿por qué es importante el uso de tecnología en la pedagogía de los jóvenes de hoy?

   _____

2. ¿Cómo usa la tecnología en su escuela y en sus clases?

   _____

2. Forms and Placement

Adjectives agree in number and gender with the nouns they modify.

1. Adjectives that end in *-o* in the masculine singular change to *-a* in the feminine singular, to *-os* in the masculine plural, and to *-as* in the feminine plural.

	MASCULINE	FEMININE
SINGULAR	alt*o* preferid*o*	alt*a* preferid*a*
PLURAL	alt*os* preferid*os*	alt*as* preferid*as*

NOTE: 1. Past participles form adjectives that agree in number and gender with the noun(s) modified.

2. When two or more adjectives modify a noun, one may precede and the other follow. In this case the preceding adjective has more emphasis. Or, they may both follow the noun.
   Es mi *honrado* amigo *fiel*.
   Es mi amigo *honrado* y *fiel*.

2. Adjectives that end in *-e* or in a consonant in the masculine singular form are the same in the feminine forms. To form the plural *-s* is added to the *-e*, and *-es* is added to a consonant.

	MASCULINE	FEMININE
SINGULAR	verde	verde
PLURAL	verdes	verdes

The following adjectives are the exception:

a. Adjectives that end in **-ón, án, ín,** or **-or** in the masculine end in **-a** in the feminine.

	MASCULINE	FEMININE
SINGULAR	criticón holgazán conservador	criticona holgazana conservadora
PLURAL	criticones holgazanes conservadores	criticonas holgazanas conservadoras

b. Adjectives of nationality that end in a consonant and end in **-a** in the feminine.

	MASCULINE	FEMININE
SINGULAR	español	española
PLURAL	españoles	españolas

3. Some adjectives drop their endings before certain nouns.

a. The following adjectives drop the **-o** before masculine singular nouns.

bueno	Carlos es un *buen* cocinero.
malo	Pero es un *mal* jardinero.
primero	Pedro es el *primer* estudiante en la fila.
tercero	Felipe es el *tercer* estudiante en esta fila.
postrero	Luis es el *postrer* alumno en la fila.
alguno	Vamos a *algún* concierto la semana que viene.
ninguno	No hay *ningún* concierto esta semana.

NOTE: 1. When these adjectives follow the nouns, they retain the **-o** and are generally emphatic.
Es un cocinero muy bueno.

2. Accent marks are added to the singular form of **_alguno_** and **_ninguno_** when they precede the noun.

    b. The adjective *santo* drops *-to* before masculine singular nouns, except before names starting with *To-* or *Do-.*

San Antonio	*San* Fermín	*San* Juan
Santo Domingo	*Santo* Tomás	*Santa* Teresa

    c. The number *ciento* drops the *-to* ending before any noun, masculine or feminine.

        Hay *cien* alumnos en esta clase.

        Hay *cien* sillas en esta sala de clase.

    d. The adjective *grande* becomes *gran* when it is placed before any noun and has the meaning of *great* or *famous.*

El presidente Lincoln fue un *gran* hombre.	*President Lincoln was a great man.*

    e. The adjective *cualquiera* drops the *-a* before a masculine or feminine noun.

***Cualquier* empleado que trabaje aquí es importante.**	*Any employee who works here is important.*

4. Descriptive adjectives generally follow the nouns they modify. They may precede the noun occasionally for emphasis or to express an inherent quality of the noun.

Tiene los ojos *verdes*.	*He/She has green eyes.*
Tus *verdes* ojos me encantan.	*I like your green eyes.*

    Certain adjectives change their meaning depending on their position before or after the noun:

viejo	**Es mi *viejo* amigo.** (long-time, former)
	Es mi amigo *viejo*. (age)
nuevo	**Es mi *nuevo* coche.** (another, different)
	Es un coche *nuevo*. (brand new, modern)
pobre	**Esta mujer *pobre* no tiene comida.** (poor, without money)
	Esta *pobre* mujer está enferma. (unfortunate)
mismo	**El *mismo* hombre es el director y escritor del drama.** (same)
	Ella *misma* preparó la comida. (herself, himself, itself)
cierto	***Cierto* periódico tiene el anuncio.** (a certain)
	Es el periódico *cierto*. (exact, true, right)
único	**Pedro es el *único* alumno español en la clase de francés.** (only)
	Pedro es un chico *único*. (unique)

5. Limiting adjectives precede the nouns they modify. These include numbers and other adjectives of quantity, and possessive and demonstrative adjectives.

Juana recibe *muchos* regalos de *varios* amigos.	*Juana receives a lot of presents from various friends.*
***Estos* regalos son de sus primos.**	*These presents are his/her cousins'.*

6. Possessive Adjectives

Possessive adjectives denote ownership and precede the noun(s) they modify. They agree in number with the nouns they modify. The forms **nuestro** and **vuestro** also agree in gender with the noun modified.

ADJECTIVE	MEANING
mi, mis	*my*
tu, tus	*your* (familiar)
su, sus	*his, her, your* (formal)
nuestro, nuestros	} *our*
nuestra, nuestras	
vuestro, vuestros	} *your* (familiar, plural)
vuestra, vuestras	
su, sus	*their*

NOTE: A prepositional phrase may be used to clarify ownership when the context is not specific.

María busca *su* casa.   or   **María busca la casa *de él*.**

7. Demonstrative Adjectives

Demonstrative adjectives agree in number and gender with the nouns they modify and precede.

ADJECTIVE	MEANING	
este, esta	*this*	
estos, estas	*these*	
ese, esa	*that*	} (near the listener)
esos, esas	*those*	
aquel, aquella	*that*	} (far from speaker and listener)
aquellos, aquellas	*those*	

16.2. ADVERBS

1. Uses

Adverbs modify verbs, adjectives, or other adverbs and express the following communicative functions:

a. Describing how or in what manner an action is done or occurs.

El empleado se expresa mal.	*The employee expresses himself badly (poorly).*
Hablaba *ansiosamente* con su jefe.	*He was talking anxiously to his boss.*

b. Indicating where an action or event takes place.

Ellas estudian *aquí* porque no hay ruido.	*They study here because there is no noise.*

Viven *lejos* de la biblioteca.   *They live far away from the library.*

  c. Describing when an action or event occurs.

Llegaron a mi casa *ayer*.   *They arrived to my house yesterday.*

Tienen que salir *pronto*.   *They need to leave soon.*

  d. Indicating how much, quantities, or limits.

Este vestido es *muy* elegante.   *This dress is very elegant.*

Ella se viste *sumamente* bien.   *She dresses extremely well.*

Pagó *demasaido*.   *He / She paid too much.*

2. Formation and Placement

  a. Adverbs are generally formed by adding *-mente* to the feminine singular form of an adjective.

ADJECTIVE		ADVERB
MASCULINE	FEMININE	
claro perfecto respetuoso rápido	clara perfecta respetuosa rápida	claramente perfectamente respetuosamente rápidamente

  b. Adjectives that end in *-e* or a consonant simply add the ending *-mente*.

ADJECTIVE	ADVERB
elegante fácil	elegantemente fácilmente

  c. Some prepositional phrases also act as adverbs.

PREPOSITIONAL PHRASE	EQUIVALENT ADVERB
con cariño con frecuencia en silencio en total por fin	cariñosamente frecuentemente silenciosamente totalmente totalmente

  d. Adverbs generally follow the verbs they modify and precede the adjectives or other adverbs they modify.

Estudia *frecuentemente* en la biblioteca. (after the verb)

Carlos es *muy* diligente. (before the adjective)

Estudia *casi* siempre por la tarde. (before another adverb)

NOTE: Adverbs that express doubt precede the verb.

Acaso (quizás) nos veamos mañana.

Maybe we will see each other tomorrow.

16.3. COMPARISONS

1. Comparisons of Inequality

a. Adjectives, adverbs and nouns may be compared as to qualities and quantities. Note the uses of **más... que** and **menos... que**.

Felipe es *más* alto *que* Enrique.	*Felipe is taller than Enrique*
Felipe es *menos* diligente *que* Enrique.	*Felipe is less diligent than Enrique.*
Carla es *menos* habladora *que* Felipe.	*Carla is less talkative than Felipe.*
Enrique tiene *más* tarea *que* Felipe.	Enrique has more homework than *Felipe.*
Felipe hace *menos* trabajo *que* Enrique.	*Felipe does less work than Enrique.*
Enrique estudia *más* frecuentemente *que* Felipe.	*Enrique studies more frequently than Felipe.*
Enrique juega al fútbol *menos* frecuentemente *que* Felipe.	*Enrique plays soccer less frequently than Felipe.*

NOTE: In comparatives, adjectives agree with the noun(s) they modify.

más + noun + **que** + adjective + adverb	**menos** + noun + **que** + adjective + adverb

b. The following adjectives and adverbs have irregular comparatives.

		COMPARATIVE	MEANING
ADJECTIVE	bueno	mejor	*better*
	malo	peor	*worse*
	joven	menor	*younger*
	viejo	mayor	*older*
	pequeño	menor	*smaller*
	grande	mayor	*larger, greater*
ADVERB	bien	mejor	*better*
	mal	peor	*worse*

Su hermano *menor* juega al fútbol **mejor** que yo.	*Your younger brother plays soccer better than I (do)*
La solución *es* **peor que el problema.**	*The solution is worse than the problem.*

2. **Comparisons of Equality**

   a. Equality of quantity is expressed using ***tanto... como*** (as much/many . . . as). ***Tanto*** precedes the noun modified and agrees with it.

Felipe tiene tan*to* dinero como su hermana.	*Felipe has as much money as his sister.*
Anita tiene tan*tas* blusas como Nancy.	*Anita has as many blouses as Nancy.*

   b. Equal qualities or characteristics of adjectives or adverbs are expressed by ***tan... como*** (as . . . as).

Susana es *tan* trabajadora *como* su hermano.	*Susana is as hard-working as her brother.*
Susana trabaja *tan* frecuentemente *como* Felipe.	*Susana works as frequently as Felipe.*

tanto tanta tantos tantas } + noun + **como**	*as much/many...as*
tan + an adjective + **como**	*as . . . as*
tan + an adverb + **como**	*as . . . as*

3. **Superlatives**

   a. The superlative is expressed as follows:

      (1) article + noun + ***más*** or ***menos*** + adjective + ***de***

Elena es *la alumna más preguntona de* la clase.	*Elena is the most inquisitive student in the class.*
Jaime y Pepe son los menos *alegres del* barrio.	*Jaime and Pepe are the least happy in the neighborhood.*

      NOTE: The preposition ***de*** is used after the superlative to express *in* or *of*.

      (2) article or possessive adjective + irregular comparative + noun

Felipe es *el mejor atleta de* la familia.	*Felipe is the best athlete in the family.*
Es también *nuestro mejor amigo.*	*He is also our best friend.*

b. The absolute superlative is expressed by adding *-ísimo* to an adjective or adverb.

Carla es *guapísima*.   *Carla is extremely (most) pretty.*

Pedro y su hermano son   *Pedro and his brother are*
   popularísimos.   *extremely popular.*

Comimos muchísimo en la fiesta.   *We ate so much at the party.*

NOTE: **1.** When the absolute superlative modifies a noun, it agrees in gender and number with the noun modified; when the absolute superlative modifies a verb, it does not change.

        2. To maintain the sound of the final consonant, the following spelling changes take place: *co* to *qu*, *-go* to *gu*, and *-z* to *c* before adding *-ísimo*.

Estas galletitas son   *These cookies are extremely*
   riquísimas.   *delicious.*

E J E R C I C I O S

A. Lea el artículo siguiente que describe condiciones en Guatemala y el poder del arte en los jóvenes. Luego busque y escriba una lista de 20 adjetivos y 4 adverbios que, notando sus usos en el texto.

El arte entre los jóvenes como receta para construir la paz en Guatemala

(Tema curricular: La vida contemporánea)

VOCABULARIO	
canalizar to channel	**heredado** inherited
cebarse to vent one´s rage	**nocivo** harmful
desahogarse to vent one´s feelings	**propiciar** to create a favorable
el enfrentamiento confrontation	atmosphere for
la escasez scarcity	**el taller** workshop
fortalecer to strengthen	**la tasa** rate, price
la friolera trifle (sarcastic)	**teñir** to stain
	el saldo balance

Tras más de tres décadas de enfrentamiento armado interno, que dejaron un trágico saldo de muerte y destrucción, ahora la violencia sigue marcando a sangre y fuego la vida de los guatemaltecos, en una nación donde la mitad de la población vive en condiciones de pobreza, y uno de cada seis está inmerso en la pobreza extrema.

    La cruda realidad es que en Guatemala persiste todavía una cultura de violencia heredada de los años de plomo, con una tasa de homicidios comparable a la de otras regiones del mundo en guerra. Sin duda, una violencia sin límites que según del Programa de Naciones Unidas para el Desarrollo (PNUD) cuesta a las arcas públicas la friolera de más de 2.300 millones de dólares anuales, el 7,3 por ciento del PIB.

«Desafortunadamente para muchos en Guatemala la palabra juventud significa muy poco». A partir de esta premisa, el actor y locutor de radio Fabio Díaz, que imparte talleres en la Universidad de San Carlos, habla de la falta de oportunidades y la escasez de recursos que sufren día a día millones de jóvenes, en un país donde el 70 por ciento de la población es menor de 30 años.

Para Aldor Divassi, director de la escuela de música Alarte, la clave está en que los jóvenes tienen mucha energía y en ocasiones no saben cómo canalizarla para crear cosas. «Ahí es donde está el peligro, ya que al no encontrar la manera de desahogarse, van acumulado mucha ira y al final se vuelven violentos», en un país donde los niveles de sadismo son alarmantes. La solución que ofrece una de sus estudiantes ayuda mucho a entender el trabajo que se está haciendo en Guatemala para intentar dar carpetazo a la ola de violencia que tiñe de rojos las calles del país y que se ceba con especial saña entre los jóvenes. «No se trata de centralizar la violencia en una persona, se trata de promover el cambio en cada uno de nosotros». «Es una experiencia muy bonita ver la emoción de la gente cuando bailo», asegura María Velázquez, una de las jóvenes que asiste este año a la escuela de arte de la Universidad de San Carlos. «Es como relajarse e irse a otro mundo. Y bailo porque es una buena manera de expresar, y sobre el escenario se puede expresar casi cualquier cosa, una forma de sentirse libre, sobre todo si se hace con pasión».

Por su parte, Jenny Matías, recuerda que siendo niña no le llamaba especialmente la música, pero poco a poco empezó a entrarle el gusanillo y ahora directamente no puede vivir sin ella. «Siento uno como que estoy flotando en el aire, y sueño algún día con dar un concierto y animar a otros jóvenes», añade esta guatemalteca que da clases de piano y guitarra en Alarte.

En Guatemala, como en otros países de la región, hay una opinión generalizada sobre los efectos nocivos de los medios de comunicación masivos en las vidas de los jóvenes. «Tal como están siendo usados sólo sirven para crean máquinas», se lamenta el director... «No crean seres humanos sensibles, sino máquinas autómatas que reproducen y nada más», añade. Comparte el mismo diagnóstico Aldor Divassi, quien habla directamente de un «bombardeo mediático» que inunda a la juventud con «demasiadas cosas negativas» y que desemboca muchas veces en un tipo de entretenimiento que sólo sirve para «vender cosas o crear estereotipos», y que tiene un «enorme» poder de confundir a la gente.

Dice la Real Academia que los estereotipos son «imágenes o ideas aceptadas comúnmente por un grupo o sociedad con carácter inmutable». Lo que no dice es que su impacto entre los más vulnerables, los jóvenes, puede ser fatal, ya que a veces resulta demasiado fácil acabar con una idea «distorsionada» sobre las personas...

Impulsar el arte entre los jóvenes es uno de los retos del programa conjunto «Consolidación de la paz mediante la prevención de la violencia y gestión del conflicto», uno de los cinco que financia el Fondo para el Logro de los Objetivos del Milenio (F-ODM) en Guatemala, en el que participan seis agencias de Naciones Unidas, cinco instituciones del Gobierno nacional, así como otras organizaciones locales...

El programa financiado por el F-ODM apoya al Gobierno guatemalteco en el desarrollo de políticas públicas para combatir la violencia juvenil, contra las mujeres y la niñez, así como el programa piloto «Ciudadades Seguras» en tres municipios y un sistema de alerta temprana, entre otras iniciativas, para fortalecer el Estado de Derecho, mejorar la seguridad y reducir la conflictividad en el país.

(http://www.mdgfund.org/es/country/guatemala/story/Elarteentrelosj%C3%B3venescomorecetapara-construirlapazenGuatemala)

Adjetivos

1. _____   8. _____   15. _____

2. _____   9. _____   16. _____

3. _____   10. _____   17. _____

4. _____   11. _____   18. _____

5. _____   12. _____   19. _____

6. _____   13. _____   20. _____

7. _____   14. _____

Adverbios

1. _____   3. _____

2. _____   4. _____

Escriba un resumen del artículo en el Ejercicio A usando los adjetivos y adverbios en sus listas y explicando el tema del artículo.

_____

_____

_____

_____

_____

B. Lea el siguiente artículo sobre una cooperativa que ofrece oportunidades para los niños y jóvenes de El Salvador. Complete las oraciones con un adjetivo o adverbio apropiado de la lista. Entonces, conteste las preguntas.

actualmente	**enconada**	**realizadas**	**tanto**
algunas	**inicialmente**	**recientemente**	**típicos**
aproximadamente	**innovadora**	**semanales**	**todas**
cierto	**nuestro**	**situada**	
diariamente	**pequeña**	**sola**	
donadas			
emocionales			

Desarrollo sobre ruedas

(Tema curricular: La vida contemporánea)

VOCABULARIO	
la clave key	**provenir** to derive
concebido conceived	**sembrar** to sow seeds
padecer to suffer	**el taller** shop
el plaguicida pesticide	**la utilidad** profit
promover to promote	**el vivero** nursery

Una _____ 1. cooperativa ciclista de Guarjila, en El Salvador, está sembrando

para el futuro, en más de un sentido. La Cooperativa Ciclista Los Tamarindos —cuyo

nombre proviene de una fruta de la región— fue concebida _____ 2. como

parte de un programa de salud mental para los jóvenes, pero desde que se inició hace

dos años ha extendido sus actividades, incluyendo tres proyectos de viveros de árboles,

y los resultados —sin mencionar las utilidades— son promisorios para el futuro de esta

_____ 3. comunidad.

Guarjila se halla a _____ 4. dos horas de viaje en camión al nordeste

de San Salvador, en el departamento de Chalanango. La mayoría de sus 3.000 habitantes

depende de la agricultura de subsistencia para alimentar a sus familias. John Giuliano,

trabajador de salud mental de los Estados Unidos que ha trabajado durante ocho años

como voluntario en Guarjila, desarrolló el proyecto Los Tamarindos como una oportunidad

para promover el diálogo entre los adolescentes mientras hacen ejercicio y activi-

dades en grupo. Además de los _____ 5. factores de tensión derivados de la ado-

lescencia, los jóvenes de Chalatenango padecen de muchas heridas _____ 6.

como resultado de la _____ 7. guerra civil de El Salvador. Las bicicletas—

_____ 8. ellas de montaña y... para niños— fueron _____ 9. como resultado de campañas populares _____ 10. en Marquette, Michigan y Boulder, Colorado. La cooperativa, que comenzó con una _____ 11. bicicleta, cuenta _____ 12. con treinta, con un taller de reparaciones dirigido por la coo perativa. Los Tamarindos atrae _____ 13. a varones como a niñas de siete a diecisiete años. _____ 14. la cooperativa ha asumido un papel social más amplio, gracias a la semilla de la margosa, originaria de Pakistán, es un ingrediente clave de los plaguicidas orgánicos, y ha sido utilizada con éxito en el Sudeste de Asia, Africa Oriental, Fiji y _____ 15. partes de Centroamérica.

En el primer año de su plantación y producción, la cooperativa ha vendido 25.000 árboles y ha donado otros 25.000 a proyectos de reforestación de la zona. Las utilidades de este año también han ayudado a enviar a quince jóvenes de Guarjila a una escuela preparatoria _____ 16. en Chapas...

Existen dos estipulaciones para poder utilizar las bicicletas: los miembros deben asistir _____ 17. a la escuela y a las reuniones _____ 18. de la cooperativa, y trabajar un _____ 19. número de horas en el vivero.

Guil, de diecisiete años, describe así su experiencia en los Tamarindos: «Los jóvenes de esta cooperativa trabajamos en el vivero y luego podemos andar en las bicicletas. Es más que una cooperativa ciclista: es _____ 20. futuro.

(Mari Bonner, «Desarrollo sobre ruedas», *Américas*; vol. 48, no. 5, 1996, pp. 4–5.)

Preguntas

1. ¿Por qué y cómo fue organizada la cooperativa ciclista de Guarjila?

   _____

   _____

2. ¿Cómo se preparan estos jóvenes y la comunidad para el futuro?

   _____

   _____

T R A B A J O   C O O P E R A T I V O

A. Formen grupos de cuatro a seis alumnos para leer y discutir la historieta y el artículo sobre la violencia en la televisión.

- El líder del grupo organiza el trabajo y ayuda a los demás.

- Todos leen la historieta y el artículo y hacen listas de los adjetivos y adverbios que se encuentran en ellos. Luego comparen sus listas.

- El grupo se divide en parejas, y cada pareja escoge y contesta preguntas diferentes sobre la historieta y/o el artículo.

  1. ¿Por qué apagó la madre en la historieta la televisión?
  2. ¿Qué observó la niña en el mundo real?
  3. Según el artículo ¿qué aprenden los espectadores cuando la violencia se presenta sin castigo?

- Cada pareja le presenta sus respuestas al grupo. Entonces todos discuten las siguientes preguntas:

  1. ¿Promueven los programas de televisión la violencia en los jóvenes o solamente reflejan nuestra sociedad?
  2. ¿Deben los padres controlar lo que ven sus hijos en la televisión?

- El grupo comparte sus respuestas con la clase.

Violencia por televisión

(Tema curricular: Las familias y las comunidades; La vida contemporánea)

Los niños americanos ven televisión por un promedio de cuatro a seis horas diarias. La televisión puede ser una influencia poderosa en el desarrollo de un sistema de valores y en la formación del comportamiento. Desgraciadamente, una gran parte de la programación actual es violenta. Cientos de estudios sobre los efectos de la violencia en la televisión en los niños y los adolescentes han encontrado que los niños pueden: volverse «inmunes» al horror de la violencia; gradualmente aceptar la violencia como un modo de resolver problemas; imitar la violencia que observan en la televisión; identificarse con ciertos caracteres, ya sean víctimas o agresores.

Los niños que se exponen excesivamente a la violencia en la televisión tienden a ser más agresivos. Algunas veces, el mirar un sólo programa violento puede aumentar la agresividad. Los niños que miran espectáculos en los que la violencia es muy realista, se repite con frecuencia, o no recibe castigo, son los que más tratarán de imitar lo que ven. El impacto de la violencia en la televisión puede ser evidente de inmediato en el comportamiento del niño o puede surgir años más tarde y la gente joven puede verse afectada aun cuando la atmósfera familiar no muestre tendencias violentas.

Esto no indica que la violencia en la televisión es la única fuente de agresividad o de comportamiento violento, pero es un contribuyente significativo.

Los padres pueden proteger a los niños de la violencia excesiva en la televisión de la siguiente manera: prestándole atención a los programas que los niños ven en la televisión y mirando algunos con ellos; estableciendo límites a la cantidad de tiempo que pueden estar viendo televisión; señalándoles que aunque el actor no se ha hecho daño ni se ha muerto, tal violencia en la vida real resulta en dolor o en muerte; negándose a dejar que los niños vean programas que se sabe contienen violencia, y cambiando el canal o apagando la televisión cuando se presenta algo ofensivo, explicándoles qué hay de malo en el programa; no dando su aprobación a los episodios violentos frente a sus hijos, enfatizando la creencia de que tal comportamiento no es la mejor manera de resolver un problema.

Contrarrestando la presión que ejercen sus amigos y compañeros de clase, comunicándose con otros padres y poniéndose de acuerdo para establecer reglas similares sobre la cantidad de tiempo y el tipo de programa que los niños pueden mirar.

Los padres deben de también tomar ciertas medidas para prevenir los efectos dañinos de la televisión en temas tales como los asuntos raciales y los estereotipos sexuales. La cantidad de tiempo que los niños miran televisión, no importa el contenido, debe de ser moderada, ya que impide a los niños el llevar a cabo otras actividades de mayor beneficio, tales como el leer y el jugar con sus amigos. Si los padres tienen dificultades serias estableciendo límites o mucha preocupación sobre cómo su niño está reaccionando a la televisión, ellos deben de ponerse en contacto con un psiquiatra de niños y adolescentes para que los ayude a definir el problema.

(http://www.acatlan.unam.mx/medicos/violencia/5/)

B. Formen grupos de cuatro a seis alumnos para leer y discutir sugerencias y advertencias sobre juguetes para niños.

- El líder del grupo organiza el trabajo y ayuda a los demás.

- Todos leen el artículo y hacen listas de los adjetivos y adverbios que se encuentra en él. Luego, comparen sus listas.

- Formen parejas o grupos de tres para contestar estas preguntas sobre el artículo:

    1. ¿Por qué es esencial el juego en la vida de los niños?

    2. ¿Qué hay que tener en cuenta al elegir un juguete?

    3. ¿Cuáles son los errores principales al comprar juguetes?

    4. ¿Por qué pueden ser considerados juguetes los libros?

- En parejas o grupos de tres, hagan un dibujo o un modelo de un juguete o juego original que refleje las sugerencias y advertencias del artículo.

- Preséntele y descríbale su juguete o juego ideal a su grupo.

- Finalmente, preséntele y explíquele sus juguetes o juegos originales a la clase entera.

Guía práctica para escoger los mejores juguetes

(Tema curricular: La vida contemporánea)

Lo que debes saber...

- Jugar desarrolla los sentidos y otras capacidades del niño como la memoria, la atención y la imaginación.
- Regalar muchos juguetes no es educativo: el niño amontona los regalos, no los valora y no tiene tiempo de jugar con ellos.
- Al elegir un juguete hay que tener en cuenta su seguridad y calidad, así como la edad del niño, sus intereses y criterios educativos.

¿Qué es jugar?

Jugar es una de las actividades fundamentales en la vida de las personas. El juego, además de ser una actividad lúdica que proporciona placer, es una de las mejores actividades para aprender. El niño y la niña, jugando, lo aprenden todo:

Aprenden a desarrollar sus sentidos, desarrollan diversas capacidades, como: la percepción, la atención, la memoria, la imaginación y la fantasía. Cuando jugamos nos mostramos tal como somos, actuamos tal como somos y decimos las cosas tal como las pensamos. Así adquirimos hábitos, normas y reglas de todo tipo, entre otras, todo lo referente al comportamiento y el respeto a los otros. Aprendemos a conocer a las personas, su nombre, su forma de ser y de comportarse.

Los juguetes y los juegos son una parte fundamental e importante en la vida de los niños y niñas. Como padres, debemos aprovechar el juego y los juguetes para educar, potenciar la creatividad y enseñar valores de manera divertida. Es muy importante «jugar para crecer».

No podemos concebir una infancia sin juegos. Mediante el juego el niño observa, descubre, manipula y experimenta, es decir, interpreta el mundo que le rodea. A medida que el niño crece, el juego le ayuda a aprender a relacionarse con los demás.

Por otro lado, el juego no es exclusivo de la infancia. Jugar es un excelente recurso de diversión para todas las edades, que favorece la relación y comunicación entre los adultos, los niños y los adolescentes.

¿Qué es un juguete?

El juguete es el instrumento a través del cual se realiza el proceso del juego, por lo que éste debe estimular la imaginación para desencadenar los mecanismos del juego y enriquecer su escenario, favoreciendo la interacción, asegurando la comunicación y perfeccionando la actividad desarrollada.

Es importante recordar que en las manos de un niño cualquier objeto se puede convertir en un juguete, estimulando su imaginación y creatividad. Por ejemplo, una caja de cartón puede ser un camión, un carrito de la compra, una cuna para su muñeca preferida...

Los juguetes deben ser atractivos y estimulantes para el niño, que permitan que desarrolle un juego rico que estimule en global su desarrollo o bien que incida en alguna área específica como la motricidad, los sentidos o la inteligencia

A la hora de adquirir un juguete hemos de tener en cuenta...

- La edad del niño
- Sus intereses personales
- Criterios educativos
- Desarrollo integral del niño: cognitivo, social y emocional
- Parámetros de calidad y seguridad

Los principales errores a la hora de comprar juguetes

- Adquirir muchos juguetes no relacionados entre sí.
- Regalar juguetes no adecuados a la edad del niño.
- Videojuegos antes de los 8-9 años.
- Teléfonos móviles antes de los 11-12 años.
- Televisión y ordenador para su habitación: la TV y el ordenador se deben compartir en familia, ya que los contenidos han de ser controlados por los padres.
- Juegos, juguetes o videojuegos violentos.
- Comprar juguetes muy caros que después prohibamos utilizar para que no los rompan.
- Juguetes sofisticados que suelen resultar atractivos para los adultos pero que no son útiles para los niños/as ya que limitan su imaginación y les incitan a la contemplación y a la pasividad.
- Fomentar roles sexistas en niños y niñas: tanto unas como otros deben jugar con todo tipo de juegos y juguetes... No hay juegos de niñas y de niños.

¿Cuántos juguetes hay que regalar a un niño?

La lista a los Reyes Magos o de Papá Noel suele ser interminable, pero a veces poco apropiada a la edad o las necesidades de los más pequeños. No es tarea fácil elegir el juguete adecuado con buen criterio, estableciendo prioridades, sin decepcionar a los niños pero tampoco sometiéndonos a todos sus deseos. La televisión publicita constantemente muchísimos juguetes; en algunos casos los mensajes engañosos hacen confundir la felicidad del niño con el hecho de tener muchas cosas.

El principal error de los padres o familiares es comprar todo lo que pide el niño. Llega un momento que el niño disfruta más rompiendo el envoltorio que con el juguete en sí. Regalar muchos juguetes no es educativo: el niño amontona los regalos, no los valora y no tiene ni tiempo de jugar con ellos.

Hay que utilizar la magia de los Reyes Magos para sacarle provecho, para que el niño aprenda a aceptar la vida como viene, que le traigan regalos sorpresa, que no esperaba y que algunos que ha pedido no están, porque esa es la realidad. El niño debe aprender a tolerar la frustración... su vida futura estará llena frustraciones.

Los niños no se traumatizan por no tener el juguete de moda o porque su amigo tenga una consola y él no. Este miedo es de los padres. Si el niño tiene claro que le han traído un regalo especial para él, estará encantado y no le importará lo que tengan los demás y si no es así, es que hay algún problema. Porque si el niño está satisfecho, valorado y querido estará encantado con lo que le traigan.

Un truco

Los padres deben poner límites tanto al número de regalos como a los familiares a la hora de comprarlos. Una buena táctica es buscar una temática cada año: animales, bicicleta, viaje, muñecas… de manera que si compramos una bicicleta a nuestro hijo o hija, otros familiares compren el casco, los protectores, un traje de ciclista, un retrovisor, la cesta o la bocina. De esta manera, todos los regalos tienen una conexión y el niño puede valorarlo mejor.

Cuando son más mayores se pueden regalar cosas no tan materiales, como un viaje temático en familia entre todos los familiares y una maletita con neceser para las vacaciones.

Tipos de juego

- **Juegos sensomotrices:** estimulan y desarrollan la psicomotricidad, el conocimiento del propio cuerpo, la noción del espacio. Son juguetes basados en el movimiento y en el desarrollo de las capacidades físicas. Hay varios tipos:
  - Sensoriales: móviles, espejos, instrumentos musicales, hinchables y mantitas de juego,
  - Manipulativos: sonajeros, mordedores, gimnasios para bebés, juguetes de baño, arena, juegos de apilar
  - Motores: balancines, pelotas, tubo de gateo, correpasillos, triciclos, bicicletas…
- **Juegos simbólicos:** estimulan la imaginación del niño/a por medio de la imitación del mundo adulto: jugar a papás y mamás, a médicos, a maestros, a ir a comprar a la tienda. Ayudan a representar la realidad, a imaginar las situaciones de la vida cotidiana. En este tipo de juegos se engloban desde los libros y pinturas hasta los muñecos, miniaturas y vehículos que imitan en entorno.
- **Juegos de construcción:** estimulan la percepción espacial a través de piezas para encajar, ensamblar, apilar y realizar construcciones. Trabajan la precisión, la atención, la paciencia, la capacidad de orientación espacial y la creatividad. En ellos se engloban los puzles y encajes, manualidades, modelismo…
- **Juegos reglados:** juegos principalmente de grupo, que fomentan la socialización. Son juegos con unas normas concretas; permiten desarrollar las habilidades sociales, cooperar, asociarse, competir… Pueden ser los juegos de mesa de toda la vida o los deportivos.
- **Juguetes seguros** Un juguete es todo producto destinado a ser utilizado con fines de juego por niños de menos de 14 años y, por lo tanto, debe ser seguro. Todos los juguetes que compremos a nuestros hijos deben cumplir la normativa europea que comprende las disposiciones de carácter obligatorio a las que deben ceñirse los fabricantes, distribuidores y comerciantes. Para poder comercializarse han de ir marcados con la marca CE, que determina la conformidad con las normas de seguridad que le son de aplicación.

Un libro, un regalo

Los libros pueden ser considerados como auténticos juguetes. Desde los primeros meses de vida podemos adquirir libros para bebés, de tela o plástico, con diferentes texturas, imágenes y colores atractivos para tocar, explorar, observar y entretenerse.

Entre 1 y 2 años les podemos ofrecer libros con páginas de cartón plastificadas que permitan el juego verbal e imaginativo y favorezcan el desarrollo del lenguaje. Para los niños de 2 y 5 años, además de los cuentos con ilustraciones y texto breve, podemos encontrar los libros troquelados con mecanismos simples, como tiras de cartón que se manipulan y permiten el movimiento. A partir de 6 años ya pueden empezar a leer libros donde aparecen las palabras, las historias o las aventuras… Aquí el libro se convierte en juguete o soporte del juego más característico: el de ficción o simbólico. Con los libros se fomenta el gusto por la lectura desde la infancia.

(http://www.mapfre.es/salud/es/cinformativo/guia-practica-juegos-juguetes.shtml)

MASTERY ASSESSMENTS

A. Lea el artículo sobre un problema que —aunque prevenible—afecta a muchos adolescentes. Complete las oraciones con la forma apropiada del adjetivo en paréntesis o de un adverbio formado con dicho adjetivo. Luego, escriba un resumen del artículo.

La música con alto volumen puede dañar nuestros oídos

(Tema curricular: La vida contemporánea)

Escuchar música a volumen _____ durante mucho tiempo produce lesiones
         1. (excesivo)

más _____ que las que genera en un instante el motor de un avión al despegar.
      2. (grave)

La exposición a un ruido muy _____ en un período corto de tiempo,
                    3. (fuerte)

por ejemplo una explosión, causa una injuria celular que, tratada a tiempo, puede llegar a

revertirse, explicó a la red de noticias Infobae el otorrinolaringólogo Carlos Boccio. Por el

contrario, sonidos de gran intensidad, escuchados durante un período prolongado, generan

un daño _____ en estas células.
       4. (permanente)

La explicación, según Boccio, es que las células del oído _____ tienen
                                5. (interno)

capacidad de adaptación sólo cuando el estímulo es limitado en el tiempo.

Cuando se produce el trauma _____, si se realiza la consulta
                6. (acústico)

_____, se pueden intentar alternativas _____ para
   7. (rápido)   8. (farmacológico)

sacar a las células de _____ estado, aunque no siempre con éxito. En
               9. (ese)

los _____ casos, al haber pasado más tiempo, el daño celular es per-
   10. (otro)

manente, porque las células pasaron por ese período de lesión reversible y no fueron

_____.
11. (rescatado)

Actualmente, los dispositivos _____ para escuchar música en todo
                    12. (portátil)

momento, han generado un aumento de consultas por problemas _____
                                        13. (auditivo)

y permiten pronosticar, salvo que se haga una _____ prevención, una epi-
                            14. (intenso)

demia de sordera prematura en los _____ años.
                 15. (próximo)

Boccio aclara que el daño auditivo se produce por el volumen al que se escuchan los dispositivos _____.
16. (musical)

Se sabe que la intensidad _____ que alcanzan los reproductores portátiles, las discotecas, los cines y los nuevos equipos de audio puede dañar la audición a edades muy _____.
17. (sonoro)
18. (temprana)

Si bien el doctor explica que el daño se debe _____ al volumen, señala que también incide el tiempo de exposición _____ al sonido y el tipo de auricular utilizado.
19. (principal)
20. (continuo)

En tal sentido agrega que es recomendable el uso de modelos que se coloquen sobre las orejas en lugar de aquellos que se introducen en el oído, ya que los primeros tienden, a disminuir los ruidos _____.
21. (externos)

El oído humano tolera como máximo 80 u 85 decibeles durante un período de 8 horas antes de que comience a producirse el daño en las células del oído interno, explica Boccio. Y ejemplifica que cuando se está cerca de una persona que escucha un dispositivo musical portátil, si se puede oír la canción que está sonando, se ha superado _____ _____ intensidad.
22. (claro)
23. (ese)

Lo que pueden hacer, según el doctor, quienes no deseen privarse de escuchar música mientras viajan, estudian o usan la computadora es:

Cambiar el tipo de auriculares, intentando elegir siempre los que cubren la oreja por fuera. Mantener el volumen bajo: una _____ guía es usar el volumen a la mitad de lo que permite el dispositivo.
24. (bueno)

Limitar el tiempo de escucha o protegerse. Es importante dar a los oídos períodos de reposo; en discotecas o recitales, donde el volumen suele ser _____ _____ o _____, es recomendable usar tapones en los oídos, añadió.
25. (excesivo)
26. (alto)
27. (molesto)

(http://www.espectador.com/tecnologia/248845/la-musica-con-alto-volumen-puede-danar-nuestros-oidos)

A. Escriba un resumen del artículo usando por lo menos 15 de las formas completadas en el Ejercicio A. Incluya respuestas a las siguientes preguntas:

1. ¿Cuáles son los posibles efectos de la exposición a ruidos muy fuertes en un período corto de tiempo y en un período prolongado?

2. ¿Cuáles problemas causan los dispositivos portátiles?

3. ¿Qué recomienda el doctor Carlos Boccio?

B. En cada una de las siguientes oraciones hay un error gramatical. Elija la parte que hay que cambiar para que cada oración sea gramaticalmente correcta, y escriba la letra de la palabra equivocada.

Salvemos a los niños

(Tema curricular: Los desafíos mundiales)

1. _____ Decir hoy que la mayoría de los niños de la región son pobres e <u>indefensos</u>
   A

   <u>jurídico</u> y <u>políticamente</u> constituye una descripción breve y nada <u>exa-</u>
   B   C   D

   <u>gerada</u> de la situación de la infancia en América Latina y el Caribe.

2. _____ <u>Este</u> situación compromete en forma alarmante el futuro político y
   A

   económico de la región, ya que son ellos quienes están adquiriendo des-

   ventajas <u>sociales</u> <u>permanentes</u>, y quienes tendrán a <u>su</u> cargo el mante-
   B   C   D

   nimiento de la estabilidad política y económica en el futuro.

3. _____ «Quizá no existe <u>otro</u> sector social en el que las promesas de la ciudadanía
   A

   estén más gravemente <u>incumplida</u> que el de los niños y los jóvenes», dice
   B

   Rodrigo Quintana, abogado <u>chileno</u> de 33 años <u>recientemente</u> nombrado
   C   D

   director general del Instituto Interamericano del Niño (IIN).

4. _____ Quintana ha concentrado su esfuerzos en los problemas que todas las
$\phantom{4. \text{Quintana ha concentrado }}A\phantom{\text{ esfuerzos en los problemas que }}$B

naciones americanas comparten en materia de salud, educación y bienestar

de la niñez y ha reorientado los recursos del IIN en apoyo de los Estados

miembros en sus esfuerzos por resolver esos problemas.
$\phantom{\text{miembros en }}C\phantom{\text{ esfuerzos por resolver }}$D

5. _____ La carencia de políticas educacional adecuadas a la actual situación de Amé-
$\phantom{5. \text{La carencia de políticas }}A\phantom{\text{ ducacional }}B\phantom{\text{ecuadas a la }}$C

rica Latina y el Caribe, y el bajo nivel de gasto público en el sector son

motivo de gran preocupación.
$\phantom{\text{motivo de }}$D

6. _____ La baja calidad de vida en las ciudades... ha llevado a que las vivencias
$\phantom{6. \text{La }}$A

callejeras se hayan convertido en el principal factor que influencia a un
$\phantom{\text{c}}$B

creciente número de niños, y con frecuencia un número cada vez mayor de
$\phantom{\text{creciente número de niños, y con frecuencia un número cada vez }}$C

niños muy jóven cae en la delincuencia... y el trabajo infantil.
$\phantom{\text{niños muy }}$D

7. _____ Dentro de esta panorama ... el proceso de consolidación de la democracia
$\phantom{7. \text{Dentro de }}$A

en la mayor parte de la Américas ha actuado como factor estabilizador que
$\phantom{\text{en la mayor parte de la Américas ha actuado como factor }}$B

ofrece esperanzas de que puedan superarse los agobiantes problemas que
$\phantom{\text{ofrece esperanzas de que puedan superarse los }}$C

enfrenta un gran número de niños de las Américas.
$\phantom{\text{enfrenta un }}$D

8. _____ Además de estimular la participación popular dentro de los sistemas

políticos, la democracia ha conferido más visibilidad a los problemas
$\phantom{\text{p}}$A

sociales de los países de la región, contribuyendo de ese forma a provo-
$\phantom{\text{s}}$B$\phantom{\text{ciales de los países de la región, contribuyendo de }}$C

car una mayor preocupación estatal a estos problemas.
$\phantom{\text{car una mayor preocupación estatal a }}$D

(«Salvemos a los niños», *Américas*, enero/febrero de 1997, vol. 49, no. 1, pp. 54–55.)

A U T H E N T I C   A S S E S S M E N T S

1. Adapte un cuento de hadas u otro cuento juvenil en un guión en español. Cree un video para los niños hispanohablantes de su comunidad. Pídales a algunos miembros de su clase de español que hagan los papeles de los personajes del cuento. Preséntales su video a algunas clases bilingües o a niños que estén aprendiendo español como segunda lengua.

2. Su club de español decide ofrecer servicios a la comunidad. Ud. está encargado de buscar e identificar los centros, agencias, organizaciones y grupos que necesiten voluntarios jóvenes que hablen español. Después de investigar éstos, cree un sitio Web con descripciones detalladas de cada sitio y del trabajo voluntario requerido. Incluya los números de teléfono y los nombres de las personas a llamar para ofrecer el servicio.

CHAPTER
17

Los medios de información

Prepositions, Interrogatives, and Negation

17.1. PREPOSITIONS

Prepositions unite words in a sentence and express relationships between them. Complete the pre-test that follows noting the uses of the prepositions that are explained in this chapter.

PRUEBA PRELIMINAR

Lea los consejos que siguen sobre comunicación escrita y complete las oraciones con una preposición apropiada. Luego conteste las preguntas.

Diez recetas para comunicar a través de la buena redacción

(Tema curricular: La vida contemporánea)

Sabía usted que uno _____ los grandes problemas de las empre-

1.

sas—pequeñas, medianas y grandes—, es la ausencia de la comunicación efectiva. Y

_____ todo cuando se trata de mensajes escritos, que _____

2.   3.

muchas ocasiones son fragosos, tediosos, incomprensibles...

Lo cierto es que el mensaje tiene una intencionalidad, pero esto solo se logra si

es claro, preciso y conciso. Y _____ ello se necesita conocer la gramática

4.

_____ sus aspectos fundamentales de construcción de frases y párrafos, la

5.

utilización de los signos de puntuación y la dosificación _____ la información.

6.

Tres expertos de la academia de escritores (*www.academiade escritores.com*), Nancy Parra Villanueva, Ronald Delgado y Vivian Stusser, señalan diez bases _____ 7. escribir _____ 8. claridad, teniendo en cuenta que todos, casi a diario, nos enfrentamos a un informe ejecutivo, una carta, un comunicado de la empresa a su público, una tarea en la escuela o la universidad, una tesis, _____ 9. muchos otros, y esto requiere seguir unos mínimos pasos que son aplicables _____ 10. cualquier disciplina a la hora de escribir. Estos son:

Leer. Independientemente de cuál sea el tipo de literatura que se desee crear, ya sea narrativa, documentos o libros de texto, es importante que el escritor lea mucho. Aunque no lo parezca, si se lee mucho poco a poco el cerebro irá aprendiendo _____ 11. la manera de escribir, _____ 12. las reglas ocultas, _____ 13. los estilos de los escritores y, eventualmente, aprenderá a desarrollar su propio estilo.

Escribir. Al igual que cualquier trabajo o ejercicio, la escritura requiere práctica. Por lo tanto, solo escribiendo se puede aprender a escribir y mejorar sobre la marcha. La práctica es fundamental _____ 14. dominar este oficio.

Investigar. Antes de escribir es importante documentarse sobre el tema a tratar y la manera idónea _____ 15. construir los textos que presentarán a sus receptores. Preguntarse, ¿sabes todo lo que necesitas _____ 16. el tema? ¿Tienes todos los datos y la bibliografía necesaria? Según el tipo de documento se podría buscar uno similar que pudiera servir de referencia _____ 17. cuanto a estructura o enfoque. Tener a mano un buen diccionario.

Claridad. Tener claro de qué se va a hablar _____ 18. el texto, cuál es el tema o las ideas a tratar. ¿Qué objetivo quiero lograr _____ 19. ese texto? Si no está claro, despejar toda duda antes de empezar a escribir. Ayuda plasmar las ideas fundamentales, incluso ordenándolas _____ 20. función de lo que se quiere.

No sobrecargar. No usar palabras rebuscadas o expresiones demasiado elaboradas. El autor no debe tratar de demostrar cuán amplio e impresionante es su vocabulario. De ser el caso, el autor debe hacer uso de ese vocabulario _____ producir un
21.
texto que fluya de forma natural, _____ pretensiones, sencillo y claro.
22.

Escribir el primer borrador. Puede ser a mano si le resulta más cómodo o _____ el computador. Desarrollar todas las ideas de acuerdo al orden
23.
establecido, pero _____ preocuparse demasiado si éste se rompe, y
24.
_____ detenerse mucho en la ortografía o la sintaxis. Volcar todas las ideas
25.
en el papel sin censura.

Revisar su ortografía. Ahora sí revisar el borrador, y luego seguir las normas de sintaxis y _____ ortografía que dicta la Real Academia de la Lengua Española
26.
(RAE); fijarse si hay repeticiones de palabras o ideas, si se han recogido todos los puntos a tratar y si el escrito expresa lo que se esperaba. Se puede llenar ese primer borrador _____ tachaduras, cambiar cosas de lugar, precisar más una cierta idea,
27.
agregar una que falte, etc.

Descansar. Obtener el texto definitivo incluyendo todas las correcciones. Una vez conforme _____ él, dejarlo reposar un tiempo (pueden ser una horas o días
28.
según el tiempo que se tenga) y darle una última lectura en la que podrían hacerse nuevas enmiendas.

Realimentación. También resulta efectivo que lo lea otra persona _____
29.
obtener una perspectiva diferente.

Hoja en blanco. Todos los expertos concluyen que frente a una hoja en blanco, lo mejor es lanzarse a escribir, plasmar esas primeras ideas y no darle mucha importancia a los resultados iniciales, ya que _____ un primer borrador siempre será más
30.
fácil perfeccionar el documento.

(https://www.bancowwb.com/diez-recetas-para-comunicar-a-traves-de-la-buena-redaccion/)

Preguntas

1. Según el texto, por qué es necesario conocer la gramática?

_____

2. Explique los diez consejos.

_____

3. ¿Cómo puede emplearlos en su trabajo?

_____

17.2.   USES OF PREPOSITIONS

1. *A* is used to indicate:
   a. Motion — **Vamos *a* su casa.**
   b. Situation — **Está *a* la derecha.**
   c. Time — **Nos veremos *a* las siete.**
   d. Manner — **Llegaré *a* pie.**
   e. Direct object (personal *a*) — **Quiero visitar *a* María.**
   f. Indirect object — **Le mandé una carta *a* María.**

2. *En* is used to indicate:
   a. Location — **Se encuentran *en* el aeropueto.**
   b. Extent of time — **El avión despega *en* veinte minutos.**
   c. Manner — **Prefieren viajar *en* avión.**
   d. Amount — **El precio del boleto ha disminuido *en* un 10 por ciento.**

3. *De* is used to indicate:
   a. Origin — **Mis primos son *de* Florida.**
   b. Movement — **Vinieron *de* Miami ayer.**
   c. Possession — **Es el equipaje *de* Ana, la chica de ojos azules.**
   d. Characteristics — **La maleta *de* cuero es mío.**
   e. Content — **Lleva una botella *de* agua.**
   f. Manner — **Viajamos *de* noche.**
   g. Topic — **Hablamos *de* la familia.**
   h. Cause — **Estamos locos *de* alegría.**

4. The preposition **con** expresses:

   a. Means   **Abre el paquete *con* tijeras.**

   b. Manner   **Lo agradece *con* dignidad.**

   c. Accompaniment   **Practica *con* su equipo.**

   d. "in spite of"   **Con todo su esfuerzo, no ganaron el partido.**

5. **Sobre** expresses:

   a. "About"   **Me habla *sobre* sus problemas.**

   b. "On top of"   **Su sombrero está *sobre* la mesa.**

6. **Para** expresses:

   a. purpose   **Leemos *para* aprender.***

   b. destination   **Salió *para* la ciudad.**

   c. recipient   **Trajo esta revista *para* ti.**

   d. time limit   **Para mañana, lee el artículo.**

   e. opinion   **Para mí, la cuestión no es urgente.**

   f. comparison   **Para un joven, tiene mucha experiencia.**

7. **Por** expresses:

   a. Motive   **Recibió una medalla *por* ganar la competencia.**

   b. "Through"   **Caminaron *por* el estadio.**

   c. Duration of time   **Se prepararon a competir *por* dos años.**

   d. Non-specific time   **Jugarán *por* la tarde.**

   e. Substitution   **Participó *por* un miembro enfermo del equipo.**

   f. "In exchange for"   **Pagaron cincuenta dólares *por* los boletos.**

   g. Means   **Los mandaron *por* correo.**

   h. "For the sake of"   **Compitió *por* su país.**

   i. "By" (in the passive) **Fue vencido *por* su rival.**

Common expressions with **por** are:

por casualidad	by chance	**por lo general**	generally
por consiguiente	consequently	**por (lo) tanto**	therefore
por eso	that is why	**por nada**	for nothing
por fin	finally	**por supuesto**	of course

NOTE: When a verb follows a preposition, it is always in the infinitive form.

Some common prepositions used before infinitives are:

a	después de	hasta
al	en	para
antes de	en lugar de	por
con	en vez de	sin
de		

17.3. INTERROGATIVES

1. Forms

<table>
<tr><th colspan="4">INTERROGATIVES</th></tr>
<tr><td>**qué**</td><td>*what*</td><td>**cuándo**</td><td>*when*</td></tr>
<tr><td>**por qué**</td><td>*why*</td><td>**dónde**</td><td>*where*</td></tr>
<tr><td>**para qué**</td><td>*for what purpose, what for*</td><td>**adónde**</td><td>*where to*</td></tr>
<tr><td>**cuál(-es)**</td><td>*which*</td><td>**cómo**</td><td>*how*</td></tr>
<tr><td>**quién(-es)**</td><td>*who*</td><td>**cuánto(-a, -os, -as)**</td><td>*how much, how many*</td></tr>
</table>

2. Uses

a. *Qué* is used to ask questions about identification, definition, or qualities.

¿*Qué* miras en la televisión?	*What are you watching on TV?*
¿*Qué* significa esta frase?	*What does this sentence mean?*

b. *Por qué* is used to ask for the reason or cause of a situation or event.

¿*Por qué* se rieron de las noticias en la radio?	*Why did they laugh of the news on the radio?*

c. *Para qué* is used to ask for the purpose or intent of an action or event.

¿Para qué me llamó?	*For what purpose did he/she call?*
¿Para qué presentan este anuncio especial?	*What are they presenting this special ad for?*

d. *Cuál(-es)* (Which) is used to distinguish one object or person or group of objects or persons from each other.

¿*Cuál* periodista prefiere Ud.?	*Which journalist do you prefer?*
¿*Cuáles* revistas lee Ud. generalmente?	*Which magazines do you generally read?*

e. *Quién(-es)* (Who) is used to ask about a person or persons.

¿*Quién* leyó el artículo?	*Who read the article?*
¿*Quiénes* aparecieron en el programa hoy?	*Who appeared on the program today?*

f. *Cuándo* (When) is used to ask for the time an event occurs or occurrred.

¿*Cuándo* empieza el espectáculo?	*When does the show start?*

g. *Dónde* (Where) is used to ask for the location of a situation or event.

¿*Dónde* filman la película?	*Where are they filming the movie?*

h. *Adónde* (To where, where to) is used to ask for a destination.

¿*Adónde* va el autobús?	*Where is the bus going to?*

i. *Cómo* (How) is used to ask for a description or for the manner in which something is done.

¿*Cómo* se ve Elena hoy?	*How does Elena look today?*
¿*Cómo* va a vestirse para la entrevista?	*How is she going to dress for the interview?*

j. *Cuánto* (*-a, -os, -as*) (how much; many) asks for a number, amount or quantity. When it functions as an adjective or pronoun, it agrees with the noun modified. It stays in the masculine singular form when it functions as an adverb.

¿*Cuántas* revistas lees durante la semana?	*How many magazines do you read during the week?*
¿*Cuánto* pan comieron los invitados?	*How much bread did the guests eat?*
¿*Cuánto* cuesta esta computadora?	*How much does the computer cost?*

NOTE: All interrogatives have accent marks.

17.4. NEGATION

1. Forms

NEGATIVE		AFFIRMATIVE	
nadie	*no one, nobody*	**alguien**	*someone, somebody*
ninguno(-a,-os,-as), **ningún** (before a masculine singular noun)	*no one, none*	**alguno(-a,-os,-as)**, **algún** (before a masculine singular noun)	*some*
nada	*nothing*	**algo**	*something*
nunca, jamás	*never*	**siempre**	*always*
tampoco	*neither*	**también**	*also*
ni tampoco	*not . . . either*	**y también**	*and also*
ni siquiera	*not even*	**y también**	*and also*
ni... ni	*neither . . . nor*	**o... o**	*either . . . or*

2. Uses and Placement

a. Negation may be expressed by placing *no* before verbs.

No **tengo dinero para el boleto.**	*I don't have money for the ticket.*

b. Other negatives may be placed after the verb when **no** precedes it, or before the verb when **no** is omitted.

No escucho *nunca* la radio por la mañana or	*I never listen to the radio in the morning.*
Nunca escucho la radio por la mañana.	

c. Double negatives may be included in one sentence, unlike English.

No veo *nunca* a *nadie* cuando salgo para la escuela.	*I never see anyone when I leave for school.*

d. Negatives may be used as brief responses.

Yo no voy al cine, ¿y tú?	*I'm not going to the movies, and you?*
Yo tampoco.	*Me either.*
¿Qué quieres tomar?	*What would you like to drink.*
Nada.	*Nothing.*

e. *Nada* may be used as a pronoun or as an adverb to mean not at all.

No he visto *nada* en la televisión esta tarde.	*I haven't seen anything at all on TV this afternoon.*
Los programas no son nada interesantes.	*The programs are not interesting at all.*

f. A negative is used in comparisons, when implied.

Se ve mejor que *nunca*.	*It looks better than ever.*
Lo quiero más que *nada*.	*I love it more than anything.*

g. Negatives are used after *sin* and *sin que*.

Él la miró *sin* decir *nada*.	*He looked at her without saying anything.*
Ella salió *sin que nadie* la viera.	*She left without anyone seeing her.*

h. Negatives precede *sino* (but).

No busca las noticias en la radio, *sino* en la televisión.	*He / She does not search for the news on the radio, but rather on TV.*

E J E R C I C I O S

A. ¿Cuáles son sus medios de información preferidos? Conteste las siguientes preguntas. Sírvase de las palabras o expresiones sugeridas y úselas en sus respuestas.

1. Para enterarse de las noticias del día, ¿lee el periódico, mira la televisión, o usa el Internet? Explique.

   (a) siempre   (b) nunca   (c) ni... ni   (d) o... o

   _____

   _____

2. ¿Escucha la radio cuando estudia o trabaja? Explique.

   (a) siempre   (b) nunca   (c) ni... ni   (d) ni siquiera

   _____

   _____

3. ¿Hay cualquier programa de información que prefiere? ¿Cuál? ¿Por qué?

   (a) alguno(s)   (b) ninguno(s)   (c) nada   (d) algo

   _____

   _____

4. ¿Hay cualquier locutor que prefiere? ¿Quién? ¿Por qué?

   (a) alguien   (b) nadie   (c) algún   (d) ningún

   _____

   _____

5. ¿Cuándo y cómo usa los varios medios de información? Explique.

   (a) siempre   (b) nunca   (c) también   (d) tampoco

   _____

   _____

B. Identifique un personaje o estrella famosa española a quien le gustaría entrevistar. Formule sus propias preguntas usando las palabras interrogativas sugeridas a continuación. Entonces, busque las respuestas en los varios medios de comunicación y compártalas con la clase.

1. ¿Cuál(es) _____ ?

2. ¿Cuánto(-a,-os,-as) _____ ?

3. ¿Cómo _____ ?

4. ¿Qué _____ ?

5. ¿Dónde _____ ?

6. ¿Quién(es) _____ ?

7. ¿Cuándo _____ ?

8. ¿Por qué _____ ?

TRABAJO COOPERATIVO

A. Formen grupos de seis alumnos para leer y discutir el siguiente artículo sobre los derechos de los usuarios del Internet.

- El líder del grupo organiza el trabajo y ayuda a los demás.
- Todos leen el artículo, subrayando y notando las preposiciones y sus usos.
- El grupo se divide en parejas. Cada pareja contesta dos preguntas.
- El grupo discute las repuestas a las preguntas.
- El grupo propone, discute y escribe sugerencias para protegerse en el Internet. Ponensus sugerencias en el sitio web de su clase o escuela para compartirlas.

¿A quién pertenecen las imágenes que se suben a Internet?

(Tema curricular: La vida contemporánea)

Miles de imágenes de viajes en *Instagram*, las primeras fotografías de un suceso en *Twitter* o nuevos medios que recogen el contenido de otros. Internet es un océano de retos para los derechos de autor que en los usuarios deja un gran interrogante: ¿De quién es esto ahora que lo he subido a la red?...

«El gran problema de la red es que muchas veces, aunque uno sea víctima de una acción ilegal y tenga por tanto derecho a recurrir a la Justicia, en la práctica no hay manera de perseguir a los infractores», explica a Efe la abogada Gretchen McCord, especialista en información digital, derechos de autor y privacidad en las redes sociales.

«Internet se mueve tan rápido y es tan grande que una vez que los contenidos están ahí arriba en ocasiones no puedes hacer nada. No puedes ir detrás de toda esa gente», añade.

El tipo de casos que atiende esta abogada varía a la misma velocidad que evolucionan los contenidos en internet: páginas como Facebook, muy popular y al mismo tiempo controvertida en materia de derechos y privacidad, cambian sus términos de uso continuamente, lo que confunde aún más a un usuario que no siempre sabe si está siendo víctima de un plagio o robo, ni si él mismo lo está cometiendo.

«Lo primero que hay que saber para entender dónde están los límites es que en Internet rige el principio básico de los derechos de autor: el *copyright* sólo protege la expresión creativa original de una idea, pero no la idea en sí misma. Es muy difícil proteger algo como las ideas», explica a Efe Marc P. Misthal, abogado especialista en derechos de autor.

Derecho de autos y uso

En el caso del autorretrato del mono, Wikipedia ganó porque los jueces determinaron que la protección de los trabajos creativos se limita a los elaborados por humanos y, por tanto, no puede aplicarse a una fotografía que el animal se tomó a sí mismo, aunque el aparato y la idea fueran del fotógrafo. Y si no hay derecho de autor el uso de ese contenido es libre.

«Cuando una persona crea un trabajo, por ejemplo al tomar una fotografía, tiene el derecho de autor automático. Cuando la sube a una plataforma como Facebook o Instagram, muchas veces acepta sin leer o sin entender completamente unos términos de uso escritos en un lenguaje farragoso que lo que vienen a decir es que les cedes su uso, aunque la propiedad sigue siendo tuya», señala Misthal.

En ese caso, explica el abogado, si uno de tus amigos en Facebook coge esa fotografía y la imprime para vender postales, puedes denunciar la violación de tus derechos de autor. «Le diste permiso de uso a Facebook, no a él, y mantienes tu autoría sobre la imagen», precisa.

La interpretación de la ley se complica cuando entra en debate lo que en derecho se denomina «uso justo». «En palabras muy sencillas, el 'uso justo' suele considerarse cuando estamos más cerca de lo educativo o informativo que de lo comercial», explica la abogada McCord.

¿Enlazar o no enlazar?

Pero la cuestión no es sólo qué se comparte, sino cómo se comparte y en qué cantidad: «Se considera que un titular no tiene la creatividad suficiente para estar protegido por los derechos de autor. El uso de una porción de un texto también puede hacerse siempre que no sea demasiado y cuando se considere un uso justo», apunta la especialista.

Cuando se le pregunta por los nuevos portales de internet que en la práctica son contenedores de enlaces de otros medios o publicaciones, McCord no duda: «Puede no gustar a muchas personas, porque generan su tráfico de visitas con contenido que no crearon ellos, pero enlazar otros contenidos con un vínculo es completamente legal».

Los derechos de propiedad en internet en Estados Unidos están protegidos en el marco general de la ley de derechos de autor y con la normativa específica de derechos de autor del Milenio Digital, aprobada en 1998. «Esta ley busca el equilibrio, pero a medida que la tecnología avance será necesario tomar medidas más complejas a nivel particular para proteger la autoría mediante la encriptación o las marcas de agua», opina el abogado David Reischer.

Sin embargo, para McCord «inevitablemente» la ley siempre irá por detrás de la realidad en Internet. «Los usuarios deben aprender a protegerse y a proteger sus obras, porque es imposible que la normativa avance al mismo tiempo que la tecnología», concluye.

Preguntas

1. Según el autor, cuál es el gran problema de la red?

   _____

   _____

2. ¿Qué hacen muchas páginas en el web que confunde al usuario?

   _____

   _____

3. Según el artículo, ¿cuál es el principio básico de los derechos de autor?

   _____

   _____

4. ¿Qué pasó en el caso del autorretrato del mono?

   _____

   _____

5. ¿Cómo explica la abogada McCord el significado del «uso justo»?

   _____

   _____

6. ¿Por qué aconseja McCord que los usuarios se protejan y protejan sus obras?

   _____

   _____

B. Formen grupos de cuatro a seis alumnos para investigar y discutir el tema de «la libertad versus el ejercicio responsable de la profesión informativa».

   - El líder del grupo organiza el trabajo y ayuda a los demás.
   - El grupo prepara una encuesta para averiguar las opiniones de los estudiantes en su clase y/o escuela sobre la necesidad de un código ético versus la libertad total de la profesión informativa. Use palabras interrogativas, por ejemplo: *¿qué?*, *¿cómo?*, *¿cuál(es)?*, *¿quién(es)?*, *¿por qué?*, *¿para qué?*, *¿cuándo?* y *¿dónde?*.
   - Los miembros del grupo le entregan la encuesta a sus compañeros de clase. Luego recogen, analizan y discuten las respuestas.
   - El grupo prepara una lista de derechos y reglas para la prensa y otros medios de información de su escuela o comunidad. Y le presenta sus conclusiones y listas a la clase. Use las palabras sugeridas, según sea necesario.

nunca	nada	sino
tampoco	también	siempre
ninguno(-a, -os, -as)	o... o	
ni siquiera	ni... ni	

C. Formen grupos de cuatro a seis alumnos para discutir la siguiente historieta política española y compararla con una de los Estados Unidos.

- El líder del grupo organiza el trabajo y ayuda a los demás.

- Esta historieta política tiene imágenes del mural famoso de Pablo Picasso, «Guernica». En parejas busquen una foto y una descripción histórica de este mural, que representa una escena trágica de la Guerra Civil de España. Compartan lo que aprenden con el grupo.

- En parejas, busquen historietas políticas estadounidenses sobre el terrorismo o la violencia. ¿Cuáles son algunas semejanzas y/o diferencias entre las imágenes de los dos países? Escriban sus comparaciones usando algunas de las palabras sugeridas:

nada	nunca	tampoco
ni siquiera	o... o	
ni... ni	sino	
ninguno(a,-os,-as)	también	

- Cada pareja comparte las historietas políticas y las comparaciones con el grupo y con la clase entera.

MASTERY ASSESSMENTS

A. Lea el siguiente artículo completando las frases con las preposiciones sugeridas. Puede usar cada preposición varias veces.

PREPOSICIONES: a   al   en   sobre   con   por   para

El hemisferio se conecta a través de CITEL

(Tema curricular: La vida contemporánea)

VOCABULARIO

alcance reach   **entorno** environment   **normas** rules, guidelines

---

La comisión Interamericana de Telecomunicaciones (CITEL) es el órgano de telecomunicaciones de la Organización de los Estados Americanos. Su objetivo principal es facilitar el establecimiento de infraestructuras de telecomunicaciones modernas _____ los Estados miembros de la OEA y estimular la expansión de tales

1.

redes _____ que sus beneficios estén _____ alcance de todos

2.   3.

los pueblos del hemisferio.

_____ el surgimiento de las comunicaciones digitales y la fusión de las

4.

telecomunicaciones y la tecnología informática, ha cambiado el entorno de las telecomunicaciones en las Américas. El primero de los diversos factores que han motivado este cambio ha sido el darse cuenta de que las telecomunicaciones son fundamentales _____

5.

el crecimiento económico y tienen un efecto multiplicador _____ todos los

6.

aspectos de la sociedad. El comercio, la salud, la educación, el medio ambiente, las manufacturas y la banca son algunas de las áreas afectadas directamente _____

7.

la calidad de las telecomunicaciones... _____ el fin de lograr los cambios ne-

8.

cesarios, también se reconoció que el paso inicial del proceso es la creación de un entorno reglamentario favorable _____ la inversión del sector privado.

9.

Durante los últimos años, la CITEL se ha convertido _____ un impor-

10.

tante foro _____ que los gobiernos y el sector privado de las Américas

11.

puedan reunirse y formular planes acerca de los ajustes reglamentarios y técnicos que estimularían el desarrollo de estas infraestructuras.

Cuando los gobiernos del hemisferio comenzaron a discutir la creación de una zona de libre comercio _____ las Américas, dos importantes puntos fueron el papel

12.

que desempeñan las telecomunicaciones y la armonización de normas _____

13.

la introducción de nuevas tecnologías y servicios. También se tomó conciencia de que, antes

de su participación _____ las conferencias mundiales _____

14. 15.

telecomunicaciones, se necesita contar _____ medios mucho más efectivos

16.

de negociar posiciones regionales, _____ el fin de que los países de las Amé-

17.

ricas participen de forma sustantiva _____ los cambios que estaban y aún

18.

siguen ocurriendo _____ el entorno actual de las telecomunicaciones.

19.

B. Lea el artículo que sigue sobre el nuevo presidente de CITEL, la comisión Interamericana de Telecomunicaciones, buscando e identificando las preposiciones. Luego conteste
la pregunta.

República Dominicana asume presidencia de la CITEL

(Tema curricular: La vida contemporánea)

SANTO DOMINGO.- El presidente del Instituto Dominicano de las Telecomunicaciones
(Indotel), Gedeón Santos, fue juramentado hoy como presidente de la Comisión Intera-
mericana de Telecomunicaciones (CITEL), entidad asesora de la Organización de Estados
Americanos (OEA).

Durante su discurso de juramentación, consideró necesario prestar mayor atención a
lo que definió como marcadas brechas digitales en América Latina y el Caribe, a pesar de
los «grandes» avances en el desarrollo de la sociedad de la información.

Manifestó que hay un grupo importante de países que necesita acelerar los planes
y políticas de conectividad e inclusión digital mediante alianzas estratégicas con el sector
gubernamental y el sector privado.

Santos fue electo a unanimidad para un período de cuatro años, por los 180 delegados
representantes de 35 países que conforman la asamblea de la CITEL-OEA.

El nuevo presidente de la CITEL destacó que el último informe de la Unión Interamericana de Telecomunicaciones (UIT) señala la necesidad de identificar dónde están y
quiénes son los no conectados para atacar las causas primordiales de por qué hay tantas
personas y hogares no conectados a internet por problemas de accesibilidad...

Santos, afirmó que realizará los esfuerzos necesarios para concretar el objetivo pri-
mordial de la CITEL, que es el desarrollo integral y sostenible de las Telecomunicaciones
en la región de las Américas.

*(http://www.diariolibre.com/noticias/2014/02/11/i478201_republica-dominicana-asume-presidencia-citel.
html)*

Pregunta

¿Cuál es el problema que quiere resolver Gedeón Santos?

_____

_____

AUTHENTIC ASSESSMENTS

1. Haga una encuesta en su clase sobre las opiniones de los estudiantes acerca de «la censura». Primero, investigue las leyes actuales y las que se han propuesto al respecto. Prepare preguntas sobre la censura de los varios medios de información incluyendo la televisión, las películas, la radio, los periódicos y el Internet. Escriba y presente los resultados de sus investigaciones y su propia opinión al respecto.

2. Cree y organice un sitio web para su clase o club de español. Incluya anuncios, editoriales, noticias y otras secciones que los miembros del grupo quieren publicar.

PART FOUR

PREPARING FOR THE AP SPANISH LANGUAGE AND CULTURE EXAMINATION

Sample Interpretive, Interpersonal, and Presentational Questions and Strategies

The AP Spanish Language and Culture Exam is a three hour assessment of students´ proficiency. The exam includes both a multiple choice and free response section, each section is 50% of the total score.

Section I

Multiple Choice (Students are given approximately 95 minutes to complete this entire section.)

Part A: Interpretive Communication: Print Texts

Students have approximately 40 minutes to read several authentic print materials in Spanish and answer 30 multiple choice questions. They may be asked to identify the audience, main points, purpose, important supporting details, and also to make inferences and predictions. They are expected to show cultural comprehension.

Part B: Interpretive Communication: Print and Audio Texts (combined) / Audio Texts

Students have approximately 55 minutes to read texts and listen to audio in Spanish and answer 35 multiple choice questions. This section is divided into two subsections. The first subsection pairs audio texts and print materials that are related. The second subsection consists of audio texts only.

Section II

Free-Response (Students are given approximately 85 minutes to complete this entire section.)

Interpersonal Writing: Email reply

Students have 15 minutes to read and reply to an e-mail message.

Presentational Writing: Persuasive Essay

Students are provided with three sources- an article, table or graphic and an audio- that present different viewpoints. They are given 40 minutes to write a persuasive essay presenting and defending their own viewpoint using information from these sources.

Interpersonal Speaking: Conversation

Students respond to 5 prompts as part of a simulated conversation. They have 20 seconds for each response.

Presentational Speaking: Cultural Comparison

Students make a 2 minute presentation on a cultural topic in response to a prompt.

1

Multiple Choice

Interpretive Communication: Print Texts

A. Read the "Introduction" to each segment carefully and try to recall anything you know about the purpose, context, characters or author so you can connect any previous knowledge to the text. Also, try to make predictions about what you will read.

B. Time yourself

    1. Note the suggested time, which is 40 minutes, and before you start, divide the total number of minutes by the number of readings. The readings may be of various lengths and various levels of difficulty.

    2. If you need to spend more than the average amount of time on any one reading, you should go ahead and come back to it when you're done with the easier readings. Since every answer has the same value, you're better off answering as many as you can and saving the more difficult questions for last.

C. Identify the genre or type of text.

    1. An Expository text

        a. This type of reading is usually clearly organized to present a main idea with supporting statements and/or details and a conclusion that sums up the selection.

        b. Be sure to underline the main idea(s) and then find supporting comments.

        c. Find a concluding statement that sums up or finalizes the selection.

        d. Identify the tone, if you can. Is it didactic, sarcastic, serious, matter of fact?

        e. Circle vocabulary you don't know to get an idea of the difficulty of the passage.

        f. Read the passage carefully the first time. Then read the questions. Next scan the text for the answers as often as you need to in the average time you've alloted. The answers may be stated in different words or inferred from the text. You can come back to difficult questions if you have time remaining.

        g. If there is unfamiliar vocabulary in the choices, think of possible cognates and/or related words. If you cannot eliminate at least two of the four choices as incorrect, you may skip the question. Errors are deducted from the total grade. But it is advisable to guess if you have some comprehension of the question and the choices given.

2.   A Literary Text

   a. This type of text will have a limited number of themes, but may be organized in an infinite variety of ways, since literature is by nature creative.

   b. Identify the theme. Is it *love, honor, death, immortality, fate, power, the cycles of life, revenge, nostalgia, illusion and/or disillusion, art, the conflicts and struggles of daily life?*

   c. Is the text narrative and/or descriptive? What is the movement in the text that develops the theme?

   d. Identify main characters and see how each is developed in the reading. Also identify any conflict, revelation, or resolution experienced by these main characters.

   e. Identify the tone of the text. Is it didactic, humorous, ironic, bitter, joyful?

DIRECTIONS:

Interpretive Communication: Print Texts

You will read several selections. Each selection is accompanied by a number of questions. For each question, choose the response that is best according to the selection and mark your answer on your answer sheet	Vas a leer varios textos. Cada texto va acompañado de varias preguntas. Para cada pregunta, elige la mejor respuesta según el texto e indícala en la hoja de respuestas.

Selección A
(Tema curricular: La familias y las comunidades)

Introducción

En este texto, la autora chilena, Isabel Allende describe un lugar. El texto proviene de su novela, «De amor y de sombra» que fue publicada en Sudamérica en 1984.

Era de noche cuando Irene y Francisco llegaron a casa de los Leal. Hilda terminaba de preparar una tortilla de papas y el intenso aroma del café recién colado impregnaba la cocina. Al quitar la imprenta, esa amplia habitación lució por vez primera sus proporciones reales y todos pudieron apreciar su encanto: los viejos muebles de madera con cubierta de mármol, la nevera anticuada y al centro la mesa de mil usos donde se reunía la familia. En invierno constituía el lugar más tibio y acogedor del mundo. Allí junto a la máquina de coser, la radio y la televisión, encontraban la luz y el calor de una estufa a kerosén, del horno y de la plancha. Para Francisco, no existía otro sitio mejor. Los más gratos recuerdos de su infancia transcurrieron en ese cuarto jugando, estudiando, hablando horas por teléfono con alguna novia de trenzas escolares, mientras su madre, entonces joven y muy hermosa, ocupaba de sus quehaceres canturreando aires de su España lejana. El ambiente siempre olía a yerbas frescas y especias para sazonar guisados y fritangas.

Se mezclaban en deliciosa armonía ramas de romero, hojas de laurel, dientes de ajo, bulbos de cebolla, con las fragancias más sutiles de la canela, el clavo de olor, la vainilla, el anís y el chocolate para hornear panes y bizcochuelos. Esa noche Hilda colaba unas cucharadas de auténtico café, regalo de Irene Beltrán. Esa ocasión merecía sacar de la alacena las pequeñas tazas de porcelana de su colección, todas diferentes y tan delicadas como suspiros. El olor de la cafetera fue el primero que percibieron los jóvenes al abrir la puerta y los guió al corazón de la casa.

(Isabel Allende, «De amor y de sombra», [fragmento]; pp. 196–197.)

1. ¿Cómo se puede describir el cuarto donde entraron Francisco y Irene?
   (A) Era pequeño.
   (B) Era maloliente.
   (C) Era el centro de la casa.
   (D) Era un dormitorio amplio.

2. ¿Cómo era la habitación durante el invierno?
   (A) Hacía frío.
   (B) No había luz.
   (C) La máquina de coser, la radio y la televisión hacían demasiado ruido.
   (D) Era un refugio calentador.

3. Francisco se recordó de
   (A) sus quehaceres domésticos
   (B) su juventud alegre
   (C) la variedad de flores en el cuarto
   (D) su amor por Irene

4. El narrador indica que esa noche
   (A) había peligro.
   (B) era especial.
   (C) Hilda estaba preocupada con las noticias del día.
   (D) tomaban la cena como de costumbre.

5. El corazón de la casa es
   (A) Hilda.
   (B) la cocina.
   (C) la estufa.
   (D) Irene.

Selección B
(Tema curricular: La belleza y la estética)
Introducción

Este texto trata de la historia del baile tradicional en México. Fue publicado en 2013 por la Universidad Internacional en México.

Los Bailes folklóricos en México han sido tradicionalmente una forma de honrar a la cultura mexicana y una representación de las luchas y las alegrías de la vida cotidiana mexicana. Es una celebración de los rituales religiosos y culturales y festivales, que se celebra por la gente de nuestro país. El origen de las danzas folklóricas mexicanas se encuentra en los tiempos mesoamericanos, cuando la danza ritual se realizó para apaciguar a los dioses de los Mayas y los Aztecas. Cuando los españoles llegaron en el siglo 16, trajeron con ellos, los bailes al estilo europeo, como el vals, el ballet, la polka y chotis, lo que influyó en la forma de la danza indígena. Conquistas posteriores permitieron las danzas alemanas, francesas, españolas e italianas, que se mezclan con la danza popular original y la aparición de las tres formas de la danza folklórica mexicana. El primero es 'danza', que es una danza ritual indígena, realizado en entornos religiosos o comunitarios. La segunda categoría de formas de danza folclórica mexicana, es «mestizo», que muestra las influencias occidentales en la danza indígena, ya sea en los pasos o el tema. Los 'bailes Regionales' o los bailes regionales, son una manifestación de la forma de la danza por cada comunidad. Estos generalmente se presentan en la comunidad y representaciones teatrales.

Cada región y estado de México, representa la forma de la danza mexicana en un estilo que refleja sus propias costumbres y tradiciones. Las características son fácilmente diferenciables en la música, la danza y los trajes de los bailarines. Mientras que algunos tienen una expresión más autóctona en su danza folclórica, hay otros que se basan en gran medida de las formas de danza europeos, como el flamenco...

1. ¿Cuáles fueron los primeros bailes en México?
   (A) Los bailes regionales teatrales
   (B) El vals, la polka y el ballet
   (C) Las danzas para los dioses.
   (D) Los bailes do los mestizos.

2. ¿Cuál ha sido el propósito de los bailes tradicionales en México?
   (A) Mejorar la salud de los bailarines.
   (B) Representar y respetar la vida diaria y ocasiones especiales.
   (C) Celebrar la influencia europea.
   (D) Demostrar las diferencias entre culturas

3. ¿Por qué hay diferencias regionales de la danza mexicana?
   (A) Las varias regiones tienen gobiernos diferentes.
   (B) En algunas regiones se prefiere la música y baile contemporáneos.
   (C) Las regiones tienen costumbres y tradiciones propias.
   (D) Los indígenas rechazan el baile europeo.

4. ¿Cuál es el tema de este texto?
   (A) Las costumbres de varias regiones de México.
   (B) Las rituales de la gente indígena de México.
   (C) La fusión de culturas y costumbres en la danza mexicana.
   (D) Porque los mexicanos deben aprender a bailar.

Selección C
(Tema curricular: Las familias y las comunidades)

Introducción

Este artículo trata de la historia y las costumbres de los Mayas.

Para los mayas, el mercado fue uno de los principales medios de comercio. De diversos pueblos llegaban hombres y mujeres a alguna comunidad importante, un determinado día de la semana, y en puestos que colocaban en la plaza principal, intercambiaban los más diversos productos.

Cada clase de mercancía tenía un área específica, diferenciándose perfectamente las zonas destinadas a los puestos de alimentos, de animales, de herramientas, de utensilios y de textiles o prendas de vestir.

En los mercados se vendía maíz, alimento principal de toda la zona; carne de venado y pescado seco; verduras como chile y aguacate: frutas como el mamey y especias como la vainilla y la pimienta.

Había quienes vendían telas y fibras, así como prendas ya confeccionadas. La venta de aves, de plumas de quetzal, de miel, de piedras como el pedernal, el cuarzo y el jade, se hacía también en sitios especiales... El cacao, que sólo puede cultivarse en algunas regiones muy húmedas, era sumamente apreciado como alimento y durante siglos se utilizó inclusive como moneda. La sal, por su parte, se producía básicamente en las costas de la península de Yucatán (México) y se distribuía en todo el Mundo Maya, a cambio de una gran cantidad de semillas de cacao...

Actualmente, los mercados del Mundo Maya siguen ofreciendo las más diversas mercancías, casi siempre un solo día de la semana y en las plazas abiertas del centro de los poblados. Sobresalen las artesanías y, de ellas, los textiles bordados a mano, los cuales dan al mercado maya su atractivo principal: el colorido.

(«El renunciamiento glorioso», *Americas;* agosto de 1997, pp. 46–47.)

1. ¿Para qué venían los mayas al mercado?

   (A) para intercambiar sus productos

   (B) para bordar textiles a mano

   (C) para distribuir semillas de cacao

   (D) para comunicar con otros pueblos indígenas

2. ¿Cómo se dividía el mercado?

   (A) Había puestos designados para hombres y otros para mujeres.

   (B) Cada familia tenía una zona propia

   (C) Se dividía en zonas según la mercancía

   (D) Se dividía por el color del producto.

3. ¿Cuál producto tenía varios usos para los mayas?

   (A) el chile

   (B) el mamey

   (C) el cacao

   (D) la miel

4. Según el autor ¿cómo es el mercado maya de hoy?

   (A) No ofrecen una gran variedad de productos.

   (B) Sólo existe en la costa.

   (C) Se ven muchos colores.

   (D) Se abre todos los días de la semana.

Selección D

(Tema curricular: Las familias y las comunidades)

Introducción

En este texto el autor, Benito Pérez Galdós describe a dos hermanos. Este fragmento es de la novela «Marianela» que fue publicado en España en 1878.

Teodoro Golfín no se aburría en Socartes. El primer día después de su llegada pasó largas horas en el laboratorio con su hermano, y en los siguientes recorrió de un cabo a otro las minas, examinando y admirando las distintas cosas que allí había, que ya pasmaban en la grandeza de las fuerzas naturales, ya por el poder y brío del arte de los hombres. De noche, cuando todo callaba en el industrioso Socartes, quedando sólo en actividad los bullidores hornos, el buen doctor, que era muy entusiasta músico, se deleitaba oyendo tocar el piano a su cuñada Sofía, esposa de Carlos Golfín y madre de varios chiquillos que se habían muerto.

Los dos hermanos se profesaban vivo cariño. Nacidos en la clase más humilde, habían luchado solos en edad temprana para salir de la ignorancia y de la pobreza, viéndose a punto de sucumbir diferentes veces; mas tanto pudo en ello el impulso de una voluntad heroica, que al fin llegaron jadeantes a la ansiada orilla, dejando atrás las turbias olas...

(Adaptado de Marianela, Benito Pérez Galdós)

1. ¿Cómo pasó los días en Socartes Teodoro Golfín?
   (A) Tocó el piano.
   (B) Ayudó a los pobres.
   (C) Visitó las minas.
   (D) Salió en un barco para la otra orilla.

2. Los hermanos Golfín
   (A) siempre luchaban.
   (B) se ignoraban.
   (C) nunca se veían.
   (D) se querían.

3. Los dos hermanos nacieron
   (A) privilegiados.
   (B) pobres.
   (C) en una familia real.
   (D) enfermos.

4. ¿Cómo lograron triunfar los hermanos Golfín?
   (A) por la ayuda de su familia
   (B) por robar de los dueños de las minas
   (C) por el trabajo de los pobres
   (D) por sus propios esfuerzos

5. Parece que el autor quiere que el lector
   (A) tenga gran respeto por los hermanos Golfín.
   (B) odie a los hermanos Golfín.
   (C) se ría de los hermanos Golfín.
   (D) tenga compasión por los hermanos Golfín.

Selección E

(Tema curricular: La belleza y la estética)

Introducción

Este texto que describe la caza, de la autora, Emilia Pardo Bazán refleja la corriente naturalista de la literatura de aquella época. Es de la novela «Los pazos de Ulloa», publicado en 1886 en España.

Tras los pinos y matorrales se emboscaban en noches así los cazadores. Tendidos boca abajo, cubierto con un papel el cañón de la carabina, a fin de que el olor de la pólvora no llegue a los finos órganos olfativos de la liebre, aplican el oído al suelo, y así se pasan a veces horas enteras. Sobre el piso, endurecido por el hielo, resuena claramente el trotecillo irregular de la caza: entonces el cazador se estremece, se endereza, afianza en tierra la rodilla, apoya la escopeta en el hombro derecho, inclina el rostro y palpa nerviosamente el gatillo antes de apretarlo. A la claridad lunar divisa, por fin, un monstruo de fantástico aspecto, pegando brincos prodigiosos, apareciendo y desapareciendo como una visión: la alternativa de la oscuridad de los árboles y de los rayos espectrales y oblicuos de la luna hace parecer enorme a la indefensa liebre, agiganta sus orejas, presta a sus saltos algo de funambulesco y temeroso, a sus rápidos movimientos una velocidad que deslumbra. Pero el cazador, con el dedo ya en el gatillo, se contiene y no dispara. Sabe que el fantasma que acaba de cruzar al alcance de sus perdigones es la hembra, la Dulcinea perseguida y recuestada por innumerables galanes en la época del celo, a quien el pudor obliga a ocultarse de día en su gazapera[1], que sale de noche, hambrienta y cansada, a descabezar cogollos de pino, y tras de la cual, desalados y hechos almíbar, corren por lo menos tres o cuatro machos, deseosos de románticas aventuras. Y si se deja pasar delante a la dama, ninguno de los nocturnos rondadores se detendrá en su carrera loca, aunque oiga el tiro que corta la vida de su rival, aunque tropiece en el camino su ensangrentado cadáver, aunque el tufo de la pólvora le diga: «¡Al final de tu idilio está la muerte!»

(Emilia Pardo Bazán, «Los Pazos de Ulloa»)

1. ¿Qué esperan los cazadores en el bosque?
   (A) la llegada de un monstruo
   (B) aventuras románticas
   (C) matar liebres
   (D) alcanzar las gazaperas
2. ¿Por qué no dispara el cazador al ver el primer animal?
   (A) Ella va a atraer a otras liebres indefensas.
   (B) No quiere que el olor de la pólvora escape.
   (C) Quiere dejar que la hembra encuentre comida.
   (D) No puede apretar el gatillo sin hacer ruido.
3. ¿Qué buscan los nocturnos rondadores?
   (A) comida
   (B) a sus rivales
   (C) a Dulcinea
   (D) aventuras amorosas
4. ¿Qué predice la narradora que será el sino de los machos que persiguen a la hembra?
   (A) Van a escapar de los cazadores.
   (B) Van a morir en el bosque.
   (C) Van a ocultarse en las gazaperas.
   (D) Van a tropezar y herirse.
5. ¿Qué lamenta la narradora?
   (A) Que los cazadores sufran en el bosque.
   (B) Que las hembras sean perseguidas.
   (C) Que los rivales tengan celos el uno al otro.
   (D) Que el deseo se convierta en tragedia.

---

1. rabbit-warren

Selección F

(Tema curricular: La belleza y la estética)

Introducción

Este segmento del artículo sobre el «Guernica» de Pablo Picasso de Sonia Aparicio fue publicado en «El Mundo» en octubre, 2011, treinta aniversario del regreso del cuadro a España.

...«En Guernica no hay bombas, ni aviones, ni nada por el estilo porque no es una guerra u otra guerra, ni ésta ni aquella; es la manera en que Picasso muestra su rechazo a cualquier tipo de violencia de la guerra», explica Paloma Esteban Leal, conservadora del Museo Reina Sofía, donde el cuadro 'descansa' desde 1992, sometido a estrictas medidas de conservación y seguridad. A partir de ahí, cada uno de los elementos que integran el lienzo puede ser objeto de múltiples y distintas interpretaciones. El toro, el caballo, la madre con el hijo muerto, la paloma, la ventana en llamas, la bombilla en el centro, los restos del guerrero... »

«Más allá de lo que digan los expertos, es interesante escuchar a las personas que no lo son», dice José Lebrero, director del Museo Picasso de Málaga, «porque si hay algo que hace estas grandes obras tan especiales, es que trascienden cualquier discurso culto o retórica histórico-artística; nos llevan a unas dimensiones y a un espacio que tienen muchas lecturas. Yo, más que decir lo que es 'Guernica', intentaría escuchar lo que otra persona cree que es ... »

La Historia del 'Guernica' comienza en enero de 1937, cuando el Gobierno de la República encarga a Picasso un gran cuadro de 11x4 metros para el pabellón español de la Exposición Universal que se celebraría ese año en París. Desde el 1 de mayo, en un ático del número 7 de la parisina rue des Grands Augustins, el malagueño invierte varios días en numerosos esbozos preparatorios —un total de 62— antes de abordar el lienzo en blanco. El 10 de mayo empezó a pintar su gran obra de 3,51 x 7,82.

Pocos días antes, el 26 de abril, la localidad vasca de Gernika había sido bombardeada y devastada por la Legión Cóndor alemana. El tema corre de boca en boca entre los españoles en París y la prensa francesa también se hace eco de ello. Todos los expertos coinciden en que los comentarios populares y las imágenes en blanco y negro que publican los periódicos del ataque indiscriminado sobre la población civil y la devastación de la ciudad dan definitivamente al malagueño el tema para la obra que en esas fechas tiene entre manos.

'Guernica' es una de las ocasiones en que Picasso se implica en el tema social y deja por unos momentos su vida personal, que es lo que le suele inspirar más frecuentemente. La obra, alegato universal contra la violencia y la barbarie, viajó por Europa y EEUU —y el lienzo sufrió mucho por ello— en busca de simpatías y fondos para la causa republicana, silenciada tras el triunfo franquista, en 1939. Picasso expresó su deseo de que el cuadro no viniera bajo ningún concepto a España mientras no se restableciera la democracia. Y tuvieron que pasar más de cuatro décadas para que el 'Guernica' pisara suelo español. Un recibo de 150.000 francos sirvió al Gobierno para demostrar la propiedad de su encargo. El 10 de septiembre de 1981, el 'Guernica' aterrizaba en el aeropuerto de Madrid-Barajas.

1. Según José Lebrero, ¿por qué es importante escuchar a las reacciones al cuadro depersonas que no son expertos?

   (A) Los expertos no tienen razón siempre.

   (B) Los expertos no rechazan la violencia.

   (C) Las grandes obras inspiran lecturas personales que valen.

   (D) Las grandes obras estimulan largos discursos de los expertos.

2. ¿Por qué cambió Picasso el tema del cuadro que empezó para el pabellón español de la Exposición Universal en Paris en 1937?

   (A) Quería estimular el orgullo nacional de los españoles.

   (B) Quería celebrar la cultura y las costumbres de España.

   (C) Quería criticar el gobierno español de aquella época.

   (D) Quería rechazar la violencia de la guerra.

3. Según el artículo, ¿Por cuál propósito viajó la obra por Europa y los EEUU?

   (A) Para solicitar fondos por los republicanos españoles.

   (B) Para celebrar el genio de Picasso.

   (C) Para recoger fondos para el gobierno de Franco.

   (D) Para evocar el rechazo de la violencia y la guerra.

4. ¿Por qué tardó cuarenta años el regreso del cuadro a España?

   (A) Picasso temía que se dañara el lienzo en el viaje.

   (B) Picasso quería esperar un gobierno democrático en España.

   (C) Picasso quería exhibir el cuadro por el mundo.

   (D) Picasso quería guardar el cuadro en los EEUU.

Selección G
(Tema curricular: Las identidades personales y públicas)
Introducción

Este texto describe a un hombre militar. Viene de la obra «El general en su laberinto», de Gabriel García Márquez, que fue publicado en Bogotá, Colombia en 1989.

En la madrugada, cuando todos dormían, la selva íntegra se estremeció con una canción sin acompañamiento que sólo podía salir del alma. El general se sacudió en la hamaca. «Es Iturbide», murmuró José Palacios en la penumbra. Acababa de decirlo cuando una voz de mando brutal interrumpió la canción.

Agustín de Iturbide era el hijo mayor de un general mexicano de la guerra de independencia, que se proclamó emperador de su país y no alcanzó a serlo por más de un año. El general tenía un afecto distinto por él desde que lo vio por primera vez, en posición de firmes, trémulo y sin poder dominar el temblor de las manos por la impresión de encontrarse frente al ídolo de su infancia. Entonces tenía veintidós años. Aún no había sido juzgado en ausencia y condenado a muerte por alta traición.

Tres cosas conmovieron al general desde los primeros días. Una fue que Agustín tenía el reloj de oro y piedras preciosas que su padre le había mandado desde el paredón de fusilamiento, y lo usaba colgado del cuello para que nadie dudara de que lo tenía a mucha honra. La otra era el candor con que le contó que su padre, vestido de pobre para no ser reconocido por la guardia de puerto, había sido delatado por la elegancia con que montaba a caballo. La tercera fue su modo de cantar.

El gobierno mexicano había puesto toda clase de obstáculos a su ingreso en el ejército de Colombia, convencido de que su preparación en las artes de la guerra formaba parte de una conjura monárquica, patrocinada por el general, para coronarlo emperador de México con el derecho pretendido de príncipe heredero. El general asumió el riesgo de un incidente diplomático grave, no sólo por admitir al joven Agustín con sus títulos militares, sino por hacerlo su edecán. Agustín fue digno de su confianza, aunque no tuvo ni un día feliz, y sólo su costumbre de cantar le permitió sobrevivir a la incertidumbre.

(«El general en su laberinto,„ Gabriel García *Márquez*. Editorial Oveja Negra, 1989; Bogotá, Colombia.)

1. ¿Cómo se puede describir la canción que se oía al amanecer?

    (A) Era alborotadora.

    (B) Era estridente.

    (C) Era emotiva.

    (D) Era desenfrenada.

2. ¿Quién era el padre de Agustín de Iturbide?

    (A) Era un general mexicano asesinado en una guerra contra Colombia.

    (B) Era un general mexicano que quería ser emperador.

    (C) Era edecán del general colombiano.

    (D) Era un general asesinado que luchó por la independencia de México.

3. ¿Cómo ganó Agustín el afecto del general?

    (A) Por su talento en mandar el gobierno.

    (B) Por su talento en mandar el ejército.

    (C) Por su destreza en cabalgar.

    (D) Por su deseo de asumir riesgos.

4. ¿Por qué no quería el gobierno mexicano que se alistara Agustín en el ejército colombiano?

    (A) Temían que escapara a Europa.

    (B) Temían que precipitara una guerra entre Colombia y México.

    (C) Temían que consiguiera la corona de México.

    (D) Temían que se hiciera presidente de México.

5. ¿Que reveló del carácter del general su relación con Agustín?

    (A) Que era valiente y compasivo.

    (B) Que era cobarde e insensible.

    (C) Que era soberbio y desdeñoso.

    (D) Que era enajenado y sumiso.

Selección H

(Tema curricular: Los desafíos mundiales)

Introducción

Este artículo discute el problema de pobreza en la América Latina. Fue publicado en *el ESPECTADOR.COM* de Uruguay el 31 de octubre de 2014.

Los países latinoamericanos lograron reducir los niveles de pobreza entre 2002 y 2012, pero persiste la vulnerabilidad que amenaza a 200 millones de personas, dijo hoy la administradora del Programa de las Naciones Unidas para el Desarrollo (PNUD), Helen Clark.

«No cabe duda de que América Latina ha hecho progresos impresionantes en la reducción de la pobreza en la última década», afirmó Clark durante la inauguración del VII Foro Ministerial para el Desarrollo en América Latina y El Caribe, en la capital mexicana, donde participan ministros y representantes de 32 países.

La funcionaria del PNUD aseguró que Latinoamérica logró reducir la proporción de personas con ingresos menores a cuatro dólares diarios del 42 % al 25 % en el plazo citado, mientras que las clases medias crecieron del 21 al 34 %.

Advirtió que pese a esos éxitos, actualmente unos 200 millones de personas, un 37 % de la población, son clasificadas como vulnerables, «es decir, que corren el riesgo de caer en la pobreza».

«La pobreza es multidimensional y no se debe medir solamente con los niveles de ingreso, sino por el estado de salud, acceso a la educación, empleo, participación social, seguridad y sanidad», afirmó Clark.

La representante del PNUD destacó que este foro es un espacio para intercambiar experiencias exitosas de diversos países que puedan ser incorporadas a la agenda de desarrollo post-2015 de las Naciones Unidas.

El tema central del encuentro de dos días es el «progreso multidimensional y el desarrollo inclusivo», que se propone analizar diversos enfoques para superar la desigualdad social mediante instrumentos de inclusión social, equidad fiscal e instituciones eficaces.

Clark destacó que los países requieren adoptar políticas fiscales progresivas en favor de las personas de menores ingresos y reducir el impacto de los «impuestos indirectos» en los pobres, como son las gravámenes al consumo.

Durante la inauguración, el secretario de Relaciones Exteriores de México, José Antonio Meade, destacó que los temas que se discutan en este foro serán «un insumo valioso» para el proceso de «construcción de la agenda para el desarrollo post-2015 de la ONU».

El canciller coincidió en que aunque se han reducido los índices de pobreza de manera significativa, «persiste la pobreza en la región, persiste la desigualdad» y señaló que «son muchos los que reciben poco y son pocos los dueños de mucho».

Precisó que los gobiernos deben trabajar para evitar la concentración de la riqueza y destacó que este problema no se va a resolver «por el mercado solo», sino mediante políticas públicas adecuadas e inteligentes.

Por su parte, el secretario general para la Cooperación Internacional para el Desarrollo del Gobierno de España, Gonzalo Robles, afirmó que la prioridad para su país es fortalecer los lazos de cooperación con América Latina.

Robles indicó que actualmente todos los países de la región se esfuerzan en impulsar una nueva visión del desarrollo para superar la trampa de considerar a la pobreza sólo con el indicador de la renta y señaló que el 70 % de los pobres se concentran en los países de renta media.

Explicó que si se considera como pobres sólo a quienes perciben 1,25 dólares diarios, en el mundo suman 1.200 millones de personas, pero si se incluyen los indicadores de educación, salud y calidad de vida, la cifra se eleva a 1.500 millones.

En tanto, la secretaria de Desarrollo Social de México, Rosario Robles, quien inauguró el encuentro, dijo que «América Latina no es la región más pobre, pero sí es la más desigual», por lo que se requieren mayores esfuerzos para lograr la equidad social, cerrar las brechas de la desigualdad social y erradicar el hambre.

Destacó que los programas de apoyo social impulsados por el Gobierno mexicano buscan no sólo superar los problemas inmediatos, sino crear condiciones para romper el círculo de la pobreza.

En el foro participan ministros y funcionarios de todos los países latinoamericanos y del Caribe, quienes intercambiarán las experiencias de sus gobiernos de combate a la pobreza y lograr una mayor inclusión social.

1. Según el artículo, qué lograron los países latinoamericanos entre 2002-2012?

    (A) La equidad fiscal entre la población.

    (B) Eliminar el problema de hambre.

    (C) Disminuir la proporción de gente pobre.

    (D) Aumentar los ingresos de toda la gente.

2. Según el artículo, NO se debe medir la pobreza

   (A) por el acceso a la educación.

   (B) por el nivel del empleo

   (C) por la seguridad y sanidad

   (D) por el ingreso solamente

3. ¿Cuál es el enfoque central del VII Foro Ministerial para el Desarrollo en América Latina yel Caribe?

   (A) La situación monetaria entre los países.

   (B) El progreso social e inclusivo

   (C) Fortalecer los lazos con España

   (D) Fomentar el intercambio de productos y servicios

4. ¿Cómo piensan los representantes al foro resolver los problemas?

   (A) Van a reducir impuestos en la población adinerada.

   (B) Van a reducir las rentas de la clase media.

   (C) Van a discutir e intercambiar los logros en combatir hambre y pobreza.

   (D) Van a crear más instituciones administrativas.

Selección I

(Tema curricular: Las familias y las comunidades)

Introducción

Esta lectura es de una trilogía de novelas de Pío Baroja, llamado «Las Ciudades» publicado en 1910 en Madrid. La autora describe a una familia y a otros en un hotel.

En este hotel, inmenso, lujoso, colocado a dos mil y tantos metros sobre el nivel del mar, según dicen los carteles anunciadores que se ven por todas partes, nos reunimos más de cien personas en el comedor a la hora del almuerzo. El mayor frío, la más helada compostura reina entre nosotros.

Se ve que, albergados y reunidos por la casualidad en este hotel, nos estorbamos; una muralla de prejuicios y de convencionalismos nos separa...

En este albergue del fastidio entró hace dos días una familia de aire modesto. Era una familia formada por cinco personas: dos señoras, una de ellas fea, alta, flaca, con anteojos; la otra, más gruesa y bajita; una muchacha alegre, sonriente, sonrosada y una niña melancólica, con el rostro de color de cera. Las acompañaba un hombre distinguido y cansado.

Todos van de luto. Son iguales; tienen entre sí rasgos de afabilidad simpática. La señora bajita, madre de las dos muchachas, estuvo el primer día durante el almuerzo oprimiendo la mano del hombre y acariciándola. Él sonreía con un aire dulce y fatigado. Sin duda, no podía pasar mucho tiempo aquí, porque por la noche no apareció, y las mujeres estuvieron solas en el comedor.

Están las dos señoras y la muchacha fresca y rozagante muy preocupadas con la niña pálida; tanto, que no notan la expectación que causan entre la gente. Todas estas viejas..., cargadas de joyas, miran a la familia de luto como preguntándose: ¿Cómo están aquí si no son de nuestra posición? ¿Cómo se atreven a mezclarse con nosotras no siendo de nuestra clase?

Y es cierto; no deben serlo: hay algo que indica que la familia no es rica. Además, y esto es ya bastante extraordinario, parece que no han venido aquí para desdeñar a los demás, ni para darse tono, sino para pasear y contemplar las cimas inmaculadas del Monte

Blanco. Así se les ve a las dos muchachas que salen sin adorno ninguno al campo, llevando un libro o una naranja en la mano, y que vuelven con ramos de flores.

(«*Las Ciudades*», *Pío Baroja. Alianza Editorial, Madrid.*)

1. Muchos de los huéspedes del hotel
   (A) se agradan el uno al otro.
   (B) tienen mucho en común.
   (C) se preocupan de la clase social.
   (D) se odian el uno al otro.

2. La familia que acaba de llegar vino al hotel
   (A) para mezclarse con gente de la clase más alta.
   (B) para desdeñar a la gente de la clase más baja.
   (C) para aprovecharse de la buena comida del albergue.
   (D) para gozar de la naturaleza.

3. Es probable que el padre de la familia haya salido porque
   (A) tenía que trabajar.
   (B) prefería otro hotel.
   (C) no pudo tolerar las viejas en el hotel.
   (D) estaba abandonando a su familia.

4. El narrador emplea un tono
   (A) humorístico.
   (B) melancólico.
   (C) sarcástico.
   (D) dramático.

5. El narrador está criticando
   (A) los servicios poco adecuados del hotel.
   (B) los valores superficiales de varios huéspedes.
   (C) la indiferencia y reserva de la familia.
   (D) la falta de actividades para los huéspedes.

Selección J
(Tema curricular: La belleza y la estética)
Introducción

En este texto el autor describe el encuentro de los cholos y la naturaleza. Es un segmento de la novela, «La serpiente de oro» de Ciro Alegría, que fue publicado en 1969 en Lima, Perú.

Por donde el Marañón rompe las cordilleras en un voluntarioso afán de avance, la sierra peruana tiene una bravura de puma acosado. Con ella en torno, no es cosa de estar al descuido.

Cuando el río carga, brama contra las peñas invadiendo la amplitud de las playas y cubriendo el pedrerío. Corre burbujeando, rugiendo en la torrenteras y recodos, ondulando en los espacios llanos, untuosos y ocres de limo fecundo en cuyo acre hedor descubre el instinto rudas potencialidades germinales. Un rumor profundo que palpita en todos los ámbitos, denuncia la creciente máxima que ocurre en febrero. Entonces uno siente respeto hacia la comentada y entiende su rugido como una advertencia personal.

Nosotros, los cholos[1] del Marañón, escuchamos su voz con el oído atento. No sabemos donde nace ni donde muere este río que nos mataría si quisiéramos medirlo con nuestras balsas,[2] pero ella nos habla claramente de su inmensidad.

Las aguas pasan arrastrando palizadas que llegan de una orilla a la otra. Troncos que se contorsionan como cuerpos, ramas desnudas, chamiza y hasta piedras navegan en hacinamientos informes aprisionando todo lo que hallan a su paso. ¡Ay de la balsa que sea cogida por una palizada! Se enredaría en ella hasta ser estrellada contra un recodo de peñas o sorbida por un remolino, junto con el revoltijo de palos, como si se tratara de una cosa inútil.

Cuando los balseros las ven acercarse negreando sobre la corriente, tiran de bajada por el río, bogando[3] a matarse, para ir a recalar en cualquier playa propicia. A veces no miden bien la distancia, al sesgar, y son siempre cogidos por uno de los extremos. Sucede también que las han visto cuando ya están muy cerca, si es que los palos húmedos vienen a media agua, y entonces se entregan al acaso ... tiran las palas —esos remos anchos que cogen las aguas como atragantándose— y se ajustan los calzones de bayeta[4] para luego piruetear cogidos de los maderos o esquivarlos entre zambullidas hasta salir o perderse para siempre.

Los tremendos cielos invernales desatan broncas tormentas que desploman y muerden las pendientes de las cordilleras y van a dar, ahondando aún más los pliegues de la tierra, a nuestro Marañón. El río es un ocre de mundos.

Los cholos de esta historia vivimos en Calemar. Conocemos muchos valles más, formados allí donde los cerros han huido o han sido comidos por la corriente, pero no sabemos cuántos son río arriba ni río abajo. Sabemos sí que todos son bellos y nos hablan con su ancestral voz de querencia, que es fuerte como la voz del río mismo.

(«La Serpiente de oro», Ciro Alegría. Ediciones Nuevo Mundo, Lima, 1963.)

1. El narrador compara el Marañón a
   (A) unos peñascos amenazantes.
   (B) unos árboles gigantes.
   (C) una fiera estruendosa.
   (D) un barco irrefrenable.

2. Según el pasaje, los cholos reconocen el poder del río y
   (A) tratan de controlarlo.
   (B) lo respetan hasta temerlo.
   (C) insisten en navegarlo durante tormentas.
   (D) buscan sus riquezas que lleva de una orilla a otra.

3. El narrador equivale el poder del río con la fuerza
   (A) de la fe de los cholos.
   (B) de la furia de las tormentas.
   (C) de los animales salvajes.
   (D) del afecto de los valles.

---

1 mestizos
2 rafts
3 rowing
4 cloth

4. El estilo de este pasaje es por mayor parte
   (A) poético.
   (B) sarcástico.
   (C) dialéctico.
   (D) humorístico.

5. En este texto, el narrador presenta el tema del destino del hombre determinado por su albedrío frente al río que simboliza
   (A) el amor desenfrenado.
   (B) la inmortalidad.
   (C) un poder universal.
   (D) las maravillas de la naturaleza.

Interpretive Communication: Print and
Audio Texts (Combined)

Strategies:

A. See the reading strategies in this book for Part A of the examination, which may also be applied to the readings in this section.
B. Readings and audios are paired in this section. Decide how they are connected.
C. The audio texts may be interviews, conversations, announcements, podcasts or brief presentations.

1. Read the introduction carefully, since it will identify the type of text, the topic, and the speaker(s) and situate it in a place and time so you can begin to predict what you will be hearing and connect it to the text you have just read on the same or a related-topic.

2. Then read the questions and choices so you will know what to listen for.

3. Listen very carefully both the first and second time and take brief notes that relate to the questions you read.

4. You will have only a minute in between the first and second time you hear the audio, but you can use that time to read the questions again and answer those that are easiest for you.

5. After the second time you hear the audio, you will have only 15 seconds for each multiple choice question which may refer to the text, the audio or both. Eliminate distracters (obviously wrong answers). Finish the easier questions quickly, if you are sure.

6. Do not spend too much time on questions that are difficult for you. Finish the easier ones first and go back to the harder questions as soon as you can.

DIRECTIONS:

Interpretive Communication: Print and Audio Texts (combined)

You will listen to several audio selections. The first 3 audio selections are accompanied by reading selections. When there is a reading selection, you will have a designated amount of time to read it.	Vas a escuchar varias grabaciones. Las 3 primeras grabaciones van acompañadas de lecturas. Cuando haya un lectura, vas a tener un tiempo determinado para leerlo.
For each audio selection, first you will have a designated amount of time to read a preview of the selection as well as to skim the questions that you will be asked. Each selection will be played twice. As you listen to each selection, you may take notes. Your notes will not be scored.	Para cada grabación, primero vas a tener un tiempo determinado para leer la introducción y prever las preguntas. Vas a escuchar cada grabación dos veces. Mientras escuchas, puedes tomar apuntes. Tus apuntes no van a ser calificados.
After listening to each selection the first time, you will have 1 minute to begin answering the questions. For each question, choose the response that is best according to the audio and/or reading selection and mark you answer on your answer sheet.	Después de escuchar cada selección por primera vez, vas a tener un minuto para empezar a contestar las preguntas; después de escuchar por segunda vez, vas a tener 15 segundos por pregunta para terminarlas. Para cada pregunta, elige la mejor respuesta según la grabación o el texto e indícala en la hoja de respuestas.

Selección número 1

(Tema curricular: Los desafíos mundiales)

Fuente número 1

Primero tienes 4 minutos para leer la fuente número 1.

Introducción

Este texto trata de las tortugas marinas en California y México. El artículo original fue publicado el 26 de noviembre de 2014 en los Barriles, México por la periodista Sonia Corona.

Noé Araiza va todas las mañanas de julio a noviembre a la playa de Los Barriles (Estado de Baja California Sur, noroeste de México). Se pone unos guantes de látex y revisa si en su corral han nacido tortugas marinas. Son las siete de la mañana y dos centenares de estos reptiles ya han roto el cascarón. Noé les ayuda a salir de su nido y les acerca al mar. Suena su teléfono y, luego de asegurarse de que las tortugas han entrado al agua, se va en moto a dejar a su hija a la escuela para después acudir a su trabajo como parrillero en un restaurante. Así como Noé, algunos vecinos del Golfo de California (también conocido como Mar de Cortés) han comenzado a proteger a las miles de tortugas marinas que nacen en sus playas. De la mano de ONGs (Organizaciones No Gubernamentales) y por iniciativa propia han logrado garantizar la reproducción en México de esta especie en peligro de extinción.

Durante todo su ciclo de vida las tortugas marinas están expuestas al peligro de morir. Una vez que las adultas dejan enterrados en la playa sus nidos, el riesgo de que las crías no nazcan aumenta ante la presencia de animales depredadores, actividad humana en la playa y el robo de huevos para su comercialización. Después, cuando logran entrar al mar, y mientras ganan peso y tamaño son presas de cientos de animales marinos. Incluso ya como adultas continúan siendo alimento de otras especies y objetivos de la pesca. «Los números empiezan a ir hacia arriba, sobre todo por ser una especie con un ciclo de vida tan complejo. Realmente enfrentan una gran cantidad de obstáculos para sobrevivir», explica Georgina Saad, coordinadora del Programa de Conservación de Especies Marinas del Fondo Mundial para la Naturaleza (WWF).

En el Golfo de California viven cinco de las siete especies de tortuga marina del mundo, pero solo tres —golfina, laúd y negra— depositan sus huevos en las playas de la Península de Baja California. En los últimos 13 años, los habitantes de la región han logrado vigilar 150 kilómetros del litoral, proteger 19.000 nidos y liberar más 1,5 millones de crías al mar. Los vecinos, con ayuda económica del gobierno municipal y ONGs como la Alianza de WWF con la telefónica Telcel, han montado corrales en la costa, en donde concentran los nidos que recolectan durante las noches cuando las tortugas adultas salen del agua para desovar unos 100 huevos cada una. En una de esas noches, hace cuatro años, Noé Araiza se convenció de unirse a la conservación de la tortuga marina y montar un corral en la costa. «Nunca había visto, a mis 30 años, una tortuga desovar», cuenta con sorpresa. Su pequeña hija Noelia le acompañó y le animó a contribuir con tanta insistencia que el padre no pudo negarse. «La siguiente noche casi me exigió que fuéramos a ver otra». Ahora se han unido a su proyecto su hermano y su cuñada que le ayudan a vigilar 19 kilómetros —unos 350 nidos— de la costa todas las noches para impedir el robo tanto de huevos como de tortugas.

La conservación de esta especie también ha implicado el cambio de costumbres de los habitantes de la Península de Baja California. Habituados a preparar platillos con la carne de la tortuga, como birria (una especie de estofado) y su carne asada, los vecinos han dejado este hábito, usado en ocasiones especiales, para convertirse en protectores de la especie. Aún así es posible encontrar una tortuga marina adulta para cocinar en ciudades como Tijuana (Baja California Norte) por 700 dólares. «La carne de la tortuga es muy roja. Tener aquí ganado es muy costoso y la gente está acostumbrada a comer del mar», advierte Saad, «Y el problema sigue siendo pesquero». El consumo de cualquier producto obtenido de la tortuga marina está prohibido en México desde 1990…

En los últimos cinco años las ONGs, la iniciativa privada, el Gobierno local y el sector hotelero han rastreado en conjunto a ocho tortugas marinas a través de un marcaje satelital. Así han comprobado que esta especie se mantiene cerca de las costas mexicanas y se alimenta en regiones marinas frente a los estados de Sinaloa, Jalisco y Nayarit. También han identificado sus principales zonas de anidación en las playas de Baja California Sur y Sinaloa. En otras regiones de México como las costas de Oaxaca, Michoacán y Quintana Roo también se han detectado la anidación y nacimiento de diferentes especies de tortugas marinas.

Acompañado de su hija, Noé vuelve a la playa al atardecer para liberar a más tortugas recién nacidas…

Al terminar la temporada Noé habrá ayudado a unas 35.000 crías a sumergirse al mar, en el mejor de los casos unas 35 de este grupo llegarán a adultas, las hembras volverán por instinto a las playas de Los Barriles para depositar sus huevos y seguir con el ciclo de vida.

Fuente número 2

Tienes dos minutos para leer la introducción y prever las preguntas.

Introducción

Esta grabación trata de las tortugas marinas en Uruguay. El reportaje fue publicado el 15 de noviembre de 2014. La grabación dura aproximadamente 3 minutos.

SCRIPT

Tortugas verdes rehabilitadas con la ayuda de niños fueron devueltas al agua en Montevideo este sábado, una iniciativa que busca generar conciencia sobre los riesgos que corre esta especie que migra a Uruguay en verano y primavera.

En pocos minutos, Luna, Lucas, Aletea, Ramona y Flora entraron al Río de la Plata y fueron aplaudidas por cientos de familias que se reunieron al mediodía en la playa para despedirlas...

Los cinco ejemplares liberados el sábado forman parte de un grupo de 15 tortugas rehabilitadas por la Organización No Gubernamental, Karumbé, dedicada al rescate y la conservación de estos animales.

Las tortugas verdes, en peligro de extinción, aparecieron en distintos lugares de la costa uruguaya entre junio y julio pasados, afectadas por un «shock térmico» y la colonización de caracoles en el caparazón.

«Cuando las tortugas agarran el invierno, muchas migran, pero otras no. Sienten mucho frío y salen a la playa y ahí es cuando son rescatadas», nos dijo Andrés Estrade, director de Karumbé.

Durante varios meses, niños de nivel preescolar acudieron al hospital de tortugas de la ONG para cuidarlas: les llevaron acelga para alimentarse, algodón y otros materiales para curarlas, participaron del monitoreo de su salud y examinaron restos de plástico que aparecieron en su interior.

Según la directora del centro educativo, Verónica Larrosa, con el proyecto se busca reforzar el sentido de «solidaridad y responsabilidad» entre los niños, que participaron activamente de todo el proceso.

«Aprendimos que no hay que tirar cosas ni basura al mar, ni en ningún lado», contó a la Rocío, una de las «madrinas» de apenas 5 años.

En paralelo a la liberación de tortugas, unos 800 voluntarios se dedicaron a limpiar esa playa montevideana, cuando se celebra el Día Internacional de Limpieza de Costas....

El director uruguayo de Medio Ambiente, Jorge Rucks, sostiene que la contaminación del agua con bolsas de plástico es un problema «grave».

Rucks explicó que, buscando alimentos, las tortugas «a menudo confunden las bolsas de plástico con medusas y así se intoxican»...

Estrade sostiene que este problema las afecta sobre todo en verano, cuando comen más, y que en los últimos 10 años la ONG ha registrado una mayor presencia de plástico en el estómago de las tortugas que examinan.

«Hoy en día todas las tortugas muertas que analizamos, su tracto digestivo, tienen presencia de plástico. Es más, tortugas vivas, que son mantenidas en rehabilitación, defecan plástico»,..

Cada año, por las manos de Karumbé llegan unas 120 tortugas por diversos problemas: heridas o por enfermedades, o incluso semi-ahogadas porque quedaron atrapadas en redes de pesca.

Se trata de una especie en peligro de extinción, debido principalmente a la falta de conservación en los sitios donde anidan...

Las tortugas verdes que se hallan en el Río de la Plata nacen en zonas tropicales del Océano Atlántico y migran a las costas de Uruguay cuando tienen alrededor de 4 años.

Hasta los 20 años permanecen en las aguas del pequeño país, migrando hacia el norte cada otoño e invierno para evitar las bajas temperaturas, y pasada esa edad, regresan definitivamente a zonas más cálidas.

(N) Ahora tienes un minuto para empezar a responder a las preguntas para esta selección. Después de un minuto vas a escuchar la grabación de nuevo.

(1 minute pause)

(N) Ahora escucha de nuevo la selección.

[Then same audio text selection is replayed here.]

(N) Ahora termina de responder a las preguntas para esta selección.

(2 minutes and 30 seconds to finish answering the following questions)

1. ¿Cuál es el propósito del artículo? (Fuente 1)

   (A) Describir a las criaturas marinas en las playas de México.

   (B) Celebrar a Noé Araiza.

   (C) Explicar porque el número de las tortugas marinas sigue aumentando en México.

   (D) Describir esfuerzos para conservar a las tortugas marinas en California y México.

2. ¿Qué cambio de costumbres se describe en el artículo?

   (A) Los a habitantes de la Península de Baja California ya no comen tortugas marinas.

   (B) Los habitantes de la Península de Baja California ya no pescan.

   (C) Los habitantes de la Península de Baja California y México están prohibidos decomer pescado.

   (D) Se permite preparar platillos de carne de tortugas marinas en Tijuana.

3. ¿Cómo protege las tortugas marinas Noé Araiza?

   (A) Las ayuda entrar al mar.

   (B) Recoge los nidos de las tortugas

   (C) Recoge los huevos de las tortugas.

   (D) Las lleva a México.

4. Según el artículo, ¿cuál es una razón que están en peligro las tortugas marinas de BajaCalifornia y México?

   (A) No tienen bastante comida.

   (B) Los animales depredadores y marinos las comen.

   (C) No pueden romper sus cascarones.

   (D) Son protegidos en sus nidos.

5. ¿Cuál es la misión de la organización Korumbé según la grabación?

   (A) Es proteger a los niños de los animales salvajes en peligro de extinción.

   (B) Es rescatar y proteger las tortugas marinas.

   (C) Proteger el medio ambiente de polución.

   (D) Ayudar a las tortugas marinas a migrar al norte.

6. ¿Qué aprenden los niños que cuidan las tortugas marinas, según la grabación?

   (A) Aprenden a criar varios animales salvajes.

   (B) Aprenden a cuidarse en la playa.

   (C) Aprenden la responsabilidad de proteger la naturaleza en peligro.

   (D) Ganan la motivación de hacerse veterinarios.

7. ¿Según la grabación, ¿cuál es un resultado de la basura en la playa y en el mar?

   (A) Encuentran plástico en los estómagos de las tortugas marinas muertas.

   (B) Las tortugas migran al norte.

   (C) Las tortugas mueren de hambre.

   (D) Las tortugas usan el plástico en la construcción de sus nidos.

8. ¿Qué tienen en común las dos fuentes?

   (A) Describen los problemas de las organizaciones gubernamentales.

   (B) Describen la contaminación del medio ambiente.

   (C) Describen como sobreviven gran números de tortugas marinas.

   (D) Describen organizaciones y voluntarios de varias partes del mundo que tienen unaparecida misión.

9. Según las dos fuentes, ¿por qué migran las tortugas marinas?

    (A) Para encontrar su pareja.

    (B) Para encontrar un clima más caliente.

    (C) Para encontrar comida.

    (D) Para encontrar aguas sin contaminación.

10. ¿Qué se puede concluir de la fuente escrita y la fuente auditiva?

    (A) Las acciones irresponsables de los seres humanos van a hacer extintas a las tortugasmarinas en el futuro.

    (B) Las condiciones adversas del clima mundial van a hacer extintas a las tortugas marinas en el futuro.

    (C) Se puede salvar a las tortugas marinas por la educación de los niños.

    (D) Se puede salvar a las tortugas marinas por esfuerzos bien organizados por el mundo.

Selección número 2

(Tema curricular: La ciencia y la tecnología)

Fuente número 1

Primero tienes 4 minutos para leer la fuente número 1.

Introducción

En este texto el descubridor del cometa donde aterrizó el módulo Philae, el 12 de noviembre comenta para el periódico ABC, cómo fue aquel día histórico, que él compara a «la llegada del hombre a la Luna».

Los astrónomos Klim Churyumov y Svetlana Gerasimenko descubrieron en 1969 el cometa 67P, bautizado también con el nombre de Churyumov-Gerasimenko. Sobre este cuerpo celeste se posó el pasado día 12 el módulo Philae, actualmente en estado de hibernación tras dos días de trabajo. Llegó hasta allí a bordo de la sonda Rosetta, fabricada por encargo de la Agencia Espacial Europea (ESA) y lanzada al espacio el 2 de marzo de 2004. Klim Churyumov, nacido el 19 de febrero de 1937 en la ciudad ucraniana de Nikoláyev y profesor de la Universidad de Kiev, comenta a ABC sus impresiones sobre el proyecto.

Cuando vio las fotografías obtenidas por Philae, ¿podría imaginar que tendría ese aspecto?

Lo que Guerasimenko fotografió en 1969 solo era la estela del cometa, la cola de luz, pero su núcleo lo vimos por primera vez gracias a la misión Rosetta. Sabíamos que el cometa tenía un radio de unos dos kilómetros y acertamos, pero su aspecto no lo hemos conocido hasta ahora. Ninguno de los telescopios existentes podía haber conseguido fotos similares ni siquiera cuando el cometa estuvo cerca de la Tierra. Nunca antes se había estudiado un cometa tan de cerca ni tampoco ningún otro cuerpo celeste, salvo la Luna y Titán.

¿Cómo es que existe durante tanto tiempo, por qué no se ha quemado ya?

Entre un 60 y un 80 por ciento de los cometas es hielo, por lo que su tamaño disminuye cada vez que se acercan al Sol. Al final queda la roca, que también se va quemando y convirtiendo en polvo. Pero este cometa es especial y por eso fue elegido para el experimento.

¿Cuál es su particularidad?

Hasta 1959 tuvo una órbita muy alejada del Sol, pero se acercó demasiado a Júpiter y el campo gravitatorio del planeta le hizo cambiar de trayectoria. La nueva órbita discurre a una distancia mucho menor del Sol, lo que ha hecho que pierda su tamaño, pero todavía continuará en el cielo mucho tiempo. Dará todavía unas 10 o 20 vueltas más al Sol. Tarda seis años y medio en dar cada vuelta.

¿Y tras 10 años de vuelo llegó el momento de la verdad?

Sí, había dudas sobre si el módulo Philae podría separarse de Rosetta para posarse sobre el cometa. Después de tantos años expuesto al viento solar y a sus protones, en su travesía hacia el cometa de centenares de millones de kilómetros existía la posibilidad de que sus sistemas no funcionaran bien y de que Philae no pudiera separarse.

¿Tampoco fue fácil el aterrizaje?

La gravedad del cometa es mucho más débil que la de otros cuerpos más grandes y nunca se había hecho nada parecido. Es un proyecto único en la historia de la investigación espacial. Es comparable a la llegada del hombre a la Luna. Es la tercera vez que un aparato fabricado por el hombre se posa en un astro después del viaje a la Luna del Apolo 11 y la llegada de la sonda Huygens-Cassini a Titán.

Pero ha habido un percance y Philae está ahora en zona de sombra.

De todas maneras, la cantidad de información que ha tenido tiempo de enviar es enorme. Es muy probable que vuelva a funcionar cuando el año que viene se acerque al Sol, ya con más luz y temperatura.

¿Hasta qué punto es importante el caudal de datos obtenido por la sonda?

Es importantísimo. Los cometas son cápsulas de tiempo. Contienen materia que existió antes del momento en el que se formó el sistema solar. Esto nos permitirá comprender el origen del Sol, de nuestro planeta y de la vida en la Tierra. Entender cómo llegó el agua a la Tierra y las primeras moléculas orgánicas.

¿Concretamente, qué tareas tiene ahora su departamento del observatorio de la Universidad de Kiev en relación con los datos obtenidos?

Lo primero ahora es realizar la cartografía del cometa y dar nombre a todos sus accidentes geográficos. Vemos una tendencia a poner nombres egipcios, pero hay que comprender que se trata de un cometa genuinamente ucraniano. Vamos a intentar que los nombres que se pongan sean ucranianos.

¿No fue descubierto por usted y Svetlana Gerasimenko en Alma-Atá (Kazajstán)?

Sí utilizamos un telescopio del observatorio de Alma-Atá, que era entonces uno de los mejores equipados, pero luego regresamos a Ucrania con los negativos y fue en Kiev, tras estudiar las fotografías, cuando descubrimos el cometa.

¿Requiere una gran paciencia observar el espacio?

Sí, es un trabajo muy meticuloso, pero hoy día se ha simplificado gracias a los ordenadores. Hay programas que procesan las filmaciones que hacemos con los telescopios y detectan la posible presencia de nuevos astros y sus movimientos…

¿Es cierto que es usted astrónomo por casualidad?

En tercer curso de la facultad tuvo lugar la distribución por cátedras y yo quería estudiar en la de física teórica, pero no había plazas y me propusieron la de óptica. Como no era mi fuerte, seguí buscando hasta que encontré que había un puesto en la de astronomía. Y ahí comenzó mi carrera como astrónomo.

Fuente número 2

Tienes un minuto para leer la introducción y prever las preguntas.

Introducción

Esta grabación trata de un cometa que afectó la atmósfera de Marte. El reportaje apareció en ABC.es Madrid el 29 de noviembre de 2014.

SCRIPT

La tormenta de partículas provocada por el paso cercano del cometa Siding Spring «literalmente ha cambiado la química» de la atmósfera superior de Marte.

Procedente de la Nube de Oort, este cometa pasó el 19 de octubre a sólo 135.000 kilómetros de Marte, lo que permitió una oportunidad única de estudio para la flota de naves orbitales y robots en superficie desplegados en el Planeta rojo.

«Creemos que este tipo de evento se produce cada ocho millones de años», ha dicho Jim Green, director de la División de Ciencias Planetarias de la NASA, en un foro sobre los hallazgos científicos del sobrevuelo del cometa.

La Nube de Oort es una zona en el extremo más lejano del sistema solar, a 50.000 unidades astronómicas (UA). La zona está llena de objetos de más de mil millones de años, que contienen restos de la formación del Sistema Solar. De vez en cuando, la órbita de uno de estos objetos se interrumpe, forzándole a entrar en el sistema solar interior. Llamados «cometas de período largo», estos objetos pueden tardar miles de años en dar la vuelta al Sol.

«El cometa Siding Spring nos sorprendió», asegura Green. «Modelamos de forma extensiva el ambiente del polvo del cometa, y no pensábamos que causase problemas operativos a nuestras naves en Marte. Sin embargo, las agencias espaciales decidieron modificar las trayectorias de sus naves para refugiarlas detrás del Planeta rojo durante el evento. Después de observar cómo el polvo se estrelló contra la atmósfera superior, me hace muy feliz que se tomase aquella decisión. Realmente creo que ocultarlas las salvó».

Al abrigo de la estela de escombros, los instrumentos de las naves espaciales comenzaron a recoger datos acerca de la composición fundamental del cometa y sus efectos sobre la atmósfera de Marte.

«El polvo del cometa se estrelló en la atmósfera superior, creando una capa ionosférica masiva y densa y literalmente cambió la química de la atmósfera superior», señala Green. Además de añadir una nueva capa de iones a la atmósfera de Marte, el exceso de velocidad del cometa provocó una lluvia de meteoros, con miles de estrellas fugaces por hora.

Nick Schneider, responsable del espectrógrafo ultravioleta de la nave MAVEN, ha explicado que se detectaron ocho tipos diferentes de iones metálicos en el polvo del cometa: sodio, magnesio, potasio, cromo, manganeso, hierro, níquel y zinc.

Aunque el paso del cometa fue fugaz, su impacto podría tener efectos a largo plazo en el planeta. Cuando el polvo se estrelló en la atmósfera, produjo metales vaporizados. Finalmente, esos metales revirtieron al polvo en un proceso conocido como humo meteórico. La introducción de todo este nuevo polvo a la atmósfera puede producir nubes de gran altitud por encima de la superficie del planeta y podría afectar a la interacción con la luz del Sol. Por otra parte, la química de la atmósfera puede que haya quedado permanentemente alterada.

El interés en examinar las propiedades del polvo del cometa no termina con los efectos en Marte. «Creemos que los cometas se formaron mucho antes que la Tierra», apunta Green. El estudio de Siding Spring puede ofrecer una perspectiva del contenido de la nube que formó el Sistema Solar.

(N) Ahora tienes un minuto para empezar a responder a las preguntas para esta selección. Después de un minuto vas a escuchar la grabación de nuevo.

(1 minute pause)

(N) Ahora escucha de nuevo la selección.

[The same audio text selection is replayed here.]

(N) Ahora termina de responder a las preguntas para esta selección.

(2 minutes and 30 seconds to finish answering the following questions)

1. ¿Por qué es considerado especial el cometa 67P?

   (A) Tiene una órbita muy lejos de Júpiter.

   (B) Continuará su órbita en el cielo por muchos años más.

   (C) Va a convertirse en polvo en seis años más.

   (D) Cambió su trayectoria en relación a la tierra.

2. Según Churyumov, aterrizar Philae en el cometa fue

   (A) un gran éxito.

   (B) un fracaso peligroso.

   (C) un proyecto fácil.

   (D) interrumpido por el viento solar.

3. ¿Cuál es la primera tarea de Churyumov, según el artículo.

   (A) Va a analizar cometas parecidos.

   (B) Va a crear un mapa del cometa.

   (C) Va a poner nombres egipcios en el mapa del cometa.

   (D) Va a estudiar las negativas en Kiev con ordenadores.

4. ¿Qué pudo cumplir Philae aunque ya está en una zona de sombra, según Churyumov?

   (A) Analizar la atmósfera espacial.

   (B) Aterrizar seguramente en la luna.

   (C) Enviar datos importantes.

   (D) Cambiar la órbita del cometa.

5. ¿Por qué se hizo astrónomo, según Churyumov?

   (A) Quería estudiar el uso de ordenadores.

   (B) Le interesaba el sistema solar

   (C) No quería estudiar física teórica.

   (D) Encontró un puesto en astronomía en la universidad.

6. ¿Cuál es el tema de la grabación?

   (A) El cambio en la atmósfera de Marte causado por el cometa.

   (B) El estudio hecho posible por el paso del cometa cerca de Marte.

   (C) El foro sobre los hallazgos científicos en el sistema solar.

   (D) La detección de varios metales en la atmósfera de Marte.

7. ¿Qué decidieron hacer las agencias espaciales cuando notaron el movimiento del cometa cerca de Marte?

   (A) Cambiar la velocidad de sus naves.

   (B) Aterrizar sus naves en Marte.

   (C) Mover sus naves a otro planeta.

   (D) Cambiar la trayectoria de sus naves.

8. ¿Cuál NO es un efecto que podría tener en Marte el paso cercano del cometa, según lagrabación?

   (A) Podría cambiar la órbita del planeta.

   (B) Podría producir humo meteórico.

   (C) Podría afectar la luz del sol en Marte.

   (D) Podría alterar la química de la atmósfera de Marte.

9. ¿Qué tienen las dos fuentes en común?

(A) Las dos discuten amenazas a la tierra del espacio.

(B) Las dos critican los fracasos y gastos de la exploración espacial.

(C) Las dos predicen que vamos a aprender más sobre la tierra por estudiar los cometas.

(D) Las dos nos advierten a proteger nuestro planeta de los cometas.

10. ¿Qué revelan las dos fuentes sobre cometas?

(A) Analizarlos puede enseñarnos mucho sobre el Sistema Solar.

(B) Crecen en tamaño durante sus trayectorias por el espacio.

(C) No son afectados por el sol.

(D) Analizarlos puede revelar la composición química de la luna.

Selección número 3

(Tema curricular: Las familias y las comunidades)

Fuente número 1

Primero tienes 4 minutos para leer la fuente número 1.

Introducción

Este texto apareció en el País y fue publicado en Buenos Aires el 22 de agosto de 2014. María José González Rivas entrevista a María Eugenia Bonilla-Chacín, economista experta en temas de salud, nutrición y población del Banco Mundial.

      Una galleta de chocolate o una manzana? ¿Un refresco o un jugo natural de frutas? ¿Una hamburguesa o una ensalada? Parecen preguntas sencillas pero para muchos adultos y niños la elección puede tener un impacto significativo en la salud. Mientras el mundo presta atención a la propagación de virus como el ebola y el chikunguña, hay enfermedades «silenciosas» que causan más estragos, como la hipertensión y la diabetes, relacionadas en muchos casos con lo que comemos.

      Actualmente, casi un tercio de la población mundial, unas 2.100 millones de personas, padecen sobrepeso y obesidad. En América Latina, casi la cuarta parte –unos 130 millones— son obesos oestán pasados de peso. Según la OMS, la obesidad causa 3,4 millones de muertes al año entodo el mundo. María Eugenia Bonilla-Chacín, economista experta en temas de salud, nutrición y población del Banco Mundial, explica las soluciones que se están aplicando para cambiar los malos hábitos alimenticios: impuestos al consumo de bebidas azucaradas y comida chatarra.

      Pregunta: ¿Cuál es el impacto de las bebidas con azúcar agregada y 'snacks' de bajo valor nutricional y alto contenido calórico en la salud de los latinoamericanos?

      Respuesta: Hay evidencia de que el consumo de bebidas con azúcar añadida aumenta el riesgo de sobrepeso y obesidad, y está asociado con enfermedades crónicas como la diabetes tipo II. Sin embargo, sería difícil cuantificar el impacto en toda la región. En el caso de México, según información del gobierno, las bebidas en general representan en promedio cerca de una quinta parte de las calorías que consumen los mexicanos. La mayoría de estas bebidas tienen azúcar añadida. Al mismo tiempo, **México** tiene un gran porcentaje de adultos con sobrepeso y obesidad: cerca de un tercio de la población adulta es obesa; el segundo promedio más alto entre los países de la OCDE.

      Pero México no es el único país latinoamericano con problemas de sobrepeso y obesidad. Datos de varias encuestas demográficas y de salud muestran que el promedio de obesidad entre las mujeres adultas no embarazadas ha ido en aumento en los últimos años. En Perú, entre 1996 y el 2011, el porcentaje subió del 9% al 17%; en Bolivia, entre el 2003 y el 2008 el porcentaje subió del 15% al 17%; en Colombia, entre el 2005 y el 2010 pasó del 12% al 15%. No podría decir a ciencia cierta qué efecto han tenido las bebidas con azúcar añadida y los snacks de alto contenido calórico y bajo valor nutricional en tales incrementos, pero sí es cierto que el promedio de calorías que ingerimos en la región ha venido en aumento y que, en varios países, esas comidas poco nutritivas son un porcentaje importante del consumo de calorías de nuestra dieta.

PREGUNTA: ¿Es este aumento de la obesidad y el sobrepeso, resultado de la modernización y crecimiento de las economías latinoamericanas?

PREGUNTA: Sin lugar a dudas el rápido proceso de urbanización en la región, el crecimiento económico, el proceso de globalización y otros factores, han tenido un impacto importante en el estilo de vida de la población de la región. Nuestras dietas han cambiado y tendemos a ser mucho más sedentarios. En todo el mundo, se observa en mayor o menor grado la misma tendencia. Pero existen medidas efectivas para mejorar la dieta —no sólo para prevenir la obesidad sino también otros impactos negativos a la salud como aquellos relacionados al consumo de grasas trans y el consumo inadecuado de sodio.

PREGUNTA: ¿Qué acciones se están tomando para reducir el consumo de bebidas con azúcar añadida y productos de alto contenido calórico y bajo valor nutricional?

RESPUESTA: Varios países de la región han tomado varias medidas al respecto. En México, Costa Rica y Uruguay se han regulado los alimentos que se pueden vender o preparar en las escuelas, precisamente para eliminar el acceso a comidas y bebidas de alto contenido calórico y bajo valor nutricional. La nueva estrategia mexicana para la prevención y control del sobrepeso, la obesidad y la diabetes incluye una regulación sobre la publicidad de alimentos y bebidas de alto contenido calórico y bajo valor nutricional para el público infantil. A principios de este año México también comenzó a aplicar un impuesto a las bebidas con azúcar añadida -un peso mexicano por cada litro de estas bebidas. Y asimismo puso en vigor un impuesto del 8% a los snacks con alto contenido calórico y bajo valor nutricional. Otros gobiernos en la región han comenzado a discutir políticas similares.

También los esfuerzos en informar y educar a la población en general ayudan aunque no necesariamente se traduzcan en cambios de comportamiento. Entre otras cosas, esto incluiría un etiquetado nutricional claro.

PREGUNTA: ¿Cree que es más efectivo gravar el consumo o, como en la industria tabacalera, incrementar los impuestos a las empresas que lo fabrican, encareciendo así el producto?

RESPUESTA: En el caso del sobrepeso y la obesidad no existe un remedio mágico o único. El problema exige un enfoque amplio que incluya varias medidas a nivel de escuelas, comunidades, lugares de trabajo, medidas a nivel poblacional y a nivel clínico. Acciones que propicien la actividad física y mejorar la dieta de la población en general. Esto incluye regulación, información y medidas fiscales, entre otras.

En este sentido, las medidas fiscales han dado grandes resultados en la reducción del consumo de tabaco y las bebidas alcohólicas. Existe mucha menos información sobre su impacto en el consumo de bebidas y alimentos poco saludables, en gran parte porque muy pocos países han tomado este tipo de medidas…

Fuente número 2

Tienes un minuto para leer la introducción y prever las preguntas.

Introducción

Esta grabación trata de un estudio que reveló que se puede atribuir muchos casos de cáncer al sobrepeso o la obesidad. Fue publicado el 26 de noviembre y presentado en la Radio ONU.

SCRIPT

Casi medio millón de nuevos casos de cáncer puede ser atribuido al sobrepeso o la obesidad, asegura un nuevo estudio de la Agencia Internacional para la Investigación del Cáncer de Naciones Unidas (IARC).

El estudio, publicado en la revista Lancet Oncology, reveló que un alto índice de masa corporal (IMC), que mide la proporción de grasa en el cuerpo dividiendo el peso de una persona en kilogramos por su altura en metros al cuadrado, se ha convertido en un importante factor de riesgo de cáncer, especialmente aquellos que afectan a las mujeres, como el cáncer de mama en la postmenopausia.

El análisis muestra que el cáncer de endometrio, colon y mama representan 73 por ciento de los cánceres relacionados a un índice de masa corporal alto en las mujeres, mientras que los cánceres de riñón y colon en el caso de los hombres representan en conjunto 66 por ciento.

El estudio también subraya que el cáncer debido al sobrepeso es actualmente mucho más común en los países desarrollados que en los más pobres. En África, la obesidad es responsable de solo un 1,5% de los casos de cáncer.

Estados Unidos tiene los peores problemas de cáncer vinculados al peso, con unos 110.000 casos relacionados a la obesidad diagnosticados en 2012. En Europa, la obesidad es responsable de casi un 6,5 por ciento de todos los nuevos casos de cáncer al año.

(N) Ahora tienes un minuto para empezar a responder a las preguntas para esta selección. Después de un minuto vas a escuchar la grabación de nuevo.

(1 minute pause)

(N) Ahora escucha de nuevo la selección.

[*The same audio text selection is replayed here.*]

(N) Ahora termina de responder a las preguntas para esta selección.

(2 minutes and 30 seconds to finish answering the following questions)

1. Según el artículo, ¿por qué es un gran problema en el mundo el sobrepeso?

    (A) La comida cuesta mucho a causa de los impuestos.

    (B) La mayoría de la gente escoge comida nutritiva.

    (C) Es asociado con muchas enfermedades crónicas.

    (D) El estilo de vida es activo en los países latinoamericanos.

2. ¿Qué ha cambiado en los países latinoamericanos en los últimos años?, según la experta.

    (A) El promedio de obesidad aumentó y también se aumentó el promedio de calorías queconsume la gente.

    (B) El promedio de obesidad aumentó y también se come más comida nutritiva.

    (C) El promedio de obesidad es más bajo y la gente consume menos calorías.

    (D) El promedio de obesidad se disminuyó y se aumentó el consumo de comidas nutritivas.

3. Según la entrevista, ¿Qué efecto tiene la urbanización y globalización en el estilo de vidaen América Latina?

    (A) La dieta es mejor y la gente es más activa.

    (B) La dieta es peor y la gente es más sedentaria.

(C) La dieta es mejor y la gente es más sedentaria.

(D) La dieta es peor y la gente es más activa.

4. Según el artículo, ¿qué hace México para combatir el problema de obesidad infantil?

(A) Promueve más actividades físicas en las escuelas.

(B) Está regulando los alimentos que se pueden preparar y vender en las escuelas.

(C) Está prohibiendo la venta de comida con alto contenido calórico.

(D) Está prohibiendo la venta de comida de bajo valor nutricional.

5. ¿Cuál es el mensaje más importante sobre el problema de obesidad de esta experta?

(A) Recomienda regulaciones para combatir el problema.

(B) Sugiere impuestas en productos que causan la obesidad.

(C) Recomienda publicidad para presentar información sobre los alimentos que contribuyen al problema.

(D) Recomienda muchas acciones e información para toda la sociedad usando todas las medidas mencionadas en el artículo.

6. ¿Qué revela el estudio mencionado en la grabación?

(A) Un alto índice de masa corporal no aumenta el riesgo de cáncer.

(B) Un bajo índice de masa corporal aumenta el riesgo de cáncer.

(C) Atribuye nuevos casos de cáncer al sobrepeso y la obesidad.

(D) La obesidad y el sobrepeso son el resultado de un bajo índice de masa corporal.

7. ¿Qué revela el estudio sobre las partes del mundo afectadas.

(A) Los países subdesarrollados tienen más casos nuevos de cáncer.

(B) Los países desarrollados tienen más casos nuevos de cáncer.

(C) África tiene más casos nuevos de cáncer.

(D) Los hombres en países subdesarrollados tienen más cáncer.

8. ¿Según la grabación, ¿cuáles son diferencias en el efecto del IMC en hombres y mujeres?

(A) Las mujeres son menos afectado por la obesidad.

(B) Los hombres no son afectados por la obesidad.

(C) Las mujeres tienen más cánceres nuevos relacionados con el IMC.

(D) Los hombres tienen más cánceres nuevos relacionados con el IMC:

9. ¿Qué tienen en común las dos fuentes?

(A) Las dos citan estudios que revelan datos importantes sobre la salud.

(B) Las dos critican las agencias gubernamentales.

(C) Las dos revelan problemas fiscales en los EEUU y América Latina.

(D) Las dos recomiendan dietas específicas.

10. ¿Cuál es un mensaje de las dos fuentes?

(A) Hay que combatir el problema de hambre en el mundo.

(B) Hay que usar medidas fiscales para controlar el consumo de alimentos quecontribuyen al problema de obesidad.

(C) Los gobiernos deben controlar la producción de alimentos en el mundo.

(D) Hay que educar a la gente sobre los peligros de la obesidad.

Interpretive Communication: Audio Texts

Strategies:

You will have a minute to read the introduction and preview the questions. During that time identify the theme and decide what information and details you will need to answer the questions.

Take notes constantly as you listen to each selection both the first and the second time. Search for answers to the following questions:

1. **What is the theme of the selection?** The theme may be presented in the introduction so pay close attention. Is this a report or a lecture on an important cultural, political, social, historical, or scientific topic? Is the theme about a specific event, figure, or group? Try to connect your previous knowledge on the topic, but be careful to base your choices on what you actually hear on the exam.

2. **What is the type of selection you are listening to?** Is it a news report, a public service announcement? Or, is it a classroom lecture, perhaps, or maybe, an interview? The introduction should provide you with enough information to help you make comprehension connections. So, be sure to listen very carefully right away since the first phrase or sentence will, most likely, tell you what type of selection you'll be hearing.

3. **What is the motive or purpose of the speaker?** Is the speaker a reporter; a professor; a lecturer? Knowing the motive of the speaker will help you understand the passage.

Finally,

4. **What is the tone of the selection?** Is its tone didactic, critical, sarcastic, laudatory, or comical?

    Here are four tips for making your answer choices in your test booklets:

    1. Always check back to your notes for the answers and hints to the answers.
    2. Look for synonyms, cognates, and related wards in your notes and in the questions and choices.
    3. Try to eliminate incorrect choices, or distracters. Sometimes two choices seem correct, but only one is the best answer.
    4. If you decided to skip a question, be sure to return to it later. Be careful to move to the correct number on your answer sheet.

Instructions: You will have 1 minute to read the introduction and preview the questions. Afterward you will hear the audio selection; you may take notes while you listen. Then you will have one minute to start to answer the questions. After 1 minute you will hear the audio selection again. Then you will have 15 seconds per question to answer the questions.

Instrucciones: Primero tienes 1 minuto para leer la introducción y prever las preguntas. Después escucharás la selección auditiva; puedes tomar apuntes mientras escuchas. Entonces tendrás 1 minuto para empezar a contestar las preguntas. Después de 1 minuto, escucharás la selección auditiva otra vez. Entonces tendrás 15 segundos por pregunta para contestar las preguntas.

Selección número 1

(Tema curricular: La ciencia y la tecnología)

Introducción

Primero tienes un minuto para leer la introducción y prever las preguntas.

Esta grabación trata de las Líneas de Nasca— sitio enigmático en Perú— y el trabajo de la profesora alemana que lo investigaba y explicaba.

SCRIPT

[Audio text is played here.]

[1 minute to start answering the questions.]

[Audio text is replayed.]

[1 minute and 15 seconds to finish answering the questions.]

Preguntas

1. ¿Qué se ve desde el aire en la Pampa de Nasca?
   (A) Manadas de animales silvestres.
   (B) Piedras enormes de colores.
   (C) Figuras geométricas de plantas y animales
   (D) Largos canales de irrigación.

2. ¿Cómo comenzó María Reiche-Grosse su estudio de las Líneas de Nasca?
   (A) Fue profesora de arqueología en la Universidad de Lima.
   (B) El cónsul alemán en Cusco se las mostró.
   (C) Las empezó cuando escribió artículos sobre astronomía.
   (D) Tradujo manuscritos de un científico que evocó su interés.

3. ¿Según la doctora Reiche, ¿por qué fueron creadas las líneas de Nasca?
   (A) Eran mapas astronómicos.
   (B) Fueron caminos sagrados.
   (C) Eran mensajes para invocar a los dioses.
   (D) Fueron creadas por extraterrestres que visitaron la pampa.

4. Los antiguos nasquenses usaron todas las siguientes técnicas para construir las líneas EXCEPTO:
   (A) Las pintaron con tintas de las plantas de la pampa.
   (B) Trazaron las curvas usando una cuerda y una estaca como compás.
   (C) Empujaron piedras oxidadas de la superficie del terreno.
   (D) Usaron el codo como unidad de media.

5. ¿Por qué ayuda UNESCO a los peruanos?
   (A) Quieren el dinero del turismo internacional.
   (B) Quieren apoyar a los pobres.
   (C) Quieren preservar las Líneas de Nasca.
   (D) Quieren construir escuelas en el pueblo cercano a la pampa.

Selección número 2

(Tema curricular: La belleza y la estética)

Introducción

Primero tienes un minuto para leer la introducción y prever las preguntas.

Esta grabación trata del instrumento musical nacional de España, la guitarra. Discute la historia del instrumento y de unos compositores y guitarristas famosos.

SCRIPT

[Audio text is played here.]

[1 minute to start answering the questions.]

[Audio text is replayed.]

[1 minute 15 seconds to finish answering the questions.]

Preguntas

1. ¿Quiénes introdujeron el laúd en España?
   (A) Los árabes.
   (B) Los Reyes de España.
   (C) Los romanos.
   (D) Los egipcios.
2. ¿Quiénes introdujeron la vihuela en la Península Ibérica?
   (A) Los árabes.
   (B) Los Reyes de España.
   (C) Los romanos.
   (D) Los egipcios.
3. En los primeros conservatorios establecidos en América, enseñaron todo lo siguiente EXCEPTO:
   (A) Imprimir libros de música.
   (B) Tocar instrumentos musicales.
   (C) Construir instrumentos musicales.
   (D) Cantar.
4. ¿Cual fue la contribución de Francisco Tárrega?
   (A) Inventó una guitarra nueva.
   (B) Compuso música popular para la guitarra.
   (C) Estableció la técnica moderna para tocar la guitarra.
   (D) Descifró las tablaturas del Renacimiento.
5. ¿Quien fue estudiante de Miguel Llobet que ganó gran fama?
   (A) Andrés Segovia
   (B) Manuel Alonso
   (C) Fernando Sor
   (D) Luis Milán

Selección número 3

(Tema curricular: Las identidades personales y públicas)

Introducción

Primero tienes un minuto para leer la introducción y prever las preguntas.

Esta grabación trata de la vida y del arte del famoso cantante y actor argentino, Carlos Gardel.

SCRIPT

[Audio text is played here.]

[1 minute to start answering the questions.]

[Audio text is replayed.]

[1 minute 15 seconds to answer the questions.]

Preguntas

1. ¿Cuál el propósito de la presentación?
   - (A) Incentivar el turismo a Buenos Aires.
   - (B) Describir el tango argentino.
   - (C) Promover el baile latinoamericano.
   - (D) Discutir la vida y el mito de Carlos Gardel.
2. ¿Qué revela el narrador sobre la historia del tango?
   - (A) Al principio el tango era sólo música sin palabras.
   - (B) El tango se originó en París.
   - (C) El tango apareció en películas antes de discos.
   - (D) El uruguayo José Razzano era bailador famoso del tango.
3. Según la presentación, ¿Cómo promovió la popularidad del tango por el mundo?
   - (A) Por estrenar «Mi noche triste»
   - (B) Por sus giras internacionales
   - (C) Por cantar con José Razzano
   - (D) Por la calidad de su voz
4. ¿Por cuál motivo fue escogido Gardel por protagonizar películas por una empresa cinematográfica americano?
   - (A) Fue el primer cantor oficial de tangos.
   - (B) Tenía fama internacional.
   - (C) Cantó canciones criollas.
   - (D) Fue famoso en Centroamérica.
5. ¿Por qué se convirtió en un mito Gardel?
   - (A) Por ser el primer cantor oficial de tangos.
   - (B) Filmó películas muy exitosas.
   - (C) Por su talento y su muerte prematura.
   - (D) Por sus giras internacionales.

S E C T I O N
2
Free Response

The second section of the AP Spanish Language and Culture Examination consists of:

- **A.** Interpersonal Writing: E-Mail Reply   **12.5%**
- **B.** Presentational Writing: Persuasive Essay   **12.5%**
- **C.** Interpersonal Speaking: Conversations   **12.5%**
- **D.** Presentational Speaking: Cultural Comparison   **12.5%**

INTERPERSONAL WRITING: Email Reply

The interpersonal Writing Task is an e-mail response to an e-mail prompt. You will have approximately 15 minutes to read the prompt and write your response. A typical prompt will be from a representative of a company, organization, school or group offering you an opportunity for study, an internship, a job, or a scholarship. It might be a response to a complaint from business or a request for information from a business, school or organization. It could also be from another student from the target culture.

Strategies:

1. Read the introduction and the prompt carefully so that you can note and understand al of the elements and any questions in the writing task. Also note what questions you may need to ask.
2. Identify to whom the e-mail is addressed to determine the appropriate level of formality Use familiar forms (*tú, vosotros, Uds.*) for peers, friends or family. Use the formal form (*Ud., Uds.*) for a company, organization or any adult individual you do not know. And complex structures and sentences.
3. Note the time limit of 15 minutes and practice timing yourself so you can write more efficiently, thoroughly and effectively each time, adding more sophisticated vocabulary and complex sentences to better get your message across.
4. Choose a focus and provide necessary details, jotting these down very briefly as notes or a graphic organizer before you begin writing.
5. Organize the main ideas and details.
6. Check and correct your work for:

- Appropriate tenses
- Appropriate moods (indicative or subjunctive)
- Agreement of subjects and verbs, and nouns and adjectives
- Appropriate uses of **ser** and **estar**.
- Correct use of accent marks and punctuation.
- Correct word order in dates. Remember that days and months are not capitalized in Spanish.

  Hoy es el *diez de octubre*. *Today is October 10th.*

7. Learn and use appropriate salutations and closings that correspond to your audience.
   - Sample salutations to friends or close family members:

Querido(a)	*Dear*
Mi querido(a)	*My dear*
Queridísimo(a)	*Dearest*

   - Sample salutations to people you do not know very well or have never met:

Muy señor mío (señora mía)	*Dear Sir/Madam*
Estimado(a) amigo	*Dear (esteemed) friend*
Muy estimado(a) Sr./Sra. (last name)	*Dear Mr./Mrs. (last name).*

   - Sample closings when writing to friends or relatives:

Un beso	*A kiss*
Besos	*Kisses*
Afectuosamente	*Affectionately*
Cariños	*Fondly*
Un fuerte abrazo	*A big hug*
Mis recuerdos a tu familia	*Regards to your family.*

   - Sample closings to acquaintances or to people you've never met.

Suyo(a) afectísimo(a)	*Yours fondly,*
Atentamente	*Yours truly,*
Cordialmente	*Cordially,*

8. Become familiar with the rubric for this task so you can work toward obtaining the highest score. A score of 5 requires "meaningful elaboration, rich and idiomatic vocabulary, grammar variety and simple, compound and complex sentences."

Directions: You will write a reply to an e-mail message. You have 15 minutes to read the message and write your reply.

Your reply should include a greeting and a closing and should respond to all the questions and requests in the message. In your reply you should also ask for more details about something mentioned in the message.

Instrucciones: Vas a escribir una respuesta a un mensaje electrónico. Vas a tener 15 minutos para leer el menaje y escribir tu respuesta.

Tu respuesta debe incluir un saludo y una despedida, y debe responder a todas las preguntas y peticiones del mensaje. En tu respuesta, debes pedir más información sobre algo mencionado en el mensaje.

Mensaje electrónico 1

(Tema curricular: La vida contemporánea)

Introducción

Este mensaje electrónico es del señor Rodríguez, director de un programa de lengua y cultura en Costa Rica. Has recibido este mensaje porque recibieron su aplicación para este programa para el verano que viene.

Archivo   Editar   Ver   Insertar   Formato   Opciones   Herramientas   Ayuda

Enviar | ✓ Ortografía   ▾   🔋 Adjuntar   ▾   🔒 Seguridad   ▾   💾 Guardar   ▾

De: Señor Felipe Rodríguez

Para:

Asunto: Programa de estudio de verano

Cuerpo del texto   ▾   Anchura variable   ▾

Estimado/a señor/señorita _____:

Muchas gracias por su interés en nuestro programa de lengua, vida y cultura española de verano. Hemos recibido su aplicación. Todo está en orden. Sin embargo, para asegurar que Ud. Tenga la más agradable y educativa experiencia, necesitamos más información.

Haga Ud. El favor de responder a las siguientes preguntas:

¿Cuáles son sus intereses y pasatiempos preferidos?

¿Prefiere vivir con una familia anfitriona, o en un dormitorio con otros alumnos? ¿Por qué?

¿Quieres participar en excursiones por el país durante su visita en Costa Rica?

¿Tiene Ud. preguntas sobre el programa, la vida cotidiana aquí y/o las actividades educativas que no se explican en nuestro sitio web?

Después de recibir sus respuestas podemos finalizar su registración y alojamiento.

Estoy a sus órdenes para sus preguntas y necesidades.

Atentamente,
Felipe Rodríguez,
Director de Programas de Lengua y Cultura

Mensaje electrónico 2

(Tema curricular: La identidades personales y públicas)

Introducción

Este mensaje electrónico es de una doctora que recibió su solicitud para trabajar como asistente en su oficina médica.

Archivo   Editar   Ver   Insertar   Formato   Opciones   Herramientas   Ayuda

Enviar   ✔ Ortografía ▾   📎 Adjuntar ▾   🔒 Seguridad ▾   💾 Guardar ▾

De: Dr. María Salazar Gómez

Para:

Asunto: Trabajo como asistente de media jornada

Cuerpo del texto ▾   Anchura variable ▾   A̍ A̍ A A A A ...

Estimado/a señor/señorita _____:

Hemos recibido su solicitud para trabajar como asistente en nuestra oficina médica. Como Ud. sabe somos pediatras, especialistas en el tratamiento niños y jóvenes. Comprendemos que Ud. quiere explorar opciones para una carrera futura.

Haga Ud. el favor de mandarnos transcripciones de sus cursos y notas de un consejero de su escuela y también un resumen de sus experiencias trabajando, particularmente con niños y jóvenes. También necesitamos por lo menos referencias de sus maestros y empleadores.

Después de recibir esta información podemos arreglar una entrevista en que podemos conocernos mejor y contestar sus preguntas. Gracias por su interés,

Atentamente,
Dra. María Salazar de Gómez.

Mensaje electrónico 3

(Tema curricular: Los desafíos mundiales)

Introducción

Este mensaje electrónico es del consejero de un club de español quien pide información sobre un proyecto internacional que quieren iniciar los miembros.

Archivo   Editar   Ver   Insertar   Formato   Opciones   Herramientas   Ayuda

Enviar   ✔ Ortografía ▾   📎 Adjuntar ▾   🔒 Seguridad ▾   💾 Guardar ▾

De: Profesor Agustín Quintero

Para:

Asunto: Proyecto internacional propuesto por el club de español

Cuerpo del texto ▾   Anchura variable ▾   A̍ A̍ A A A A ...

Querido Presidente del Club de Español:

Gracias por consultarme sobre su plan para un proyecto internacional. Como el consejero del club necesito saber los detalles de sus actividades y también asegurar que sean autorizados por el director de nuestra escuela.

Por consiguiente necesito respuestas a las preguntas que siguen:

¿Cuál es el nombre específico de su proyecto?

¿Cuáles son los resultados específicos que esperan conseguir?

¿Cómo piensan recoger fondos para emprender el proyecto?

¿Qué piensan hacer localmente en nuestra escuela y comunidad?

¿Cómo piensan comunicar con sus compañeros internacionales?

¿Quiénes son los socios del club que van a participar y cuáles son su varios roles?

Necesito respuestas lo más pronto posible para discutirlas con el director.

Los elogio por su deseo de comunicar globalmente y mejorar el mundo por acciones colaborativas.

Atentamente,
Profesor Agustín Quintero
Consejero del club de español

Mensaje electrónico 4

(Tema curricular: La belleza y la estética)

Introducción

Este mensaje electrónico es de un representante del Museo de la Sociedad Hispánica de América. Responden a su mensaje en que Ud. pidió una gira del museo con su clase de español.

Archivo Editar Ver Insertar Formato Opciones Herramientas Ayuda

Enviar ✓ Ortografía ▾ 📎 Adjuntar ▾ 🔒 Seguridad ▾ 💾 Guardar ▾

De: Sra. Alicia Barrios

Para:

Asunto: Visita de grupo escolar a la Sociedad Hispánica de América

Cuerpo del texto ⌄ Anchura variable ⌄

Estimado/a señor/señorita _____:

Recibimos su mensaje electrónico en que nos informa que quiere visitar el museo con su clase de español. Como Ud. puede ver en nuestro sitio web, la Sociedad se dedica al arte y la cultura de España, Portugal y América Latina por medio de la biblioteca, el museo y los programas educativos.

Haga el favor de visitar nuestro sitio web, para obtener información sobre nuestras colecciones que no tienen paralelo fuera de la península ibérica. También, puede obtener información sobre el horario, y las reglas para las visitas de grupos. Allí va a encontrar el formulario que tiene que completar para arreglar su visita. Debemos recibir su aplicación por lo menos cuatro semanas antes de su visita.

Me gustaría saber ¿cuáles colecciones del museo o la biblioteca les interesan en particular?

¿Hay miembros de su grupo que tienen necesidades especiales?

Si Ud. tiene preguntas para mí sobre nuestros programas educativos, por favor no deje de hacérmelas.

Gracias por su interés en la Sociedad Hispánica.

Atentamente,
Sr. Carlos Barrios
Representante

Mensaje electrónico 5

(Tema curricular: Las familias y las comunidades)

Introducción

Este mensaje electrónico es de una bibliotecaria española de la biblioteca pública de su comunidad. Responde a su mensaje en que pidió permiso para hacer una encuesta de la gente hispana en su comunidad.

```
Archivo  Editar  Ver  Insertar  Formato  Opciones  Herramientas  Ayuda
 Enviar   ✔ Ortografía  ▼  📎 Adjuntar  ▼  🔒 Seguridad  ▼  💾 Guardar  ▼

   De:  Sra. Felicia Calderón
  Para:

 Asunto:  Encuesta español
```

Estimado/a señor/señora _____:

Acabo de recibir su mensaje electrónico que me parece muy oportuno. Estoy de acuerdo con Ud. que es necesario averiguar las necesidades de la gente hispana que forman parte de nuestra comunidad para que hagan mejor uso de la biblioteca. Creo que la idea de su clase de español de crear administrar una encuesta al respecto es excelente.

Por favor, mándame información sobre la manera en que piensas organizar la encuesta y ejemplos de las preguntas que quieren hacer. Sugiero preguntas sobre recursos y clases que querrían utilizar.

Después de recoger la información podríamos pedir fondos por medio de una beca local o federal.

Muchísimas gracias por su ayuda a nuestra comunidad,

Sinceramente.

Sra. Felicia Calderón
Bibliotecaria

Mensaje electrónico 6

(Tema curricular: La ciencia y la tecnología)

Introducción

Este mensaje electrónico es de un administrador de un observatorio en Chile. El administrador responde a su mensaje electrónico sobre investigaciones que está haciendo sobre astronomía.

```
Archivo  Editar  Ver  Insertar  Formato  Opciones  Herramientas  Ayuda
 Enviar   ✔ Ortografía  ▼  📎 Adjuntar  ▼  🔒 Seguridad  ▼  💾 Guardar  ▼

   De:  Sr. Pablo Salinas
  Para:

 Asunto:  Información sobre el observatorio
```

Estimado/a señor o señora _____:

Le agradezco su interés en el Observatorio Paranal y nos gustaría ayudarle con sus investigaciones y estudios científicos.

Como puedes ver en nuestro sitio web, organizamos visitas guiadas al observatorio durante los fines de semana y también hay una gira virtual en el sitio. Si Ud. no puede visitarnos en el futuro próximo y necesita más información, podemos arreglar una entrevista por el internet con uno de nuestros astrónomos.

Haga el favor de mandarnos información sobre el propósito de sus investigaciones y preguntas específicas que quiere hacer para avanzar sus estudios. Al recibir eso podremos arreglar la entrevista.

En espera de su respuesta,

Sr. Pablo Salinas
Administrador

PRESENTATIONAL WRITING: Persuasive Essay

In this part of the examination you will be prompted to write a persuasive essay, based on two sources of information, two in print and one audio. You will have 6 minutes to read the printed material. Then you will hear the audio and should take notes while you listen. After you have heard the audio source **twice**, you will have 40 minutes to write your essay.

Strategies: To prepare for this part of the examination, be sure to review the listening, reading, and writing strategies in this book.

1. Begin by reading the prompt carefully and recalling previous connections to this topic or theme.
2. Use separate graphic organizers or columns to identify and compare main ideas, or concepts, supporting details and key vocabulary from the two written sources and the audio source.
3. Prepare a brief outline or graphic organizer to plan your essay carefully. Make sure to introduce the position you are supporting at the beginning of the essay, so that your persuasive argument is obvious. Make sure to address all three sources and their points of view. Clearly defend your own position with supporting details. Restate your position at the end of the essay, expressing the inevitable conclusion based on your previous statements or arguments.
4. Edit your essay for grammatical accuracy.
   • Check for appropriate mood, indicative or subjunctive.
   • Check for the appropriate use of tenses and subject verb agreement.
   • Check for appropriate use of **ser** and **estar** and **por** and **para**.
   • Check for agreement of nouns and adjectives.
5. Use varied vocabulary and idioms appropriate to the topic.
6. Become familiar with the rubrics for this essay so that you can evaluate your own writing and improve it.
7. Write practice essays with the same time constraints that you will have on the actual exam. This will help you divide your time appropriately and build speed so that you will make the most of your allotted time.

Directions: You will write a persuasive essay. The essay topic is based on three accompanying sources, which present various viewpoints on the topic and include both print and audio material. First, you will have 6 minutes to read the essay topic and the printed material. Afterward, you will hear the audio material twice; you should take notes while you listen. Then, you will have 40 minutes to prepare and write your essay.

In your persuasive essay, you should present the sources' different viewpoints on the topic and also clearly indicate your own viewpoint and defend it thoroughly. Use information from all of the sources to support your essay. As you refer to the sources, identify them appropriately. Also, organize your essay into clear paragraphs.

Instrucciones: Vas a escribir un ensayo persuasivo. El tema del ensayo se basa en las tres fuentes adjuntas, que presentan varios puntos de vista sobre el tema e incluyen material escrito y grabado. Primero, vas a tener 6 minutos para leer el tema del ensayo y los textos. Después, vas a escuchar la grabación dos veces; debes tomar apuntes mientras escuchas. Luego, vas a tener 40 minutos para preparar y escribir tu ensayo.

En un ensayo persuasivo, debes presentar los varios puntos de vista de las fuentes sobre el tema, expresar tu propio punto de vista y apoyarla. Usa información de todas las fuentes para apoyar tu punto de vista. Al referirte a las fuentes, identifícalas apropiadamente. Organiza también el ensayo en distintos párrafos bien desarrollados.

Sample Persuasive Essay 1

(Tema curricular: Las familias y las comunidades)

Primero tienes 6 minutos para leer el tema del ensayo, la fuente número 1 y la fuente número 2.

Tema del ensayo:

¿Cómo se debe enfrentar el problema de la violencia de las pandillas?

Fuente número 1:

Introducción

Este texto trata del aspecto internacional del problema de las pandillas y como tratar de resolverlo. Apareció en la revista, *Américas*, en diciembre 2005.

Llegando al fondo de la crisis de las pandillas

... Los Estados Unidos, Honduras, Guatemala y El Salvador se encuentran en el centro de la crisis producida por la violenta criminalidad pandillera, aunque el fenómeno se ha extendido a otros países de la región. El problema ha adquirido tal magnitud que en la actualidad se los [*sic*] acusa de tráfico de migrantes, trata de personas, tráfico de migrantes, tráfico de armas y secuestro. Estos delitos se consideran trasnacionales, porque atentan no sólo contra la seguridad nacional sino también del hemisferio, y se suman a la creciente preocupación sobre los vínculos que podrían existir entre astas pandillas, el narcotráfico y el terrorismo...

Pero, ¿cuál es la raíz de este creciente problema? Una serie de estudios ha concluido que algunas de la causas más importantes de la formación de pandillas son la crisis de valores, la descomposición moral, la pobreza y la exclusión social, así como el desempleo, la falta de recursos académicos, la desintegración familiar debido a los desplazamientos migratorios de padres o madres y la atracción que ofrece el «dinero fácil». Estos jóvenes desean compensar las carencias y expresar su inconformidad a través de redes de apoyo conotros grupos de sus mismas características. Pero más allá de las causas, se puede palpar un presente y un futuro desalentador toda vez que desperdician los mejores años de vida productiva, convirtiéndose en un freno al desarrollo para ellos mismos, para sus familias y para la sociedad...

La crisis pandillera entre los países afectados está enfrentándose con nuevas legislaciones a nivel nacional, regional y continental. Por ejemplo durante la última Asamblea General de la OEA celebrada en junio, se aprobó una resolución de cooperación hemisférica para combatir a las pandillas. Los ministros coincidieron que el tema debe abordarse desde un enfoque integral, que incluya entre otros, la prevención, el apoyo social, el respeto y la protección de los derechos humanos, y la aplicación de las respectivas leyes nacionales. Las soluciones de un problema tan complejo y extenso deberán incorporar un componente internacional que defina una estrategia colectiva y que fortalezca la cooperación entere los Estados Miembros.

Fuente número 2:

Introducción

Este texto propone ideas para combatir el problema de la violencia de las pandillas. Apareció en la edición electrónica de periódico nicaragüense *LA PRENSA* 24 de febrero 2005.

Buscan nuevos métodos contra las pandillas

Peritos de varios países, principalmente centroamericanos, emprendieron el miércoles la búsqueda de nuevos procedimientos en la lucha contra la violencia en una conferencia en la cual participaron por primera vez representantes de instituciones financieras internacionales.

«Una de las bases de la violencia juvenil es la falta de empleo», declaró Ernesto Bardales, director de la organización JHA-JA de Honduras. «La participación de la organizaciones financieras puede hacer la diferencia en la campaña».

JHA-JA (Jóvenes Hondureñas Adelante, Juntos Avancemos) es sólo una de varias organizaciones no gubernamentales que también participaban en la conferencia, promovida por la Organización Panamericana de la Salud (OPS)....

El interés de la conferencia está centrado en los países de Centroamérica debido a que se les considera como foco de los mayores brotes de violencia juvenil, principalmente a través de las pandillas conocidas como maras.

Entre los participantes figuraron también ex pandilleros, como Manuel Jiménez, quien desde que dejó el pandillaje en 1997 ha participado como extra en varias películas y fundó Suspect Entertainment, una empresa de producción en Hollywood que abre oportunidades a jóvenes en riesgo en la industria del entretenimiento...

Alberto concha Eastman, de la OPS y presidente de la deliberaciones, destacó el hecho de la participación por primera vez de representantes del Banco Interamericano de Desarrollo y Banco Mundial.

Dijo que se esperaba que esas instituciones «pongan en un nivel más alto de atención» el fenómeno de la violencia como factor social que requiere una atención en el campo económico.

Fuente número 3 (AUDIO):

Tienes 30 segundos para leer la introducción.

Introducción

Este audio discute maneras de tratar de pandillas en Latinoamérica y España. Apareció en le edición electrónica del periódico *ABC.es* 19 de julio de 2005. El título es, España ha de tomarse en serio la implantación de las bandas juveniles.

Sample Persuasive Essay 2

(Tema curricular: Los desafíos mundiales)

Primero tienes 6 minutos para leer el tema del ensayo, la fuente número 1 y la fuente número 2.

Tema del ensayo:
¿Cómo es posible reducir el gran número de pobres en el mundo?

Fuente número 1
Introducción

Este texto describe un plan de acción para combatir la pobreza. Apareció en la revista *Américas* en febrero 2006.

Mapa de Cumbre

Mar del Plata, Argentina — Jefes de Estado y de gobierno de 34 países del hemisferio se reunieron en esta ciudad para debatir en torno a la mejor manera de alcanzar el crecimiento económico sostenido, crear oportunidades de trabajo decente, elevar el nivel de vida y promover la estabilidad democrática.

La Cuarta Cumbre de las Américas, que se celebró el 4 y 5 de noviembre en este balneario argentino, atrajo a cientos de periodistas y miles de manifestantes…

En la Declaración y el Plan de Acción de Mar del Plata, adoptados en la reunión de dos días, los presidentes y primeros ministros afirmaron sus principios, objetivos y compromisos compartidos, con un énfasis en el fomento y la promoción del «trabajo decente» …

«Las micro, pequeñas y medianas empresas constituyen una fuerza estratégica en la generación de nuevos empleos y la mejora en la calidad de vida, y tienen un impacto positivo en el desarrollo y en el crecimiento económico, fomentando al mismo tiempo la equidad y la inclusión social», establece el documento. Asimismo, identifica varios desafíos que deberán enfrentar los países, como la necesidad de abolir el trabajo infantil, proteger a los trabajadores migrantes del abuso de los derechos humanos, combatir la discriminación basada en el género y el racismo y ofrecer oportunidades de educación y capacitación.

Fuente número 2

Introducción

Este texto describe un plan de un individuo para combatir la pobreza. Apareció en la edición electrónica del periódico *ABC.es* el 14 de octubre de 2006.

El banquero de los pobres

Todos podemos hacer algo para erradicar el mayor reto del siglo actual, la pobreza. Mohamed Yunus es el mejor ejemplo, y la concesión del Nobel de la Paz 2006 no es más el reconocimiento de la extraordinaria labor que desde hace ya tres decenios viene realizando para que, en sus propias palabras, esa lacra sea el futuro una reliquia que se pueda contemplar en los museos. Nacido en Bangladesh, en 1940, Yunus es un economista formado en su país y en Estados Unidos y fue profesor de la Universidad de Dacca. Después de sus clases, se percata de que la pobreza y la miseria son las características de la vida real de su país y de la capital donde vivía. Comienza así el largo camino de los micro créditos y a finales de los 70 y ante la negativa de las entidades financieras de conceder créditos a los pobres, funda el Banco Grameen (Rural), que comparte con él el Premio Nobel. Eliminar o paliar la pobreza es el mejor camino para lograr la paz en el mundo, y solo las excelentes cualidades personales de Yunus como ser humano explican los efectos tan beneficiosos de su labor. Así lo han reconocido multitud de organismos y entidades de los cinco continentes.

Fuente número 3: (AUDIO)

(AUDIO) Tienes 30 segundos para leer la introducción.

Introducción

Este audio es de un artículo que discute inversiones de España y otras naciones para combatir la pobreza. Apareció en la edición electrónica del periódico *ABC.es* el 12 de noviembre 2006.

Sample Persuasive Essay 3

(Tema curricular: La belleza y la estética)

Primero tienes 6 minutos para leer el tema del ensayo, la fuente número 1 y la fuente número 2.

Tema del ensayo:

¿Pueden cambiar el mundo los músicos y la música?

Fuente número 1:

Introducción

Este texto discute una exposición de la canción protesta de los años cincuenta del siglo XX de España. El artículo apareció en la edición electrónica del periódico *EL PAIS.com*, el 8 de marzo de 2006.

La Biblioteca Nacional narra en palabra e imagen la canción protesta

Si hubo en España una gesta capaz de aunar los anhelos de libertad, belleza y esperanza que anidan en el pecho de los jóvenes y en la mente de adultos indomables, tal fue la que encarnó la canción de autor, conocida como canción social o de protesta. De su nacer hace cincuenta años y de su crecida hasta nuestros días da noticia una exposición ideada por Fernando González Lucini, que ha contado con la anfitriona de la Biblioteca Nacional, regida por Rosa Regás, y con el impulso de Eduardo Teddy Bautista, que impulsó la idea desde la Fundación Autor.

Poemas, partituras, carátulas de discos, fotografías y retratos, se ensamblan para perfilar el rostro de unos años signados por una realidad de plomo y un horizonte de anhelos. El plomo lo encarnaba la dictadura franquista; el horizonte, la libertad.

La canción de autor nació mediada la década de los años cincuentas del siglo XX. Por primera vez en la historia desde el Romanticismo, una generación de españoles, henchida de rebeldía, dio prioridad a la conquista del futuro frente al fardo de un sin-presente aterrador, encarnado aquí por el régimen de Franco, exponente tenebroso del pasado.

Su fuerza era casi omnímoda: pero ni su represión, ni su censura, ni el exilio impuesto a los mejores lograron detener el proceso inexorable hacia la emancipación surgido de la lucha social en tajos y aulas, cuyo himno fue interpretado por mil guitarras y poemas germinados en los corazones más indómitos...

Fuente número 2

Introducción

Este artículo trata de la cantante Lisa Downs y su música. Apareció en la revista *Américas, en agosto, 2006*.

Lila Downs: Canciones transfronterizas

Esta popular artista nacida en México da voz a las comunidades indígenas creando al mismo tiempo su propio lenguaje musical. De padre norteamericano, la infancia de Lila transcurrió cruzando repetidas veces la frontera. Quizá por eso más tarde su música adquirirá esa misma tendencia. Mezcla de ritmos latinoamericanos con blues, hip hop y jazz; de lenguas indígenas con español e inglés.

Lila nació al otro lado de la frontera, en la sierra occidental de Oaxaca, en la mixteca alta. Tal como los patos de ala azul a los que el padre, documentalista norteamericano, siguió en su peregrinar desde Canadá a México, su vida transcurrió entre el pueblo de la madre indígena y Minnesota. «Siempre buscando la manera de poder traducir lo que sientes, lo que percibes», dice al respecto.

Hoy suele encontrarse con personas que se identifican con las historias de sus canciones, en gran parte reales… «Me alimenta mucho ese cariño que me da la gente que nos escucha… Gente que dice: qué bueno que existe tu música, porque no sé qué haría sin ella.» …

Lila pone el dedo en la llaga de ciertos temas no resueltos: el racismo, la discriminación, la violencia de género. «Lo he dicho de distintas maneras. Hay una canción —*Sale sobrando*— que habla del que se burla de la comunidad indígena, pero bien se come sus enchiladas suizas, hechas de tortillas (que es una tradición culinaria precolombina). Me gusta tocar esos botones porque mucha gente se siente incómoda de reconocer su parte indígena».

Fuente número 3: (AUDIO)

Tienes 30 segundos para leer la introducción.

Introducción

Este audio describe como un músico colombiano protesta contra la violencia. El artículo apareció en la edición electrónica del periódico *EL PAIS.com* el 19 de enero de 2006.

Sample Persuasive Essay 4

(Tema curricular: Los desafíos mundiales)

Primero tienes 6 minutos para leer el tema del ensayo, la fuente número 1 y la fuente número 2.

Tema del ensayo:

¿Se puede garantizar el derecho de libertad de expresión en el mundo actual?

Fuente número 1:

Introducción

Este texto aparece en el sitio del Internet de Amnistía Internacional España. Se trata del derecho de opinar e informar.

El derecho a opinar y a informar

«Todo individuo tiene derecho a la libertad de opinión y de expresión» —artículo 19 de la Declaración Universal de los Derechos Humanos.

Profesionales de la comunicación, estudiantes, escritores, artistas y manifestantes de muchos países sufren abusos contra la libertad de expresión. Miles de personas de todo el mundo son hostigadas, acosadas, víctimas de torturas o malos tratos, e incluso «desaparecidas » y asesinadas por expresarse de acuerdo a su conciencia o por investigar y dar a conocer información que incomoda a gobiernos o grupos armados.

La situación de los periodistas que sufren abusos por ejercer su profesión preocupa especialmente a Amnistía Internacional, ya que la libertad de expresión es una herramienta fundamental para la defensa de otros derechos humanos.

Cuando los periodistas y los profesionales de la comunicación son silenciados, ellos no son las únicas víctimas de las leyes y las prácticas represivas también lo son todas las personas que se ven privadas de su derecho a la información. El periodismo es una profesión, no un delito y la libertad de expresión es una de las herramientas de defensa del resto de derechos humanos...

Fuente número 2

Introducción

Este artículo apareció en la revista *Américas* en agosto de 2006. Trata de la libertad de expresión en las Américas.

Libertad de expresión

La libertad de expresión en las Américas sigue enfrentando desafíos importantes; sin embargo, se han visto avances significativos en esta materia. Esta fue la conclusión de un foro que tuvo lugar en la sede de la OEA en el que importantes expertos destacaron acontecimientos positivos, como la adopción en varios países de leyes que conceden mayor acceso a la información. Lamentaron, sin embargo, las muertes de periodistas en el ejercicio de su trabajo y la persistencia de otros retos que amenazan la consolidación de la democracia en la región.

«El grado de democracia de un país corresponde directamente al nivel de libertad de expresión que allí prevalece», dijo diana Daniela, Presidenta de la Sociedad Interamericana de Prensa y Vicepresidenta del Washington Post. Daniels participó en un panel sobre «La Libertad de expresión en el siglo XXI en las Americas», que se realizó en el marco del Proyecto Américas, una iniciativa conjunta entre la OEA y el Instituto de Política Pública James A. Baker III de la Universidad Rice. Este proyecto, que comenzó en 1997, es dirigido a futuros líderes, para que establezcan un diálogo sobre los temas sustantivos de la región.

El periodista Pablo Bachelet del Miami Herald, observó que «la inestabilidad política, la debilidad institucional y las frustradas expectativas populares tienen un impacto directo sobre los medios, muchas veces dando lugar a menos libertad de la prensa» ...

Fuente número 3: (AUDIO)

Tienes 30 segundos para leer la introducción.

Introducción

Este artículo apareció en la edición electrónica del periódico *EL MUNDO* el 20 de abril de 2006. Trata de un grupo de periodistas colombianos que recibieron un premio por la Libertad de Expresión.

Sample Persuasive Essay 5

(Tema curricular: Los desafíos mundiales)

Primero tienes 6 minutos para leer el tema del ensayo, la fuente número 1 y la fuente número 2.

Tema del ensayo:
¿Cómo pueden los gobiernos y las organizaciones proteger mejor la naturaleza y el medio ambiente?

Fuente número 1

Introducción

Este artículo apareció en la revista *Americas* en abril 2004. Trata de una reserva en Tobago.

Paraíso de pájaros en Tobago

A mediados del siglo XVIII, cuando Tobago era una colonia de la corona británica, los legisladores libraron una batalla de diez años para crear una reserva de 5,700 hectáreas a lo largo de Main Ridge, una escarpada cordillera que alcanza alturas de casi 600 metros y atraviesa dos tercios de esta costa de cuarenta metros. A pesar de la fuerte oposición, ganaron la batalla y lograron establecer la reserva. Hoy, casi 250 años después, la Reserva Forestal Main Ridge sigue cumpliendo su misión original de proveer agua potable de alta calidad a la población de Tobago, que actualmente asciende a 55,000 habitantes. Pero a medida que la base económica de la isla se traslada al turismo, la reserva se ha convertido en un recurso aún más importante, ya que protege las playas y corales de los efectos destructivos de la erosión del suelo.

Publicitada como la reserva forestal protegida más antigua del hemisferio occidental y paraíso para los observadores de pájaros, Main Ridge se ha transformado en una extraordinaria atracción turística...

Puede ser que los pájaros, con su hermoso plumaje y melodioso cantar sean los habitantes más prominentes del bosque tropical, pero éstos constituyen solo un porcentaje de un grupo mayor de protagonistas que contribuyen a la supervivencia del bosque, observa el guía Newton George. «Todo tiene su función en el bosque y todo es interdependiente», y menciona como ejemplo las heliconias que se alojan en lo alto de las siempre verdes.

«Las epifitas como éstas crecen y prosperan con la ayuda de las ramas de los árboles, pero en la estación seca atrapan el agua de lluvia entre sus hojas para que los sedientos pájaros tengan dónde beber. Las víboras se alimentan de pájaros, los cangrejos se alimentan de víboras y las hormigas comen y reciclan la vegetación». Según el guía, todo constituye un magnífico conjunto que los visitantes pueden ver y disfrutar.

Fuente número 2

Introducción

Este texto trata de observaciones de la deforestación de Amazonas por tecnología espacial. Apareció en la revista Américas en abril, 2006.

Guardián espacial del bosque tropical

Durante más de veinte años, el Instituto de Investigación Espacial de Brasil ha documentado el nivel de deforestación de Amazonas por medio del análisis de imágenes satelitales, pero debido a las limitaciones tecnológicas, los científicos sólo han podido estimar la magnitud de la explotación forestal que tiene lugar en la selva tropical. Ahora, con una nueva tecnología creada por el Departamento de Ecología Global de la Institución Carnegie, una serie de sensores remotos genera imágenes satelitales de alta resolución que permiten registrar la actividad de tala en el Brasil.

«El Amazonas es tan grande que no se puede saber lo que pasa en su interior», explica el profesor Grez Asner, principal científico del proyecto. «Cada talador trabaja por su cuenta y nadie entiende el efecto agregado que produce su actividad en la región.» El Carnegie Landsat Analysis System (CLAS), a diferencia de otras sistemas satelitales, permite ver a través de las capas densas de la cubierta forestal hasta el suelo del bosque...

Asner estima que por cada árbol que se corta, se destruyen o dañan otros treinta. «No solamente se daña o eliminan ciertas especies de árboles», dice, «sino que la tala tiene un enorme impacto sobre las comunidades de mamíferos y aves». Los científicos han documentado una disminución de la biodiversidad de los bosques talados. Otra preocupación ambiental aún mayor es el peligro de incendios forestales. Los claros permiten que la luz llegue al suelo del bosque y lo seque, dejando la superficie vulnerable a los incendios.

Debido a la extensión y la importancia ecológica del Amazonas, la tala afecta los ciclos de agua y carbono de todo el mundo. Asner estima que todos los años ingresan a la atmósfera hasta 100 millones de toneladas de dióxido de carbono debido a la explotación forestal del Amazonas, además de los cuatrocientos millones de toneladas de gases de invernadero generados por la deforestación del bosque...

Fuente número 3: (AUDIO)

Tienes 30 segundos para leer la introducción.

Introducción

Este artículo apareció en la edición electrónica del periódico *ABC.es* el 17 de enero de 2006. Trata de esfuerzos para fomentar el respeto a la naturaleza en los colegios.

Sample Persuasive Essay 6

(Tema curricular: La vida contemporánea, La ciencia y la tecnología)

Primero tienes 6 minutos para leer el tema del ensayo, la fuente número 1 y la fuente número 2.

Tema del ensayo:
¿Es posible evitar las consecuencias negativas para niños y jóvenes que pasan mucho tiempo usando computadores?

Fuente número 1

Introducción

Este artículo discute problemas con videojuegos y apareció en una revista venezolana de educación.

Epidemia de videojuegos y juegos para computadoras incrementa la agresión en niños y adolescentes

Actualmente hay una gran preocupación entre padres de familias, psicólogos, docentes y personas de diferentes grupos de la sociedad, por los efectos negativos que podrían tener los videojuegos y los juegos para computadoras con contenido violento en los niños que frecuentemente participan en este tipo de entretenimiento. Es evidente la afición actual de niños y jóvenes a los videojuegos violentos (como, por ejemplo, «Soldado de la Fortuna» y «Mortal Combat») y asistir a los cybercafés y centro de computación con conexión al Internet, no sólo para curiosear páginas web y acceder a bases de datos en búsqueda de información que necesitan para hacer sus tareas escolares, sino para jugar en red o vía Internet juegos de última moda... que los involucran en acciones intensamente agresivas, en temas de ataque, de combate y de guerra. Esto preocupa debido a que es y ampliamente conocida la influencia de la exposición a programas de televisión con contenidos de violencia en el incremento de actitudes y comportamientos agresivos den los espectadores, particularmente si estos son niños...

Las investigaciones sobre los efectos de los videojuegos con contenido de violencia en los jugadores, sugieren que éstos pueden incrementar en las personas pensamientos, sentimientos y conductas agresivas, tanto en ambientes de laboratorio como en la vida real. En una investigación reciente con estudiantes universitarios, Anderson/Dill (2000) encontraron que sólo una breve exposición a este tipo de videojuegos puede temporalmente incrementar la conducta agresiva en cualquier tipo de persona. También se evidenció que había más manifestaciones de conductas delictivas (agresivas y no agresivas) en aquellos estudiantes que más reportaron haber jugado videojuegos violentos en primaria y en bachillerato. Es decir, que exposición a videojuegos de esta naturaleza incrementa la agresión tanto de una manera temporal como duradera. Por otra parte, las personas con una personalidad agresiva son más vulnerables a la influencia de estos juegos ya que se ha observado que aumentan sus tendencias agresivas...

Lo anterior planteado indica la importancia de generar discusiones que conduzcan a: 1) definir directrices prácticas sobre cómo los padres deben guiar y orientar a sus hijos en relación con los videojuegos, los juegos para computadoras y el uso del Internet; y 2) exigir la ejecución de mecanismos legales para regular el acceso de los niños y adolescentes a determinados juegos y páginas web...

Fuente número 2

Introducción

Este artículo que apareció en la revista «Buenhogar», ofrece consejos para padres.

10 maneras de cuidar su salud en forma divertida

No es posible negarlo: «gracias» al mal uso de Internet, los videojuegos, la televisión y de otras cosas más por el estilo, nuestros hijos cada vez son más sedentarios y su salud corre mayores riesgos. Hoy día, una gran cantidad de niños se resisten a participar en actividades físicas elementales, y esto los convierte en serios candidatos a padecer numerosos trastornos de salud (si no es que ya han comenzado a sufrirlos).

Tú puedes y debes hacer algo para revertir esta situación, y lo mejor es que, para hacerlo, no tienes que elaborar un gran proyecto. Basta con introducir pequeños cambios en el estilo de vida familiar que permitan a tus hijos llevar una rutina diaria más sana...

Crea espacios para la diversión en tu casa. Hay muchos juegos que pueden realizarse en el interior de tu hogar... Concibe un plan de entrenamiento de apenas cinco minutos diarios (con ejercicios sencillos....) Bailen juntos. Una vez por semana, pon la música que más les guste a tus hijos en el equipo de sonido y organicen una sesión de baile... Invierte en un estilo de vida saludable. Cómprales esos patines o la bicicleta que te piden y hazles prometer que los usarán...Cuando llegue este período de «descanso», elige opciones que pongan a toda la familia en movimiento. Elige sitios turísticos que les ofrezcan la posibilidad de mantenerse activos y practicar deportes. Ayúdelos a encontrar el deporte que les guste... Dales el ejemplo. No debes pedir a tus hijos que practiquen lo que nunca te ven hacer.

Cada vez que puedas, hazles propuestas a tus hijos que los pongan en movimiento y los obliguen abandonar el teclado de la computadora o la pantalla de televisión. Al hacerlo, les estarás haciendo un gran favor.

Fuente número 3: (AUDIO)

Tienes 30 segundos para leer la introducción.

Introducción

Este artículo trata de «ciber-niños». Apareció en la edición electrónica del periódico *El Pais.com*.

Sample Persuasive Essay 7

(Tema curricular: Las desafíos mundiales, La vida contemporánea, La ciencia y la tecnología)

Primero tienes 6 minutos para leer el tema del ensayo, la fuente número 1 y la fuente número 2.

Tema del ensayo:

¿Cómo se puede promover los derechos políticos, económicos y sociales de los pueblos indígenas que todavía sufren de discriminación?

Fuente número 1

Introducción

Este artículo describe proyectos de varias organizaciones para reconocer los derechos de los pueblos indígenas. Apareció en la revista *«Américas»* en diciembre 2006.

Elevar la conciencia, reafirmar los derechos

Nadie duda que los pueblos indígenas de las Américas deben gozar de los mismos derechos y oportunidades que todos los ciudadanos. Nadie tampoco que esto no se ha logrado aún. El proceso de alcanzar el pleno reconocimiento de estos derechos ha sido lento. En la Organización de los Estados Americanos (OEA), las negociaciones sobre el Proyecto de Declaración Americana sobre los Derechos de los Pueblos Indígenas llevan siete años, y un proceso similar en las Naciones Unidas (ONU) ha sido más largo.

Esto no significa, en absoluto, que haya sido tiempo perdido, dice el Embajador Juan León, Representante Alterno de Guatemala ante la OEA que durante dos años ha presidido el grupo de trabajo encargado de las negociaciones. «Las discusiones han generado iniciativas, han elevado la conciencia de las sociedades, de los gobiernos, y para mí ése es el punto que hay que rescatar», dice.

León, que pertenece a la comunidad Pueblo Maya K'iche, de Guatemala, dice que las delegaciones gubernamentales de los treinta y cuatro Estados Miembros de la OEA aún no tienen una visión clara sobre el contenido final de la declaración...

León cree que la Declaración debe reflejar y reafirmar los derechos que les son naturales y que deberían estar vigentes y en práctica y que por lo tanto no hay nada que inventar: "Esos derechos se ejercen y se han ejercido durante miles de años.

Uno de los desafíos, dice León, es superar el temor que surge en algunos gobiernos de que la Declaración contradiga la legislación nacional e internacional. Se suscitan inquietudes sobre conceptos complejos como la «libre determinación». Desde el punto de vista de los pueblos indígenas, explica, este concepto no se refiere a la creación de Estados independientes, sino a la libertad absoluta de tomar decisiones en el diseño, el manejo y la ejecución de planes, estrategias y programas que tengan que ver con todos sus derechos políticos, económicos y sociales. «Si eso es lo que se entiende por libre determinación, ¿cuál es el miedo?», pregunta.

Fuente número 2

Introducción

Este artículo que apareció en la revista *«Americas»* en diciembre 2006 discute como se promueve la educación en valores democráticas en el Perú.

Democracia en Quechua

Millones de personas de habla quechua que viven en los Andes sudamericanos tienen ahora la posibilidad de leer la Carta Democrática Interamericana en su propio idioma gracias a una iniciativa conjunta de la OEA y del Perú. Es la primera vez que la Carta ha sido traducida a uno de los idiomas indígenas de las Américas.

La traducción es parte de un esfuerzo más amplio que está llevándose a cabo en el Perú por proveer a los maestros de escuelas primarias y secundarias los materiales que necesitan para promover la educación en valores democráticos. Esa es la meta consagrada en la propia Carta Democrática, que requiere el fortalecimiento de una «cultura democrática» en las Américas, con especial atención a los programas y actividades dedicados a los niños y los jóvenes...

La Carta Democrática —aprobada por los Estados Miembros de la OEA el 11 de septiembre de 2001— define los elementos esenciales de la democracia y establece los pasos que deben darse cuando ésta se ve amenazada. «Los pueblos de América tienen derecho a la democracia y sus gobiernos la obligación de promoverla y defenderla», reza la Carta.

Fuente número 3: (AUDIO)

Tienes 30 segundos para leer la introducción.

Introducción

El texto de este audio apareció en *el mundo.es* en 2007. Discute la ratificación de un convenio internacional por parte de España.

Sample Persuasive Essay 8

(Tema curricular: La belleza y la estética)

Primero tienes 6 minutos para leer el tema del ensayo, la fuente número 1 y la fuente número 2.

Tema del ensayo:

El famoso autor francés Balzac dijo que «la novela es la historia privada de una nación». Defiende o rechaza esta declaración.

Fuente número 1

Introducción

Este artículo sobre Mario Vargas Llosa, un autor y un político apareció en la revista *Américas* en marzo, 2004

Mario Vargas Llosa: Mundos sin límites

Mario Vargas Llosa deslumbró al mundo literario con su libro *La ciudad y los perros* hace cerca de cuarenta años, y desde entonces ha continuado cautivando a los lectores de todo el mundo con su extraordinaria imaginación y su innovadora técnica narrativa. Como señala el *Boston Globe*, sus numeross obras —novelas, cuentos, obras de teatro, ensayos y artículos periodísticos— «ya le han asegurado un lugar entre los grandes escritores de nuestra época»...

El interés de Vargas Llosa por la política y los acontecimientos históricos se ha reflejado en muchas de sus mejores novelas, como *La fiesta del chivo* (2000). Los lectores que temieron que hubiera bajado la guardia durante el período en que dejó de escribir obras de ficción cuando fue candidato a la presidencia del Perú pronto percibieron que no era así: la novela constituye una ardiente condena del régimen de Trujillo en la República dominicana y un brillante análisis de la perversa naturaleza de la tiranías en general. El escritos que al aceptar el premio Rómulo Gallegos en 1967 en Caracas declarara que «la literatura es fuego», seguía teniendo fuego en su pluma. Los años no habían disminuido en lo más

mínimo su sentido de indignación moral. El libro fue muy bien recibido por el público y
mereció elogios de la crítica, no solo por su fuerza y energía, sino también por los innumerables detalles que contiene la trama, producto de una minuciosa investigación histórica...

Fuente número 2

Introducción

Este artículo que apareció en la revista Américas en 2006 trata de una autora mexicana,
Rosa Nissán y su obra.

Nuevas identidades de mujeres mexicanas

Cuando a fines de los años noventa se estrenó la película mexicana *Novia que te vea* en va
rios festivales de cine latinoamericano en los Estados Unidos, algunos espectadores reac-
cionaron con sorpresa. «Yo crecí en México y no sabía que había judíos mexicanos», fue uno de
los comentarios que se escucharon con frecuencia. Sin embargo, es obvio que muchos mexicanos sabían que había judíos, pero también sabían que su herencia étnica no formaba parte
de la ideología nacional del mestizo que define al ser mexicano como parte indígena y parte
español.

Más de una década antes del estreno de esta película, Rosa Nissán había comenzado
a crear la historia humorística e intensamente viva de una niña sefardí-mexicana (basada
en gran parte en su propia vida) en un taller literario dirigido por la distinguida escritora
Elena Poniatowska. La historia se hizo tan extensa que Poniatowska sugirió que Nissán la
cortara en dos y publicara la primera parte...

Novia que te vea y su novela posterior, *Hisho que te nazca* (1996), describen de manera
fascinante la formación de una niña nacida en la ciudad de México cuyos padres sefardíes
habían emigrado de pequeños desde Turquía y Persia. La primera novela termina con el
casamiento de Oshinica, la protagonista, y su partida hacia la luna de miel en Acapulco. El
título de la segunda novela es un dicho sefardí que expresa el deseo por el nacimiento de
un niño varón, y esta novela relata la vida de Oshinica como esposa y madre de cinco hijos
(cuyos nombres son elegidos por la familia de su esposo y no por ella). No se le permite salir
de su casa sin el permiso de su marido. La narración en primera persona, comenzando con
la perspectiva de luna niña, hace posible las observaciones de otras amas de casa y miembros de la familia y reflexiones personales que propugnan el análisis de la completa falta de
libertad para las mujeres-judías y mexicanas-de su sociedad...

Fuente número 3: (AUDIO)

Tienes 30 segundos para leer la introducción.

Introducción

Este audio es un artículo que apareció en la revista Américas en mayo 2006. El título es «La
libertad de la ficción política».

INTERPERSONAL SPEAKING: Conversation

In this section of the examination you will be expected to participate in one recorded
conversation. First, you will have a minute to read an introduction to the conversation and
an outline of each turn in the conversation. During the recording you will have 20 seconds
to respond when it is your turn. You will be expected to provide appropriate and complete
responses.

STRATEGIES:

1. Be sure to listen carefully to the message so that you understand the setting and circumstances of the conversation.

2. Review the outline carefully noting the tone and direction of the conversation.

3. Imagine yourself in this situation and think about and note vocabulary and expressions that are appropriate for this context.

4. Make sure to use the appropriate form of address, formal or informal depending on your suggested relationship with the speaker on the tape.

5. Listen carefully to each prompt so that you respond appropriately. Your answers need not be true but they should be logical responses to the situation.

6. Listen carefully for the tenses of the cues. Make an effort to use the same tenses unless a change is appropriate.

7. Speak in a loud and clear voice so that your recording is clear and comprehensible.

8. Use the complete 20 second time for each response so that there is enough of a speech sample for your speaking ability to be evaluated correctly. A very short answer even if it is grammatically and semantically correct may not provide enough of a sample for a high score.

9. Do not remain silent when you hear a cue. If you are not sure about what the prompt or a particular word means, respond in a way that would be appropriate given the entire context that you have read and heard.

10. Correct yourself immediately if you hear yourself making an error. Recall your rules for grammar, particularly agreement and verb endings.

11. Make sure to learn and understand how your responses will be evaluated so that you can provide what is considered a high quality speech sample.

12. Learn expressions that are appropriate for specific circumstances. A few useful expressions follow:

Expressing agreement:

es verdad	*it is true*
de acuerdo	*I agree*
creo que sí	*I believe so*
por supuesto	*of course*
claro que sí	*clearly*
eso es	*that's it*
tienes razón	*you're right*
vale	*OK*

Expressing disagreement or disbelief

de ninguna manera	*no way*
ni hablar	*no way*
no puede ser	*it's impossible*
no estoy de acuerdo	*I don´t agree*
lo dudo	*I doubt it*
claro que no	*of course not*
no es posible	*that's not possible*
eso no vale	*that's not fair*

Introducing your opinion

creo (pienso) que	*I believe*
me parece que	*it seems to me*
sugiero que	*I suggest*
propongo que	*I propose that*
sería mejor	*it would be better*
para mí	*for me*
prefiero	*I prefer*

Asking for someone else's opinion

¿Qué te parece?	*What do you think?*
¿Qué piensas?	*What do you think?*
¿Qué sugieres?	*What do you suggest?*
¿Qué harías?	*What would you do?*
¿Qué opinas tú?	*What's your opinion?*

Expressing regret or concern

Lo siento.	*I´m sorry.*
¡Qué lástima!	*What a pity!*
¡Qué pena!	*What a pity!*

Expressing surprise or disbelief

¡No es posible!	*It's not possible!*
¡No me digas!	*You don't say!*
¡Figúrate!	*Imagine!*
Lo dudo.	*I doubt it*
No lo puedo creer.	*I can't believe it.*
¡Mentira!	*It can't be true!*
¡Qué horror!	*How terrible!*

Directions: You will participate in a conversation. First, you will have 1 minute to read a preview of the conversation, including an outline of each turn in the conversation. Afterward, the conversation will begin, following the outline. Each time it is your turn to speak, you will have 20 seconds to record your response.

You should participate in the conversation as fully and appropriately as possible.

Instrucciones: Vas a participar en una conversación. Primero, vas a tener un minuto para leer la introducción y el esquema de la conversación. Después, comenzará la conversación, siguiendo el esquema. Cada vez que te corresponda participar en la conversación, vas a tener 20 segundos para grabar tu respuesta.

Debes participar de la manera más completa y apropiada posible.

CONVERSACIÓN 1

(Tema curricular: La vida contemporánea)

Introducción

Imagina que recibes un mensaje telefónico del departamento de personal de un almacén grande para invitarte a una entrevista sobre tu solicitud de empleo.
Escucha el mensaje.

La conversación

[The lines in italics reflect what you will hear on the recording.

Las líneas en letra bastardilla reflejan lo que escucharás en la grabación.]

Entrevistador:	*Te saluda*
Tú:	Salúdalo y preséntate
Entrevistador:	*Te explica la razón por la entrevista y te hace una pregunta.*
Tú:	Responde a la pregunta
Entrevistador:	*Continúa la entrevista*
Tú:	Responde a la pregunta
Entrevistador:	*Continúa la entrevista.*
Tú:	Responde a la pregunta
Entrevistador:	*Te pregunta si tienes preguntas sobre el empleo.*
Tú:	Hazle una pregunta.
Entrevistador:	*Responde y se despide*
Tú:	Agradécele la entrevista y despídete.

CONVERSACIÓN 2

(Tema curricular: Los desafíos mundiales)

Introducción

Imagina que te encuentras con Susana, que es también miembro del club de español. Quiere discutir un proyecto nuevo del club.

La conversación

[The lines in italics reflect what you will hear on the recording.

Las líneas en letra bastardilla reflejan lo que escucharás en la grabación.]

Susana:	*Te saluda y dice que quiere hablar del club de español.*
Tú:	Salúdala y pregúntale qué quiere discutir.
Susana:	*Discute un proyecto nuevo del club.*
Tú:	Presenta tu opinión.
Susana:	*Te presenta sus ideas y pide tus reacciones.*
Tú:	Comenta sobre sus ideas.
Susana:	*Te pide tus sugerencias al respecto.*
Tú:	Ofrécele algunas sugerencias para organizar el proyecto.
Susana:	*Te agradece y pide la fecha de la próxima reunión del club.*
Tú:	Responde a la pregunta.
Susana:	*Se despide.*
Tú:	Despídete y expresa tu anhelo de empezar el nuevo proyecto.

CONVERSACIÓN 3

(Tema curricular: Las familias y las comunidades)

Introducción

Imagina que tú fuiste estudiante de intercambio el año pasado y te encuentras con Felipe, un compañero de clase que quiere información sobre este programa.

La conversación

[The lines in italics reflect what you will hear on the recording.
Las líneas en letra bastardilla reflejan lo que escucharás en la grabación.]

Felipe:	*Te saluda y te pide si puedes darle información.*
Tú:	Ofrécete a contestar sus preguntas.
Felipe:	*Te pregunta cómo aplicar por el programa.*
Tú:	Explícale el proceso.
Felipe:	*Te pregunta sobre la familia que visitaste.*
Tú:	Responde a la pregunta.
Felipe:	*Te pregunta sobre el país que visitaste.*
Tú:	Responde a la pregunta.
Felipe:	*Te pregunta sobre tus estudios y actividades allí.*
Tú:	Responde a la pregunta.
Felipe:	*Te pide consejos.*
Tú:	Responde y despídete.

CONVERSACIÓN 4

(Tema curricular: La ciencia y la tecnología)

Introducción

Imagina que vas a la tienda para comprar una nueva cámara digital. Discute tu compra con la vendedora.

La conversación

[The lines in italics reflect what you will hear on the recording.
Las líneas en letra bastardilla reflejan lo que escucharás en la grabación.]

La vendedora:	*Te saluda y te ofrece ayuda.*
Tú:	Explica lo que quieres.
La vendedora:	*Te presenta opciones.*
Tú:	Pídele más información.
La vendedora:	*Continúa la conversación.*
Tú:	Dile cuánto puedes pagar.
La vendedora:	*Te aconseja.*
Tú:	Toma una decisión.
La vendedora:	*Finaliza la venta.*
Tú:	Agradécela y despídete.

CONVERSACIÓN 5

(Tema curricular: Las familias y las comunidades)

Introducción

Imagina que recibes una llamada telefónica de tu abuela en Puerto Rico. Escucha sonar el teléfono.

La conversación
[The lines in italics reflect what you will hear on the recording.

Las líneas en letra bastardilla reflejan lo que escucharás en la grabación.]

Tu abuela:	*Te saluda y pregunta por la familia.*
Tú:	Salúdala. Discute la salud de la familia.
Tu abuela:	*Te pregunta si tienes planes para las vacaciones del verano.*
Tú:	Responde.
Tu abuela:	*Te invita a pasar las vacaciones con ella.*
Tú:	Responde en el afirmativo y explica por qué.
Tu abuela	*Habla de posibles actividades.*
Tú:	Responde.
Tu abuela	*Ofrece pagar el vuelo.*
Tú:	Responde y agradécele.
Tu abuela	*Te aconseja discutir el viaje con tus padres y se despide.*
Tú:	Termina la conversación asegurándole que vas a discutir el viaje con tus padres.

CONVERSACIÓN 6

(Tema curricular: La vida contemporánea)

Introducción

Imagina que te encuentras con tu amigo Carlos para planificar una fiesta de sorpresa para tu amiga Elena.

La conversación
[The lines in italics reflect what you will hear on the recording.

Las líneas en letra bastardilla reflejan lo que escucharás en la grabación.]

Carlos:	*Te saluda y te pide ayuda para escoger la fecha de la fiesta.*
Tú:	Responde y explica tu respuesta.
Carlos:	*Te pregunta sobre los invitados.*
Tú:	Discute cómo vas a ayudar con las invitaciones.
Carlos:	*Te pregunta qué servir en la fiesta.*
Tú:	Responde con varias opciones.
Carlos:	*Pide tu opinión sobre la música para la fiesta.*
Tú:	Responde con varias opciones.
Carlos:	*Te pregunta cómo sorprender a Elena.*

Tú:	Sugiere un plan.
Carlos:	*Añade detalles.*
Tú:	Arregla otra cita con Carlos y despídete.

CONVERSACIÓN 7

(Tema curricular: La belleza y la estétic)

Introducción

Imaginas que eres presidente del club de español y hablas con la consejera, tu profesora de español. Discuten un viaje a un museo para ver obras de arte españolas.

La conversación

[The lines in italics reflect what you will hear on the recording.

Las líneas en letra bastardilla reflejan lo que escucharás en la grabación.]

Sra. López:	*Te presenta la idea de un viaje del club de español a un museo lejano para ver obras de arte españoles.*
Tú:	Pide más información.
Sra. López:	*Te da más información.*
Tú:	Reacciona positivamente.
Sra. López:	*Te pide escoger una fecha apropiada para el grupo.*
Tú:	Responde y explica tu respuesta.
Sra. López:	*Discute cuanto va a costar el viaje.*
Tú:	Expresa y explica, tu preocupación con el precio.
Sra. López:	*Sugiere que el club gane dinero para pagar por el viaje.*
Tú:	Menciona varias opciones para ganar el dinero.
Sra. López:	*Pide que discutas las opciones y el viaje con los miembros.*
Tú:	Discute tus planes al respecto y despídete.

CONVERSACIÓN 8

(Tema curricular: Las familias y las comunidades)

Introducción

Imagina que acabas de conseguir tu licencia de conducir y hablas con tu padre. Tratas de convencerlo de que necesitas tu propio auto.

La conversación

[The lines in italics reflect what you will hear on the recording.

Las líneas en letra bastardilla reflejan lo que escucharás en la grabación.]

Tu padre:	*Te felicita y te aconseja.*
Tú:	Asegúrale y describe cuándo y cómo vas a conducir.
Tu padre:	*Te informa cuando puedes pedir prestado su coche.*
Tú:	Agradéceselo y trata de convencerlo de que necesitas tu propio coche.
Tu padre:	*Reacciona negativamente.*
Tú:	Explica cómo vas a ganar dinero para ayudar a comprarlo.

Tu padre:	*Discute condiciones y limitaciones.*
Tú:	Ofrece sugerencias para complacer a tu padre.
Tu padre:	*Te dice que necesita esperar y observar para hacer su decisión.*
Tú:	Describe lo que harás para convencerlo de que mereces tu propio coche.

CONVERSACIÓN 9

(Tema curricular: Las familias y las comunidades)

Introducción

Imagina que representas a los estudiantes de tu escuela en el consejo estudiantil y hablas con la directora de la cafetería de la escuela, la Sra. Martínez. Discute varios problemas.

La conversación
[The lines in italics reflect what you will hear on the recording.
Las líneas en letra bastardilla reflejan lo que escucharás en la grabación.]

Sra. Martínez	*Te saluda y te pregunta qué quieres discutir.*
Tú:	Explícale a quienes representas.
Sra. Martínez	*Te pide explicar las quejas de los alumnos.*
Tú:	Describe varios problemas en la cafetería.
Sra. Martínez	*Explica lo que es posible hacer.*
Tú	Pide más acción.
Sra. Martínez	*Explica lo que es imposible hacer.*
Tú	Dile lo que vas a decir a tus compañeros de clase.
Sra. Martínez	*Propone otra cita contigo para continuar la conversación.*
Tú:	Arregla la próxima cita con ella y despídete.

CONVERSACIÓN 10

(Tema curricular: Las familias y las comunidades)

Introducción

Imagina que recibes un mensaje telefónico de un reportero de un periódico local, quien te entrevista por haber ganado una beca de una organización local. Discute su vida escolar y extracurricular y tus planes para el futuro.

La conversación
[The lines in italics reflect what you will hear on the recording.
Las líneas en letra bastardilla reflejan lo que escucharás en la grabación.]

Entrevistador:	*Te saluda y felicita.*
Tú:	Salúdalo, agradéceselo y preséntate.
Entrevistador:	*Te explica por qué hace la entrevista y te hace una pregunta sobre tus actividades académicas en la escuela.*
Tú:	Responde a la pregunta.

Entrevistador:	*Te hace una pregunta sobre tus actividades atléticas.*
Tú:	Responde a la pregunta.
Entrevistador:	*Te hace una pregunta sobre tus actividades extracurriculares.*
Tú:	Responde a la pregunta.
Entrevistador:	*Te hace una pregunta sobre tus planes para el futuro.*
Tú:	Responde a la pregunta.
Entrevistador:	*Te dice cuando el artículo aparecerá en el periódico y se despide.*
Tú	Agradéceselo y expresa tu anhelo a ver el artículo. Despídete.

PRESENTATIONAL SPEAKING: Cultural Comparison

In this part of the examination you will be asked to prepare and record a 2-minute oral presentation for your class based on a cultural topic. This could include literature, art, music, politics, environment, or everyday cultural activities. You will have to compare aspects of your own community to a community or area of the Spanish-speaking world that you may have visited or that you have studied. This section is worth 12.5% of your exam grade.

Strategies and sample presentation questions follow:

STRATEGIES:

1. You will have only four minutes to read the presentation topic and prepare your speech. Be sure to read the question and topic carefully to make sure you understand and accomplish the task of the presentation.

2. Choose a Spanish-speaking community or area that you know through experience or study and recall previous connections to the location and the topic.

3. Use a graphic organizer such as a Venn diagram—(Two intersecting circles.) For example, write unique information about your community in the first circle on the left and unique information about the Spanish-speaking community on the second circle on the right. In the center section where the two circles intersect, write what these two communities have in common.

4. You could also write a brief outline. Make sure to introduce your comparison and point-of-view about the theme in the beginning. Next, develop it with appropriate details about each community and how they are the same and-or different. Finish with a logical conclusion based on your previous statements.

5. Be sure to introduce your presentation with a brief phrase such as, «*Esta mañana voy a hablarles sobre...*» Also make sure you include a brief closing statement such as, «Gracias por su atención...»

6. You may correct yourself as you speak. Think about the following:
    *   Appropriate mood, indicative or subjunctive.
    *   Appropriate use of tenses and subject verb agreement.
    *   Appropriate use of "*ser*" and "*estar*" and "*por*" and "*para*".
    *   Agreement of nouns and adjectives.

7. Use varied vocabulary and idioms and complex constructions appropriate to the theme and task.

8. Time yourself preparing the presentation for four minutes and speaking for two minutes so you can prepare efficiently.

9. Speak in a loud and clear voice and at a normal pace.

10. Become familiar with the AP rubrics for this presentation so that you can evaluate your own speaking and improve accordingly.

Directions: You will make an oral presentation on a specific topic to your class. You will have 4 minutes to read the presentation topic and prepare your presentation. Then you will have 2 minutes to record your presentation.

In your presentation, compare your own community with an area of the Spanish-speaking world with which you are familiar. You should demonstrate your understanding of cultural features of the Spanish-speaking world. You should also organize your presentation clearly.

Instrucciones: Vas a dar una presentación oral a tu clase sobre un tema cultural. Vas a tener 4 minutos para leer el tema de la presentación y prepararla. Después vas a tener 2 minutos para grabar tu presentación.

En tu presentación, compara tu propia comunidad con una región del mundo hispanohablante que te sea familiar. Debes demostrar tu comprensión de aspectos culturales en el mundo hispanohablante y organizar tu presentación de una manera clara.

PRESENTACIÓN 1

(Tema curricular: Las familias y las comunidades)

¿Cuáles son los efectos negativos o positivos para el medio ambiente de las actividades diarias de las personas en tu comunidad?

Compara tus observaciones acerca de las comunidades en las que hayas vivido con tus observaciones de una región del mundo hispanohablante que te sea familiar. En tu presentación, puedes referirte a lo que hayas estudiado, vivido, observado, etc.

Script

(N) *Tienes un minuto para leer las instrucciones de este ejercicio.*

(1 minute)

(N) *Ahora vas a empezar este ejercicio*

(N) *Tienes cuatro minutos para leer el tema de la presentación y prepararla.*

[TONE]

(4 minutes)

[TONE]

(N) *Tienes dos minutos para grabar tu presentación.*

[TONE]

(2 minutes)

[TONE]

PRESENTACIÓN 2

(Tema curricular: Los desafíos mundiales)

¿Cuál es el efecto de la globalización en tu vida y la vida de tu comunidad?

Compara los cambios que has observado con los cambios causado por la globalización en una comunidad del mundo hispano que te sea familiar. En tu presentación, puedes referirte a lo que hayas estudiado, vivido, observado, etc.

Script

(N) *Tienes un minuto para leer las instrucciones de este ejercicio.*

(1 minute)

(N) *Ahora vas a empezar este ejercicio*

(N) *Tienes cuatro minutos para leer el tema de la presentación y prepararla.*

[TONE]

(4 minutes)

[TONE]

(N) *Tienes dos minutos para grabar tu presentación.*

[TONE]

(2 minutes)

[TONE]

PRESENTACIÓN 3

(Tema curricular: Las identidades personales y públicas)

Menciona a una mujer en la vida pública o política que es considerada una líder respetada por su comunidad. ¿Por qué es respetada?

Compara esta persona con tus observaciones sobre una mujer de una región del mundo hispanohablante que te sea familiar. En tu presentación, puedes referirte a lo que hayas estudiado, vivido, observado, etc.

Script

(N) *Tienes un minuto para leer las instrucciones de este ejercicio.*

(1 minute)

(N) *Ahora vas a empezar este ejercicio*

(N) *Tienes cuatro minutos para leer el tema de la presentación y prepararla.*

[TONE]

(4 minutes)

[TONE]

(N) *Tienes dos minutos para grabar tu presentación.*

[TONE]

(2 minutes)

[TONE]

PRESENTACIÓN 4

(Tema curricular: La belleza y la estética)

Las obras de arte pueden reflejar tanto la cultura de una comunidad como temas universales. Compara una obra de arte de una comunidad en que hayas vivido con una obra de arte de una región del mundo hispanohablante que te sea familiar. En tu presentación, puedes referirte a lo que hayas estudiado, vivido, observado, etc.

Script

(N) *Tienes un minuto para leer las instrucciones de este ejercicio.*

(1 minute)

(N) *Ahora vas a empezar este ejercicio*

(N) *Tienes cuatro minutos para leer el tema de la presentación y prepararla.*

[TONE]

(4 minutes)

[TONE]

(N) *Tienes dos minutos para grabar tu presentación.*

[TONE]

(2 minutes)

[TONE]

PRESENTACIÓN 5

(Tema curricular: La ciencia y la tecnología)

Explica porque el acceso al Internet para aprender y trabajar es importante en una comunidad en que has vivido y compara el acceso al Internet y su uso en una región del mundo hispanohablante que te sea familiar. En tu presentación, puedes referirte a lo que hayas estudiado, vivido, observado, etc.

Script

(N) *Tienes un minuto para leer las instrucciones de este ejercicio.*

(1 minute)

(N) *Ahora vas a empezar este ejercicio*

(N) *Tienes cuatro minutos para leer el tema de la presentación y prepararla.*

[TONE]

(4 minutes)

[TONE]

(N) *Tienes dos minutos para grabar tu presentación.*

[TONE]

(2 minutes)

[TONE]

PRESENTACIÓN 6

(Tema curricular: La vida contemporánea)

¿Cuáles son los pasatiempos y diversiones usuales en una comunidad en que hayas vivido? Compara sus pasatiempos y diversiones con los de jóvenes que viven en una región del mundo hispanohablante que te sea familiar. En tu presentación, puedes referirte a lo que hayas estudiado, vivido, observado, etc.

Script

(N) *Tienes un minuto para leer las instrucciones de este ejercicio.*

(1 minute)

(N) *Ahora vas a empezar este ejercicio*

(N) *Tienes cuatro minutos para leer el tema de la presentación y prepararla.*

[TONE]

(4 minutes)

[TONE]

(N) *Tienes dos minutos para grabar tu presentación.*

[TONE]

(2 minutes)

[TONE]

PRESENTACIÓN 7

(Tema curricular: Las familias y las comunidades)

Describe la comida típica y las costumbres con respecto a la comida de tu familia y de una comunidad en que hayas vivido. Compara su comida y las costumbres de comer con la comida típica y costumbres de comer de una región del mundo hispanohablante que te sea familiar. En tu presentación, puedes referirte a lo que hayas estudiado, vivido, observado, etc.

Script

(N) *Tienes un minuto para leer las instrucciones de este ejercicio.*

(1 minute)

(N) *Ahora vas a empezar este ejercicio*

(N) *Tienes cuatro minutos para leer el tema de la presentación y prepararla.*

[TONE]

(4 minutes)

[TONE]

(N) *Tienes dos minutos para grabar tu presentación.*

[TONE]

(2 minutes)

[TONE]

PRESENTACIÓN 8

(Tema curricular: Los desafíos mundiales)

¿Cómo mantienen la salud tú, tu familia y las comunidades en que has vivido? Discute sus acciones y prácticas y compáralas con las prácticas de una región del mundo hispanohablante que te sea familiar. En tu presentación, puedes referirte a lo que hayas estudiado, vivido, observado, etc.

Script

(N) *Tienes un minuto para leer las instrucciones de este ejercicio.*

(1 minute)

(N) *Ahora vas a empezar este ejercicio*

(N) *Tienes cuatro minutos para leer el tema de la presentación y prepararla.*

[TONE]

(4 minutes)

[TONE]

(N) *Tienes dos minutos para grabar tu presentación.*

[TONE]

(2 minutes)

[TONE]

PRESENTACIÓN 9

(Tema curricular: Las identidades personales y públicas)

Describe un personaje histórico y renombrado en tu comunidad y explica por qué es importante. Compara a esta persona con un personaje histórico y famoso de una región del mundo hispanohablante que te sea familiar. En tu presentación, puedes referirte a lo que hayas estudiado, vivido, observado, etc.

Script

(N) *Tienes un minuto para leer las instrucciones de este ejercicio.*

(1 minute)

(N) *Ahora vas a empezar este ejercicio*

(N) *Tienes cuatro minutos para leer el tema de la presentación y prepararla.*

[TONE]

(4 minutes)

[TONE]

(N) *Tienes dos minutos para grabar tu presentación.*

[TONE]

(2 minutes)

[TONE]

PRESENTACIÓN 10

(Tema curricular: La belleza y la estética)

Discute la música popular y típica que se escucha en las comunidades en que hayas vivido. Compara esta música con la música típica de una región del mundo hispanohablante que te sea familiar. ¿Cuáles influencias globales se oyen y observan? En tu presentación, puedes referirte a lo que hayas estudiado, vivido, observado, etc.

Script

(N) *Tienes un minuto para leer las instrucciones de este ejercicio.*

(1 minute)

(N) *Ahora vas a empezar este ejercicio*

(N) *Tienes cuatro minutos para leer el tema de la presentación y prepararla.*

[TONE]

(4 minutes)

[TONE]

(N) *Tienes dos minutos para grabar tu presentación.*

[TONE]

(2 minutes)

[TONE]

APPENDIX

I. RUBRICS FOR AUTHENTIC ASSESSMENTS

A general set of rubrics follows. These may be modified to meet the requirements of the individual teacher and/or the curriculum. To be actively involved in the process of evaluating and improving their own work, students need to be familiar with the rubrics for each assessment.

10–9 EXEMPLARY

Ideas are developed, organized, and evaluated in a sophisticated manner. The student displays keen insight and complex original thinking in completing the task. The content is substantive and stimulating. The spoken and/or written language is rich and effective, containing a variety of sophisticated patterns and figurative language. There are very few errors in grammar or syntax.

8–7 COMMENDABLE

Ideas are developed logically. The student is clearly focused and executes the task successfully. The content is interesting and meaningful. The spoken and/or written language is effective and contains some sophisticated structures and figurative language. There are few errors of grammar or syntax.

6–5 MODERATELY EFFECTIVE

Ideas are organized. The stated purpose of the task is achieved. The content is adequate. The spoken and/or written language is somewhat varied with some attempts at sophisticated structures and figurative language. There are some errors of grammar and syntax that do not interfere with meaning.

4–3 APPROACHES EFFECTIVE

Ideas are developed minimally. The student shows awareness of the purpose. Content and information are correct but insufficient. The spoken and/or written language shows little variety with repetition of simple patterns structures and few attempts at figurative language. Several errors of grammar and syntax interfere with meaning.

2–1 NOT EFFECTIVE

Ideas lack coherence and are poorly organized. The purpose is unclear. Important information is omitted. The spoken and or written language shows no variety. Only simple structures are used. Vocabulary is simplistic and/or inappropriate. Many errors in grammar and syntax interfere with meaning.

0 UNACCEPTABLE

Ideas have no focus. There is little or no awareness of purpose. Content is irrelevant or incorrect. There is no concept of sentence structure. Vocabulary is very limited. Meaning is blocked by errors in grammar and syntax.

II. GUIDELINES FOR STRESS & ACCENT MARKS

1. El acento tónico

En español, todas las palabras tienen un acento fonético. La sílaba acentuada se llama «sílaba tónica» o «prosódica». Hay reglas que determinan el acento tónico. Un acento gráfico indica que estas reglas no son aplicables.

a. Las palabras que terminan en vocal o en las consonantes **n** o **s** llevan el acento tónico en la penúltima sílaba (la sílaba antes de la última.) Cuando hay un diptongo en una palabra, la vocal fuerte (**a, e, o**) lleva el acento tónico.

Esteban, ¿bailas con Ana hoy en la fiesta?

b. Las palabras que terminan en consonante, que no sea **n** o **s**, llevan el acento tónico en la última sílaba.

Tome el tren a la ciudad y no olvide mirar su reloj para llegar a tiempo.

2. El acento gráfico

a. La función del acento gráfico es indicar las excepciones a las reglas del acento tónico. Indica también en qué sílaba cae el acento tónico.

Ramón se enamoró de María. La conoció en Cádiz donde jugó al fútbol. Se casarán el veintitrés en Málaga. Nos enviará una invitación.

b. En palabras monosílabas, el acento tónico cae obviamente en la única sílaba. Pero algunas palabras monosílabas tienen un acento gráfico para distinguirlas de otras que se escriben de la misma manera, pero que tienen sentidos diferentes. Note los siguientes ejemplos:

Sé que Susana *se* graduó.
¿Vienes *tú* a la fiesta de graduación para *tu* hermana?
Para *mí*, lo que necesito es *mi* carro.
El carro que conduzco le pertenece a *él*.
Este carro es mejor que *éste*.
Espero que mi padre me *dé* el carro *de* Susana.
Sí, pero *si* Susana quiere guardarlo para *sí*, no se lo dará.
Aun Susana no sabe que no trabajo *aún* porque no tengo carro.

c. Las palabras interrogativas llevan acento gráfico cuando forman parte de una pregunta directa o indirecta, o de una exclamación.

¿Quién fue el ganador?
No anunciaron *quién* ganó.
Paco es *quien* ganó el premio.
¡*Quién* lo diría!
¿Cuánto cuesta la entrada?
No sé *cuánto* cuesta.
Cuanto tengo te daré por la entrada.

Aquí es *donde* **pongo mi nuevo sillón.**
¿*Dónde* está el sofá? — Espero que Felipe sepa *dónde* lo movieron.
¡Mira, *dónde* está!

III. WORD BUILDING

1. Verb Formation

a. Verbs formed from nouns

1. The suffix *-ear* added to the noun or a shortened form of the noun denotes action.

la hoja	*leaf, sheet*	**hojear**	*to leaf through*
el golpe	*blow*	**golpear**	*to hit*
el paso	*step*	**pasear**	*to walk*
la letra	*letter*	**deletrear**	*to spell*

2. The prefix *-en* and the infinitive ending *-ar* are added to some nouns to form verbs.

la cabeza	*head*	**encabezar**	*to be at the head (top) of*
la cárcel	*jail*	**encarcelar**	*to jail*
el frente	*front*	**enfrentar**	*to confront*
el veneno	*poison*	**envenenar**	*to poison*

b. Verbs formed from adjectives

1. The prefix *-a* and the infinitive ending *-ar* are added to some adjectives to form verbs.

claro	*clear*	**aclarar**	*to clarify*
fino	*fine*	**afinar**	*to refine*
manso	*tame*	**amansar**	*to tame, domesticate*
seguro	*sure*	**asegurar**	*to assure*

2. The suffix *-ecer* is added to some adjectives to form verbs. Sometimes the prefix *en* (or *em* before *b* or *p*) precedes the adjective.

húmedo	*humid*	**humedecer**	*to become damp or humid*
oscuro	*dark*	**oscurecer**	*to become dark*
pálido	*pale*	**palidecer**	*to become pale*
pobre	*poor*	**empobrecer**	*to impoverish*
rico	*rich*	**enriquecer**	*to enrich*

2. Noun Formation

a. Nouns formed from verbs

1. The stem of the verb + *-o* or *-a* often forms a noun.

ayudar	*to help*	**la ayuda**	*help*
contar	*to tell*	**el cuento**	*story*

contar *to count*	**la cuenta** *bill*
dudar *to doubt*	**la duda** *doubt*
practicar *to practice*	**la práctica** *practice*

2. Nouns are formed by adding **-ción** to some **-ar** verbs after dropping the **r** of the infinitive ending.

combinar *to combine*	**la combinación** *combination*
contaminar *to pollute*	**la contaminación** *pollution*
invitar *to invite*	**la invitación** *invitation*
preparar *to prepare*	**la preparación** *preparation*
separar *to separate*	**la separación** *separation*

3. Some nouns are formed from the past participle of verbs.

comer *to eat*	**la comida** *the meal*
correr *to run*	**la corrida (de toros)** *the running (of bulls)*
entrar *to enter*	**la entrada** *the entrance*
ir *to go*	**la ida** *one-way trip*
llegar *to arrive*	**la llegada** *the arrival*
mirar *to look at*	**la mirada** *the look*
salir *to leave*	**la salida** *the exit*
volver *to return*	**la vuelta** *the return trip*

4. The suffix **-miento** is added to -ar verb-stems + **a**, and **-er** and **-ir** verb stems + **-i** to form nouns.

consentir *to consent*	**el consentimiento** *consent*
crecer *to grow*	**el crecimiento** *growth*
entender *to understand*	**el entendimiento** *understanding*
tratar *to treat*	**el tratamiento** *treatment*

5. The suffixes **-ancia** and **-encia** are added to verb stems to form nouns.

tolerar *to tolerate*	**la tolerancia** *tolerance*
competir *to compete*	**la competencia** *competition*
preferir *to prefer*	**la preferencia** *preference*

6. The suffix **-ante** is added to the stem of verbs to denote "one who."

comerciar *to trade*	**el comerciante** *businessperson*
emigrar *to emigrate*	**el emigrante** *emigrant*
votar *to vote*	**el votante** *voter*

b. **Suffixes that change the meaning of nouns**

1. -ado / -ada

a. "A full measure."

la cuchara *spoon*	**la cucharada** *spoonful*
el puño *fist*	**el puñado** *fistfull*

b. "A blow" or "strike."

la pata	*leg*	**la patada**	*kick*
el puñal	*dagger*	**la puñalada**	*stab*

2. **-astro / -astra** — "Step" (with nouns referring to family.)

el hermano	*brother*	**el hermanastro**	*stepbrother*
la madre	*mother*	**la madrastra**	*stepmother*

3. **-ero / -era**

a. "A container."

el café	*coffee*	**la cafetera**	*coffeepot*
la flor	*flower*	**el florero**	*vase, flowerpot*
la sopa	*soup*	**la sopera**	*soup bowl*
la sal	*salt*	**el salero**	*saltshaker*

b. "A person involved with or fond of."

el café	*coffee*	**el cafetero**	*coffee lover*
la flor	*flower*	**el florero**	*flower seller*
el libro	*book*	**el librero**	*bookseller*
el reloj	*clock*	**el relojero**	*clockmaker*

4. **-ería** — "A place or business."

el café	*coffee*	**la cafetería**	*coffee shop*
el libro	*book*	**la librería**	*bookstore*
el reloj	*clock*	**la relojería**	*clock shop*

5. **-ismo** — "A system, doctrine, act, or characteristic."

el ego	*ego, self*	**el egoísmo**	*egoism, selfishness*
el macho	*male*	**el machismo**	*glorification of masculinity*
la nación	*nation*	**el nacionalismo**	*nationalism*
el terror	*terror*	**el terrorismo**	*terrorism*

6. **-ista** — "One who"; denotes a profession, trade, or occupation.

el arte	*art*	**el artista**	*artist*
la cartera	*wallet*	**el carterista**	*pickpocket*
el diente	*tooth*	**el dentista**	*dentist*
la inversión	*investment*	**el inversionista**	*investor*
el periódico	*newpapaer*	**el periodista**	*journalist*

c. **Diminutives and Augmentatives**

Diminutives

1. **-ito / -ita** — Indicates smallness or expresses endearment.

el abuelo	*grandfather*	**el abuelito**	*grandpa*
el gato	*cat*	**el gatito**	*kitten*

el hermano	*brother*	**el hermanito**	*little brother*
la joven	*young girl*	**la jovencita**	*young girl (endearment)*

NOTE: The following spelling changes occur before adding *ito*: *c* to *qu*, *g* to *gu*, and *z* to *c*. In addition, *-ito* / *-ita* changes to *-cito* / *-cita*, if the noun ends in *n*, *r*, or *e*.

2. **-illo / -illa** — Deprecative, diminutive in status.

el autor	*author*	**el autorcillo**	*third-rate author*
el doctor	*doctor*	**el doctorcillo**	*quack, third-rate doctor*
el ladrón	*thief*	**el ladroncillo**	*petty thief*
la mentira	*lie*	**la mentirilla**	*white lie*
el papel	*paper*	**el papelillo**	*scrap of paper*

NOTE: *-illo* / *-illa* changes to *-cillo* / *-cilla* if the noun ends in *n*, *r*, or *e*.

3. **-uelo / -uela** — Diminutive, small.

el chico	*boy*	**el chicuelo**	*small boy*
la hoja	*leaf*	**la hojuela**	*small leaf, flake*
la migaja	*crumb*	**la migajuela**	*small crumb*
el paño	*cloth*	**el pañuelo**	*handkerchief*

4. **-ucho / -ucha**— Diminutive, pejorative.

el animal	*animal*	**el animalucho**	*ugly creature*
la casa	*house*	**la casucha**	*miserable hovel*
el periódico	*newspaper*	**el periodicucho**	*"rag" newspaper*
la tienda	*store*	**la tenducha**	*wretched little shop*

Augmentatives

1. **-ón / -ona** — Enlargement; sometimes pejorative.

la casa	*the house*	**el caserón**	*big run-down house*
la gota	*drop*	**el goterón**	*large raindrop*
la mujer	*woman*	**la mujerona**	*stout, hefty woman*
el zapato	*shoe*	**el zapatón**	*big shoe, gunboat*

2. **-azo / -aza** — Enlargement, sometimes pejorative.

la boca	*mouth*	**la bocaza**	*big ugly mouth*
el éxito	*success*	**el exitazo**	*terrific success*
la mano	*hand*	**la manaza**	*hefty hand; paw*
el plato	*plate*	**el platazo**	*platter; large helping of food*

3. **-ote / ota** — Enlargement, sometimes pejorative.

la cámara	*room*	**el camarote**	*stateroom*
el gato	*cat*	**el gatote**	*big cat*
el pájaro	*bird*	**el pajarote**	*large clumsy bird*

4. **-udo / -uda** — "Having a great deal of."

el bigote	*mustache*	**bigotudo**	*heavily mustached*
la panza	*belly*	**panzudo**	*having a big belly*
el pelo	*hair*	**peludo**	*hairy*
la toza	*block of wood*	**tozudo**	*obstinate*

3. **Adjective Formation**

1. **-ado / -ada** — Characteristic

avergonzar	*to embarrass*	**avergonzado**	*embarrassed*
el enojo	*anger*	**enojado**	*angry*
la nube	*cloud*	**nublado**	*cloudy*
el peso	*weight*	**pesado**	*heavy*

2. **-ano / -ana** — "Native of," "adherent to," "relating to."

la aldea	*village*	**aldeano**	*villager*
Castilla	*Castile*	**castellano**	*Castilian*
la república	*republic*	**republicano**	*Republican*
el vegetal	*vegetable*	**vegetariano**	*vegetarian*

3. **-ante** — "Like," "relating to."

abundar	*to abound*	**abundante**	*abundant*
colgar	*to hang*	**colgante**	*hanging*
sobrar	*to remain*	**sobrante**	*remaining*
vacilar	*to vacillate*	**vacilante**	*vacillating*

4. **-az / -oz** — "Full of."

la audacia	*audacity*	**audaz**	*audacious*
la ferocidad	*ferocity*	**feroz**	*ferocious*
la locuacidad	*loquacity*	**locuaz**	*loquacious*
la precocidad	*precocity*	**precoz**	*precocious*
la veracidad	*veracity*	**veraz**	*veracious*
la voracidad	*voracity*	**voraz**	*voracious*

5. **-ense** — "Native of"

el Canadá	*Canada*	**canadiense**	*Canadian*
Costa Rica	*Costa Rica*	**costarrisense**	*native of Costa Rica*
los Estados Unidos	*US*	**estadounidense**	*native of the US*
Nicaragua	*Nicaragua*	**nicaragüense**	*native of Nicaragua*

6. **-ente** — "Like"; "relating to"; "doing."

atraer	*to attract*	**atrayente**	*attractive; attracting*
correr	*to run*	**corriente**	*running; current*
deprimir	*to depress*	**deprimente**	*depressing*
nacer	*to be born*	**naciente**	*nascent, incipient*

7. **-iento** — "Inclined to"; "full of "; "relating to."

el avaro	*miser*	**avariento**	*miserly; avaricious*
la ceniza	*ash*	**ceniciento**	*ashen*
la mugre	*grime*	**mugriento**	*grimy*
la sangre	*blood*	**sangriento**	*bloody*

8. **-ino / -ina** — "Like"; "relating to"; "native of."

la Argentina	*Argentina*	**argentino**	*native of Argentina*
el daño	*harm*	**dañino**	*harmful*
la muerte	*death*	**mortecino**	*dying*
el repente	sudden movement	**repentino**	sudden

9. **-oso / -osa** — "Full of "; "having."

la codicia	*greed*	**codicioso**	*covetous; greedy*
la duda	*doubt*	**dudoso**	*doubtful*
el espanto	*fright*	**espantoso**	*frightful*
el peligro	danger	**peligroso**	dangerous

10. **-undo / -unda** — "Like"; "relating to."

errar	*to wander*	**errabundo**	*wandering*
la ira	*ire; wrath*	**iracundo**	*ireful; wrathful*
vagar	*to wander*	**vagabundo**	*vagabond*

11. **-ino / -ina** — "Like"; "relating to"; "native of."

la Argentina	*Argentina*	**argentino**	*native of Argentina*
el daño	*harm*	**dañino**	*harmful*
la muerte	*death*	**mortecino**	*dying*
el repente	*sudden movement*	**repentino**	*sudden*

12. **-oso / -osa** — "Full of "; "having."

la codicia	*greed*	**codicioso**	*covetous; greedy*
la duda	*doubt*	**dudoso**	*doubtful*
el espanto	*fright*	**espantoso**	*frightful*
el peligro	*danger*	**peligroso**	*dangerous*

13. **-undo / -unda** — "Like"; "relating to"

errar	*to wander*	**errabundo**	*wandering*
la ira	*ire; wrath*	**iracundo**	*ireful; wrathful*
vagar	*to wander*	**vagabundo**	*vagabond*

14. **-uno / -una** — "Like"; "pertaining to."

el buey	*ox*	**boyuno**	*bovine*
el ciervo	*deer*	**cervuno**	*pertaining to deer*
el moro	*Moor*	**moruno**	*Moorish*
el oso	*bear*	**osuno**	*pertaining to bears*

IV. VERB CHARTS

1. Regular Verbs

INFINITIVE	HABLAR	VENDER	VIVIR
PRESENT PARTICIPLE	hablando	vendiendo	viviendo
PAST PARTICIPLE	hablado	vendido	vivido
INFORMAL IMPERATIVE	habla / no hables } tú hablad / no habléis } vosotros hablemos / no hablemos } nosotros	vende / no vendas } tú vended / no vendáis } vosotros vendamos / no vendamos } nosotros	vive / no vivas } tú vivid / no viváis } vosotros vivamos / no vivamos } nosotros
FORMAL IMPERATIVE	hable / no hable } Ud. hablen / no hablen } Uds.	venda / no venda } Ud. vendan / no vendan } Uds.	viva / no viva } Ud. vivan / no vivan } Uds.

a. Indicative Mood

	HABLAR	VENDER	VIVIR
PRESENT	hablo hablas habla hablamos habláis hablan	vendo vendes vende vendemos vendéis venden	vivo vives vive vivimos vivís viven
PRETERIT	hablé hablaste habló hablamos hablasteis hablaron	vendí vendiste vendió vendimos vendisteis vendieron	viví viviste vivió vivimos vivisteis vivieron
IMPERFECT	hablaba hablabas hablaba hablábamos hablabais hablaban	vendía vendías vendía vendíamos vendíais vendían	vivía vivías vivía vivíamos vivíais vivían
FUTURE	hablaré hablarás hablará hablaremos	venderé venderás venderá venderemos	viviré vivirás vivirá viviremos

(cont.)

	HABLAR	**VENDER**	**VIVIR**
	hablar*éis* hablar*án*	vender*éis* vender*án*	vivir*éis* vivir*án*
CONDITIONAL	hablar*ía* hablar*ías* hablar*ía* hablar*íamos* hablar*íais* hablar*ían*	vender*ía* vender*ías* vender*ía* vender*íamos* vender*íais* vender*ían*	vivir*ía* vivir*ías* vivir*ía* vivir*íamos* vivir*íais* vivir*ían*
PRESENT	he has ha hemos habéis han } hablado/vendido/vivido		
PLUPERFECT	había habías había habíamos habíais habían } hablado/vendido/vivido		
FUTURE PERFECT	habré habrás habrá habremos habréis habrán } hablado/vendido/vivido		
CONDITIONAL PERFECT	habría habrías habría habríamos habríais habrían } hablado/vendido/vivido		

b. Subjunctive Mood

	HABLAR	**VENDER**	**VIVIR**
PRESENT	habl*e* habl*es* habl*e* habl*emos* habl*éis* habl*en*	vend*a* vend*as* vend*a* vend*amos* vend*áis* vend*an*	viv*a* viv*as* viv*a* viv*amos* viv*áis* viv*an*

	HABLAR	VENDER	VIVIR
IMPERFECT	hablar*a* hablas*e*	vend*iera* vend*iese*	viv*iera* viv*iese*
	hablar*as* hablas*es*	vend*ieras* vend*ieses*	viv*ieras* viv*ieses*
	hablar*a* hablas*e*	vend*iera* vend*iese*	viv*iera* viv*iese*
	hablá*ramos* hablá*semos*	vend*iéramos* vend*iésemos*	viv*iéramos* viv*iésemos*
	hablar*ais* hablas*eis*	vend*ierais* vend*ieseis*	viv*ierais* viv*ieseis*
	hablar*an* hablas*en*	vend*ieran* vend*iesen*	viv*ieran* viv*iesen*
PRESENT PERFECT	haya hayas haya hayamos hayáis hayan	} hablado/vendido/vivido	
PLUPERFECT	hubiera hubiese hubieras hubieses hubiera hubiese hubiéramos hubiésemos hubierais hubieseis hubieran hubiesen	} hablado/vendido/vivido	

2. **Verbs with Stem Changes**

   a. **-AR Verbs**

STEM CHANGE	E TO IE	O TO UE	U TO UE
INFINITIVE	**PENSAR**	**CONTAR**	**JUGAR**
PRESENT INDICATIVE	p*ie*nso p*ie*nsas p*ie*nsa	c*ue*nto c*ue*ntas c*ue*nta	j*ue*go j*ue*gas j*ue*ga

(cont.)

STEM CHANGE	E TO IE	O TO UE	U TO UE
INFINITIVE	**PENSAR**	**CONTAR**	**JUGAR**
	pensamos pensáis p*ie*nsan	contamos contáis c*ue*ntan	jugamos jugáis j*ue*gan
PRESENT SUBJUNCTIVE	p*ie*nse p*ie*nses p*ie*nse pensemos penséis p*ie*nsen	c*ue*nte c*ue*ntes c*ue*nte contemos contéis c*ue*nten	j*ue*gue j*ue*gues j*ue*gue juguemos juguéis j*ue*guen

b. -ER Verbs

STEM CHANGE	E TO IE	O TO UE
INFINITIVE	**PERDER**	**MOVER**
PRESENT INDICATIVE	p*ie*rde p*ie*rdes p*ie*rde perdemos perdéis p*ie*rden	m*ue*ve m*ue*ves m*ue*ve movemos movéis m*ue*ven
PRESENT SUBJUNCTIVE	p*ie*rda p*ie*rdas p*ie*rda perdamos perdáis p*ie*rdan	m*ue*va m*ue*vas m*ue*va movamos mováis m*ue*van

c. -IR Verbs

STEM CHANGE	E TO IE, I	E TO I	O TO UE, U
INFINITIVE	**SENTIR**	**PEDIR**	**DORMIR**
PRESENT PARTICIPLE	s*i*ntiendo	p*i*diendo	d*u*rmiendo
PRESENT INDICATIVE	s*ie*nto s*ie*ntes s*ie*nte sentimos sentís s*ie*nten	p*i*do p*i*des p*i*de pedimos pedís p*i*den	d*ue*rmo d*ue*rmes d*ue*rme dormimos dormís d*ue*rmen

STEM CHANGE	E TO IE, I	E TO I	O TO UE, U
INFINITIVE	**SENTIR**	**PEDIR**	**DORMIR**
PRETERIT	sentí sentiste sintió sentimos sentisteis sintieron	pedí pediste pidió pedimos pedisteis pidieron	dormí dormiste durmió dormimos dormisteis durmieron
PRESENT SUBJUNCTIVE	sienta sientas sienta sintamos sintáis sientan	pida pidas pida pidamos pidáis pidan	duerma duermas duerma durmamos durmáis duerman
IMPERFECT SUBJUNCTIVE	sintiera sintiese sintieras sintieses sintiera sintiese sintiéramos sintiésemos sintierais sintieseis sintieran sintiesen	pidiera pidiese pidieras pidieses pidiera pidiese pidiéramos pidiésemos pidierais pidieseis pidieran pidiesen	durmiera durmiese durmieras durmieses durmiera durmiese durmiéramos durmiésemos durmierais durmieseis durmieran durmiesen

d. -IAR and -UAR **Verbs**

STEM CHANGE	I TO Í	U TO Ú
INFINITIVE	**ENVIAR**	**CONTINUAR**
PRESENT INDICATIVE	envío envías envía enviamos enviáis envían	continúo continúas continúa continuamos continuáis continúan
PRESENT SUBJUNCTIVE	envíe envíes envíe enviemos enviéis envíen	continúe continúes continúe continuemos continuéis continúen

3. **Irregular Verbs and Verbs with Spelling Changes**

NOTE: Only the tenses containing irregular forms are listed.

andar

PRETERIT	anduve, anduviste, anduvo, anduvimos, anduvisteis, anduvieron

averiguar

IMPERATIVE	averigüe (Ud.), averigüen (Uds.), averigüemos (nosotros)
PRETERIT	averigüé, averiguaste, averiguó, averiguamos, averiguasteis, averiguaron
PRESENT SUBJUNCTIVE	averigüe, averigües, averigüe, averigüemos, averigüéis, averigüen

buscar

IMPERATIVE	busque (Ud.), busquen (Uds.), busquemos (nosotros)
PRETERIT	busqué, buscaste, buscó, buscamos, buscasteis, buscaron
PRESENT SUBJUNCTIVE	busque, busques, busque, busquemos, busquéis, busquen

caber

IMPERATIVE	quepa (Ud.), quepan (Uds.), quepamos (nosotros)
PRESENT	quepo, cabes, cabe, cabemos, cabéis, caben
PRETERIT	cupe, cupiste, cupo, cupimos, cupisteis, cupieron
FUTURE	cabré, cabrás, cabrá, cabremos, cabréis, cabrán
CONDITIONAL	cabría, cabrías, cabría, cabríamos, cabríais, cabrían
PRESENT SUBJUNCTIVE	quepa, quepas, quepa, quepamos, quepáis, quepan

caer

PRESENT PARTICIPLE	cayendo
PAST PARTICIPLE	caído
IMPERATIVE	caiga (Ud.), caigan (Uds.), caigamos (nosotros)
PRESENT	caigo, caes, cae, caemos, caéis, caen
PRETERIT	caí, caíste, cayó, caímos, caísteis, cayeron
PRESENT SUBJUNCTIVE	caiga, caigas, caiga, caigamos, caigáis, caigan

comenzar

IMPERATIVE	comience (Ud.), comiencen (Uds.), comencemos (nosotros)
PRESENT	comienzo, comienzas, comienza, comenzamos, comenzáis, comienzan
PRETERIT	comencé, comenzaste, comenzó, comenzamos, comenzasteis, comenzaron
PRESENT SUBJUNCTIVE	comience, comiences, comience, comencemos, comencéis, comiencen

conducir

IMPERATIVE	**conduzca (Ud.), conduzcan (Uds.), conduzcamos (nosotros)**
PRESENT	**conduzco, conduces, conduce, conducimos, conducís, conducen**
PRETERIT	**conduje, condujiste, condujo, condujimos, condujisteis, condujeron**
PRESENT SUBJUNCTIVE	**conduzca, conduzcas, conduzca, conduzcamos, conduzcáis, conduzcan**

conocer

IMPERATIVE	**conozca (Ud.), conozcan (Uds.), conozcamos (nosotros)**
PRESENT	**conozco, conoces, conoce, conocemos, conocéis, conocen**
PRESENT SUBJUNCTIVE	**conozca, conozcas, conozca, conozcamos, conozcáis, conozcan**

construir

PRESENT PARTICIPLE	**construyendo**
IMPERATIVE	**construya Ud., construyan Uds., construyamos nosotros**
PRESENT	**construyo, construyes, construye, construimos, construís, construyen**
PRETERIT	**construí, construiste, construyó, construimos, construisteis, construyeron**
PRESENT SUBJUNCTIVE	**construya, construyas, construya, construyamos, construyáis, construyan**

corregir

PRESENT PARTICIPLE	**corrigiendo**
IMPERATIVE	**corrija, corrijas, corrija, corrijamos, corrijáis, corrijan**
PRESENT	**corrijo, corriges, corrige, corregimos, corregís, corrigen**
PRESENT SUBJUNCTIVE	**corrija, corrijas, corrija, corrijamos, corrijáis, corrijan**

dar

IMPERATIVE	**dé (Ud.), den (Uds.), demos (nosotros)**
PRESENT	**doy, das, damos, dais, dan**
PRETERIT	**di, diste, dio, dimos, disteis, dieron**
PRESENT SUBJUNCTIVE	**dé, des dé, demos deis, den**

decir

PRESENT PARTICIPLE	**diciendo**
PAST PARTICIPLE	**dicho**
IMPERATIVE	**di (tú), diga (Ud.), digan (Uds.), digamos (nosotros)**
PRESENT	**digo, dices, dice, decimos, decís, dicen**
PRETERIT	**dije, dijiste, dijo, dijimos, dijisteis, dijeron**

FUTURE	diré, dirás, dirá, diremos, diréis, dirán
CONDITIONAL	diría, dirías, diría, diríamos, diríais, dirían
PRESENT SUBJUNCTIVE	diga, digas, diga, digamos, digáis, digan

distinguir

IMPERATIVE	distinga (Ud.), distingan (Uds.), distingamos (nosotros)
PRESENT	distingo, distingues, distingue, distinguimos, distinguís, distinguen
PRESENT SUBJUNCTIVE	distinga, distingas, distinga, distingamos, distingáis, distingan

escoger

IMPERATIVE	escoja (Ud.), escojan (Uds.), escojamos (nosotros)
PRESENT	escojo, escoges, escoge, escogemos, escogéis, escogen
PRESENT SUBJUNCTIVE	escoja, escojas, escoja, escojamos, escojáis, escojan

estar

IMPERATIVE	esté (Ud.), estén (Uds.), estemos (nosotros)
PRESENT	estoy, estás, está, estamos, estáis, están
PRETERIT	estuve, estuviste, estuvo, estuvimos, estuvisteis, estuvieron
PRESENT SUBJUNCTIVE	esté, estés, esté, estemos, estéis, estén

haber

PRESENT	he, has, ha, hemos, habéis, han
PRETERIT	hube, hubiste, hubo, hubimos, hubisteis, hubieron
FUTURE	habré, habrás, habrá, habremos, habréis, habrán
CONDITIONAL	habría, habrías, habría, habríamos, habríais, habrían
PRESENT SUBJUNCTIVE	haya, hayas, haya, hayamos, hayáis, hayan

hacer

PAST PARTICIPLE	hecho
IMPERATIVE	haz (tú), haga (Ud.), hagan (Uds.), hagamos (nosotros)
PRESENT	hago, haces, hace, hacemos, hacéis, hacen
PRETERIT	hice, hiciste, hizo, hicimos, hicisteis, hicieron
FUTURE	haré, harás, hará, haremos, haréis, harán
CONDITIONAL	haría, harías, haría, haríamos, haríais, harían
PRESENT SUBJUNCTIVE	haga, hagas, haga, hagamos, hagáis, hagan

huir

PRESENT PARTICIPLE	huyendo
IMPERATIVE	huya (Ud.), huyan (Uds.), huyamos (nosotros)
PRESENT	huyo, huyes, huye, huimos, huís, huyen
PRETERIT	huí, huiste, huyó, huimos, huisteis, huyeron

PRESENT SUBJUNCTIVE	huya, huyas, huya, huyamos, huyáis, huyan

ir

PRESENT PARTICIPLE	yendo
PAST PARTICIPLE	ido
IMPERATIVE	ve (tú), vaya (Ud.), vayan (Uds.), vayamos (nosotros)
PRESENT	voy, vas, va, vamos, vais, van
PRETERIT	fui, fuiste, fue, fuimos, fuisteis, fueron
IMPERATIVE	iba, ibas, iba, íbamos, ibais, iban
PRESENT SUBJUNCTIVE	vaya, vayas, vaya, vayamos, vayáis, vayan

jugar

IMPERATIVE	juegue (Ud.), jueguen (Uds.), juguemos (nosotros)
PRESENT	juego, juegas, juega, jugamos, jugáis, juegan
PRETERIT	jugué, jugaste, jugó, jugamos, jugasteis, jugaron
PRESENT SUBJUNCTIVE	juegue, juegues, juegue, juguemos, juguéis, jueguen

leer

PRESENT PARTICIPLE	leyendo
PAST PARTICIPLE	leído
PRETERIT	leí, leíste, leyó, leímos, leísteis, leyeron

oír

PRESENT PARTICIPLE	oyendo
PAST PARTICIPLE	oído
IMPERATIVE	oye (tú), oiga (Ud.), oigan (Uds.), oigamos (nosotros)
PRESENT	oigo, oyes, oye, oímos, oísteis, oyeron
PRETERIT	oí, oíste, oyó, oímos, oísteis, oyeron
FUTURE	oiré, oirás, oirá, oiremos, oiréis, oirán
CONDITIONAL	oiría, oirías, oiría, oiríamos, oiríais, oirían
PRESENT SUBJUNCTIVE	oiga, oigas, oiga, oigamos, oigáis, oigan

oler

IMPERATIVE	huela (Ud.), huelan (Uds.), olamos (nosotros)
PRESENT	huelo, hueles, huele, olemos, oléis, huelen
PRESENT SUBJUNCTIVE	huela, huelas, huela, olamos, oláis, huelan

poder

PRESENT PARTICIPLE	pudiendo
PRETERIT	pude, pudiste, pudo, pudimos, pudisteis, pudieron
FUTURE	podré, podrás, podrá, podremos, podréis, podrán
CONDITIONAL	podría, podrías, podría, podríamos, podríais, podrían

poner

PAST PARTICIPLE	puesto
IMPERATIVE	pon, ponga, pongan, pongamos
PRESENT	pongo, pones, pone, ponemos, ponéis, ponen
PRETERIT	puse, pusiste, puso, pusimos, pusisteis, pusieron
FUTURE	pondré, pondrás, pondrá, pondremos, pondréis, pondrán
CONDITIONAL	pondría, pondrías, pondría, pondríamos, pondríais, pondrían
PRESENT SUBJUNCTIVE	ponga, pongas, ponga, pongamos, pongáis, pongan

querer

PRESENT	quiero, quieres, quiere, queremos, queréis, quieren
PRETERIT	quise, quisiste, quiso, quisimos, quisisteis, quisieron
FUTURE	querré, querrás, querrá, querremos, querréis, querrán
CONDITIONAL	querría, querrías, querría, querríamos, querríais, querrían

reír

PRESENT PARTICIPLE	riendo
PAST PARTICIPLE	reído
IMPERATIVE	ríe, ría, rían, riamos
PRESENT	río, ríes, ríe, reímos, reís, ríen
PRETERIT	reí, reíste, rió, reímos, reísteis, rieron
FUTURE	reiré, reirás, reirá, reiremos, reiréis, reirán
CONDITIONAL	reiría, reirías, reiría, reiríamos, reiríais, reirían
PRESENT SUBJUNCTIVE	ría, rías, ría, riamos, riáis, rían

reñir

PRESENT PARTICIPLE	riñendo
IMPERATIVE	riña (Ud.), riñan (Uds.), riñamos (nosotros)
PRESENT	riño, riñes, riñes, reñimos, reñís, riñen
PRETERIT	reñí, reñiste, riñó, reñimos, reñisteis, riñeron
PRESENT SUBJUNCTIVE	riña, riñas, riña, riñamos, riñáis, riñan

saber

IMPERATIVE	sabe (tú), sepa (Ud.), sepan (Uds.), sepamos (nosotros)
PRESENT	sé, sabes, sabe, sabemos, sabéis, saben
PRETERIT	supe, supiste, supo, supimos, supisteis, supieron
FUTURE	sabré, sabrás, sabrá, sabremos, sabréis, sabrán
CONDITIONAL	sabría, sabrías, sabría, sabríamos, sabríais, sabrían
PRESENT SUBJUNCTIVE	sepa, sepas, sepa, sepamos, sepáis, sepan

salir

IMPERATIVE	sal (tú), salga (Ud.), salgan (Uds.), salgamos (nosotros)
PRESENT	salgo, sales, sale, salimos, salís, salen
FUTURE	saldré, saldrás, saldrá, saldremos, saldréis, saldrán
CONDITIONAL	saldría, saldrías, saldría, saldríamos, saldríais, saldrían
PRESENT SUBJUNCTIVE	salga, salgas, salga, salgamos, salgáis, salgan

seguir

PRESENT PARTICIPLE	siguiendo
IMPERATIVE	siga (Ud.), sigan (Uds.), sigamos (nosotros)
PRESENT	sigo, sigues, sigue, seguimos, seguís, siguen
PRETERIT	seguí, seguiste, siguió, seguimos, seguisteis, siguieron
PRESENT SUBJUNCTIVE	siga, sigas, siga, sigamos, sigáis, sigan

ser

IMPERATIVE	sé (tú), sea (Ud.), sean (Uds.), seamos (nosotros)
PRESENT	soy, eres, es, somos, sois, son
PRETERIT	fui, fuiste, fue, fuimos, fuisteis, fueron
IMPERATIVE	era, eras, era, éramos, erais, eran
PRESENT SUBJUNCTIVE	sea, seas, sea, seamos, seáis, sean

tener

IMPERATIVE	ten (tú), tenga (Ud.), tengan (Uds.), tengamos (nosotros)
PRESENT	tengo, tienes, tiene, tenemos, tenéis, tienen
PRETERIT	tuve, tuviste, tuvo, tuvimos, tuvisteis, tuvieron
FUTURE	tendré, tendrás, tendrá, tendremos, tendréis, tendrán
CONDITIONAL	tendría, tendrías, tendría, tendríamos, tendríais, tendrían
PRESENT SUBJUNCTIVE	tenga, tengas, tenga, tengamos, tengáis, tengan

traer

PRESENT PARTICIPLE	trayendo
IMPERATIVE	traiga (Ud.), traigan (Uds.), traigamos (nosotros)

PRESENT	traigo, traes, trae, traemos, traéis, traen
PRETERIT	traje, trajiste, trajo, trajimos, trajisteis, trajeron
PRESENT SUBJUNCTIVE	traiga, traigas, traiga, traigamos, traigáis, traigan

valer

IMPERATIVE	valga (Ud.), valgan (Uds.), valgamos (nosotros)
PRESENT	valgo, vales, vale, valemos, valéis, valen
FUTURE	valdré, valdrás, valdrá, valdremos, valdréis, valdrán
CONDITIONAL	valdría, valdrías, valdría, valdríamos, valdríais, valdrían
PRESENT SUBJUNCTIVE	valga, valgas, valga, valgamos, valgáis, valgan

venir

PRESENT PARTICIPLE	viniendo
IMPERATIVE	ven (tú), venga (Ud.), vengan (Uds.), vengamos (nosotros)
PRESENT	vengo, vienes, viene, venimos, venís, vienen
PRETERIT	vine, viniste, vino, venimos, vinisteis, vinieron
FUTURE	vendré, vendrás, vendrá, vendremos, vendréis, vendrán
CONDITIONAL	vendría, vendrías, vendría, vendríamos, vendríais, vendrían
PRESENT SUBJUNCTIVE	venga, vengas, venga, vengamos, vengáis, vengan

vencer

IMPERATIVE	venza (Ud.), venzan (Uds.), venzamos (nosotros)
PRESENT	venzo, vences, vence, vencemos, vencéis, vencen
PRESENT SUBJUNCTIVE	venza, venzas, venza, venzamos, venzáis, venzan

ver

PAST PARTICIPLE	visto
IMPERATIVE	vea (Ud.), vean (Uds.), veamos (nosotros)
PRESENT	veo, ves, ve, vemos, veis, ven
PRETERIT	vi, viste, vio, vimos, visteis, vieron
IMPERFECT	veía, veías, veía, veíamos, veíais, veían
PRESENT SUBJUNCTIVE	vea, veas, vea, veamos, veáis, vean

V. CRONOLOGÍA DE LA HISTORIA Y LA LITERATURA ESPAÑOLA

SIGLO	HISTORIA		LITERATURA
VIII–X	711	Los moros invaden España.	Aparecen «Las jarchas», romances (poesía) con algunas palabras árabes.
	718	Pelayo inicia la Reconquista de España al derrotar los moros en Covadonga y es	

(cont.)

		nombrado el primer rey de Asturias. La España musulmana había avanzado en el arte, la arquitectura, las matemáticas y la agricultura. La Reconquista continua por ocho siglos.		
XI	1094	Rodrigo Díaz de Vivar, el Cid («señor», en árabe), vence a los moros en Valencia en nombre de Alfonso VII, rey de Castilla y León. Toledo es reconquistada también y se convierte en el centro cultural de Europa.		
XII	1188	Se inauguran las «Cortes» y la Asamblea Nacional en León.	1140	Anónimo, «Cantar de mío Cid», (poesía épica).
XIII	1212	Conquista de Navas de Tolosa.		Alfonso X, (el Sabio), «Las siete partidas», una importante colección de leyes de la Edad Media; «Cantigas de Santa María» (poesía). Gonzalo de Berceo, «Milagros de Nuestra Señora» (poesía). Anónimo, «Auto de los Reyes Magos» (drama).
	1229	Conquista catalana de Mallorca.		
	1235	Jaime I, rey de Aragón, conquista las islas de Menorca.		
	1236	Fernando III fortifica los reinos de Castilla y León.		
	1252	Alfonso X, «el Sabio» sube al trono. Reúne a eruditos cristianos, árabes y judíos para estudiar y traducir importantes documentos históricos y científicos.		
	1282	Las Cortes remueven del trono a Alfonso X. Se funda la universidad de Salamanca		
XIV	1369	Muere Pedro I, «el Cruel», conquistador de Castilla.	1300	Anónimo, «Historia del caballero Cifar» (narrativa).
	1390	Enrique III establece los regidores, lo que le da más poder a él y a la monarquía.	1335	Don Juan Manuel, «El conde Lucanor» (narrativa).
			1343	Juan Ruiz, (Arcipreste de Hita), «El libro de buen amor» (poesía).

XV				
	1469	Isabel, princesa de Castilla, se casa con Fernando, príncipe de Aragón, uniendo los dos reinos más poderosos de España. Se les llama «los Reyes Católicos».	1440	Anónimos, «El conde Arnaldos»; «Doña Alda» (poesía).
	1478	Se inicia la Inquisición.	1476	Jorge Manrique, «Coplas» (poesía). Iñigo López de Santillana, «Sonetos» (poesía).
	1492	Fernando e Isabel conquistan a Granada, el último reino moro, terminando la Reconquista. Los judíos son expulsados de España. Cristóbal Colón, con la ayuda financiera de los Reyes Católicos, descubre las Américas.	1492	Antonio de Nebrija, «El arte de la lengua castellana» (ensayo).
			1499	Fernando de Rojas, «La Celestina, o tragicomedia de Calixto y Melibea» (drama).

XVI				
	1502	Los moros son expulsados de España.	1508	Anónimo, «Amadís de Gaula»(narrativa).
	1516	Carlos I es coronado rey de España.	1519	Hernán Cortés, «Cartas de relación», (ensayo).
	1519	Carlos I hereda los reinos de los Hapsburgos y se renombra Carlos V, emperador de Alemania.	1543	Garcilaso de la Vega, «Soneto XI», «Soneto XIX», «Églogas», «Canciones» (poesía).
	1521	Hernán Cortés conquista el imperio azteca en México.	1552	Fray Bartolomé de las Casas, «Brevísima relación de la destrucción de las Indias» (ensayo).
	1533	Francisco Pizarro conquista el imperio inca en Perú.		
	1535	Francisco Vásquez de Coronado descubre el Gran Cañón del Colorado.	1554	Anónimo, «Vida de Lazarillo de Tormes» (narrativa)
	1538	Se funda la primera universidad hispanoamericana en Santo Domingo.	1555	Alvar Núñez Cabeza de Vaca, «Naufragios» (ensayo).
	1545	El Concilio de Trento inicia la Contrarreforma.	1559	Jorge de Montemayor, «Diana », (narrativa)
	1571	España vence a los turcos en la batalla del estrecho de Lepanto, en Grecia. Miguel de Cervantes es herido en esta batalla.	1568	Bernal Díaz del Castillo, «Verdadera historia de la conquista de la Nueva España» (ensayo).
	1588	Felipe II envía su «Armada Invencible» a luchar con Inglaterra. La Armada es derrotada y se inicia la decadencia del Imperio Español.	1588	Santa Teresa de Jesús, «Las moradas» (ensayo). Fray Luis de León, «La vida retirada», «Noche serena» (poesía).
	1598	Muere Felipe II.	1589	Alonso de Arcilla y Zuñiga, «La araucana» (poesía).

XVII	La decadencia continúa con los reinados de Felipe III, Felipe IV y Carlos II, el último rey Hapsburgo en España. La economía del país sufre por las guerras, la pérdida del control de los territorios, y la emigración a las Américas.	1605	Garcilaso de la Vega Inca, «La Florida del Inca» (poesía).
	1648 España pierde Holanda.	**1612**	Luis de Góngora, «Sonetos» (poesía).
	1659 María Teresa, la hija de Felipe IV, se casa con Luis IV de los Borbones franceses. Empieza la dinastía de los Borbones en España.	**1613**	Miguel de Cervantes, «Novelas ejemplares» (narrativa). Lope de Vega, «Peribáñez y el comendador de Ocaña»; «El mejor alcalde el rey» (drama). Miguel de Cervantes, «El viejo celoso» (drama). Juan Ruiz de Alarcón, «Las paredes oyen, drama».
		1615	Miguel de Cervantes, «El ingenioso hidalgo Don Quijote de la Mancha» (narrativa). Garcilaso de la Vega Inca, «Comentarios reales» (ensayo).
		1626	Francisco de Quevedo, «Historia de la vida del buscón» (narrativa).
		1630	Lope de Vega, «Amar sin saber a quien» (drama). Tirso de Molina, «El burlador de Sevilla» (drama). Juan Ruiz de Alarcón, «La verdad sospechosa» (drama).
		1635	Pedro Calderón de la Barca, «La vida es sueño» (drama).
		1642	Pedro Calderón de la Barca, «El alcalde de Zalamea» (drama).
		1648	Francisco de Quevedo, «El Parnaso español».
		1651	Baltazar Gracián, «El Criticón» (narrativa).
		1670	Francisco de Quevedo, «Las últimas tres musas» (poesía).
		1691	Sor Juana Inés de la Cruz, «Sonetos», «Romances», «Villancicos» (poesía). «Los empeños de una casa», «El Divino Narciso» (drama). «Respuesta a Sor Filotea de la Cruz» (ensayo).

XVIII	1700	Felipe V de Borbón es coronado rey de España.	1781	Félix M. Samaniego, «Fábulas morales» (poesía). Tomás de Iriarte, «Fábulas literarias» (poesía).
	1713	Paz de Utrecht que terminó las Guerras de Sucesión de España contra Inglaterra, Austria y Holanda. España perdió todos sus territorios europeos. Se establece la Real Academia Española de la Lengua.	1786	Ramón de la Cruz, «Sainetes» (drama).
	1759	Carlos III es coronado. Durante su reinado inicia muchas reformas positivas, incluyendo la nacionalización del sistema de educación y del correo y progreso en la agricultura, la industria y el comercio.		
	1789	La Revolución Francesa promueve los ideales democráticos adoptados también por los liberales de otros países europeos e hispanoamericanos.		
XIX	1806	Francisco Miranda inicia la Revolución Hispanoamericana.	1806	Leandro F. Moratín, «El sí de las niñas» (drama).
	1808	Carlos IV abdica al trono y su hijo Fernando VII es coronado. Napoleón invade España y nombra rey a su hermano José. Fernando VII es desterrado.	1813	Ángel de Saavedra, (Duque de Rivas), «Don ilvaro o la fuerza del sino» (drama).
	1810	El general Simón Bolívar, el «Libertador de América» y sus tropas luchan por la independencia de Hispanoamérica. Miguel Hidalgo, cura en el pueblo de Dolores inicia la revolución en México, el «Grito de Dolores».	1814	José Fernández de Lizardi, «El periquillo sarniento» (narrativa).
			1815	Simón Bolívar, «Carta de Jamaica» (ensayo).
			1832	Mariano José de Larra, «El castellano viejo» (ensayo).
	1812	La Constitución de Cádiz proclama un gobierno democrático en España.	1835	Andrés Bello, «Gramática de la lengua castellana».
			1840	José de Espronceda, «Canción del pirata», «Canto a Teresa», «Soledad del alma», «El estudiante de Salamanca» (poesía).
	1814	Los franceses son expulsados	1841	Angel de Saavedra, «Romances históricos» (poesía).

(*cont.*)

	de España. El rey Fernando VII vuelve a España y rechaza la constitución.
1823	Los Estados Unidos proclama la «Doctrina Monroe» para proteger a los países americanos de la intervención europea.
	Batallas de Junín y de Ayacucho victorias de los revolucionarios comandados por los generales Bolívar y Sucre.
	Los caudillos tiránicos ganan poder en las nuevas repúblicas de Hispanoamérica.
1833	Fernando VII muere. Se inician las Guerras Carlistas entre los partidarios conservadores de Don Carlos, hermano del rey y los liberales partidarios de Isabel, hija del rey.
1852	El dictador Juan Manuel de Rosas pierde control del gobierno de la Argentina.
1853	La constitución liberal es aprobada en la Argentina.
1861	El presidente Benito Juárez inicia la reforma liberal en México.
1868	Domingo Faustino Sarmiento inicia su presidencia progresista en la Argentina.
1873	Se establece la Primera República de España, que dura sólo once meses.
	Alfonso XII, hijo de Isabel II vuelve al trono de España.
1876	Se establece la monarquía constitucional en España.
	Porfirio Díaz asume el poder como dictador de México. Las masas sufren mientras las clases privilegiadas se hacen más ricas.
1883	Chile derrota a Perú y Bolivia en la Guerra del Pacífico.

1842	José Zorrilla, «Los cantos del trovador» (poesía).
1844	José Zorrilla, «Don Juan Tenorio» (drama).
1845	Domingo Faustino Sarmiento, «Facundo, o civilización y barbarie» (ensayo).
1849	Fernán Caballero, «La Gaviota» (narrativa).
1851	José Mármol, «Amalia» (narrativa).
1862	Alberto Blest Gana, «Martín Rivas» (narrativa).
1867	Jorge Isaacs, «María» (narrativa).
1871	Gustavo Adolfo Bécquer, «Rimas» (poesía).
1872	Benito Pérez Galdós, «Episodios nacionales» (narrativa).
1874	Pedro Antonio de Alarcón, «El sombrero de tres picos» (narrativa).
	Juan Valera, «Pepita Jiménez» (narrativa).
1875	Ricardo Palma, «Tradiciones peruanas» (narrativa).
	José Martí, «Dos patrias» (poesía).
1876	Benito Pérez Galdós, «Doña Perfecta» (narrativa).
1877	Benito Pérez Galdós, «Gloria» (narrativa).
1878	Benito Pérez Galdós, «Marianela» (narrativa).
1881	José Echegaray, «El Gran Galeoto» (drama).
1882	José Martí, «Ismaelillo» (poesía).
1884	Rosalía de Castro, «En las orillas del sur» (poesía).
	Leopoldo Alas, (Clarín), «La Regenta» (narrativa).
1886	Emilia Pardo Bazán, «Los pasos de Ulloa», «La madre naturaleza» (narrativa).

	1885	Muere Alfonso XII.			Benito Pérez Galdós, «Fortunata y Jacinta» (narrativa).
		Nace Alfonso XIII, hijo de Alfonso XII. Su madre María Cristina es nombrada «Regenta».		1888	Rubén Darío, «Azul» (narrativa).
	1898	España es derrotada en la Guerra Hispanoamericana contra los Estados Unidos y pierde sus colonias de Cuba, Puerto Rico, Guam y las Filipinas, que son ocupadas por los Estados Unidos.		1891	José Martí, «Nuestra America», «Mi raza» (ensayo).
				1895	José María de Pereda, «Peñas arriba» (narrativa).
				1896	Manuel Gutiérrez Nájera, «Para entonces» (poesía).
				1898	Vicente Blasco Ibáñez, «La barraca» (narrativa)
XX	1902	Alfonso XIII sube al trono de España.		1900	José Enrique Rodó, «Ariel» (ensayo).
	1904	José Echegaray, dramaturgo español, recibe el Premio Nobel de Literatura.		1902	José Martínez Ruiz, (Azorín), «La voluntad», «Antonio Azorín» (narrativa).
	1910	Estalla la Revolución Mexicana contra la dictadura de Porfirio Díaz.			Ramón del Valle Inclán, «Sonatas» (narrativa).
	1914	Comienza la Primera Guerra Mundial. España se declara neutral.		1903	Antonio Machado, «Soledades» (poesía).
					Pío Baroja, «Memorias de un hombre de acción» (narrativa).
	1917	Se redacta en México una nueva constitución democrática.		1904	Juan Ramón Jiménez, «Jardines lejanos» (poesía).
	1920	Finaliza la Revolución Mexicana.		1905	Rubén Darío, «Cantos de vida y esperanza» (poesía).
	1923	Un golpe militar en España resulta en la dictadura de Primo de Rivera.		1907	Miguel de Unamuno, «Poesías» (poesía).
					Jacinto Benavente, «Los intereses creados» (drama).
	1931	Se inaugura la Segunda República en España.		1912	Antonio Machado, «Campos de Castilla» (poesía).
	1934	Fulgencio Batista, con el apoyo de los Estados Unidos, toma el poder en Cuba.		1913	Miguel de Unamuno, «Niebla» (narrativa).
	1936	La Guerra Civil Española divide la población entre republicanos (reformistas) y nacionalistas (conservardores). La victoria nacionalista resultó en la dictadura neofascista del generalísimo Francisco Franco. El general Anastasio Somoza García asume el poder en Nicaragua.		1914	Juan Ramón Jiménez, «Platero y yo» (narrativa).
				1915	Gabriela Mistral, «Los sonetos de la muerte» (poesía).
				1916	Mariano Azuela, «Los de abajo» (narrativa).
				1917	Miguel de Unamuno, «Abel Sánchez» (narrativa).
				1921	«La tía Tula» (narrativa).

1939	La Segunda Guerra Mundial divide el mundo. España se declara neutral.
1945	La chilena Gabriela Mistral gana el Premio Nobel de Literatura. Es la primera recipiente de Latinoamérica.
1946	Juan Domingo Perón asume el poder como presidente de la Argentina y revoca la constitución democrática.
1948	Se funda la Organización de los Estados Americanos (OEA).
1955	Juan Domingo Perón es desterrado.
1959	Fidel Castro toma el poder en Cuba, acabando con la dictadura de Fulgencio Bautista.
1961	El presidente John F. Kennedy inicia el programa «Alianza para el progreso» para mejorar las condiciones de vida en los países latinoamericanos.
1975	Golpe militar en Chile resulta en el asesinato del presidente Salvador Allende. El general Augusto Pinochet asume el poder absoluto. Francisco Franco muere en España. Juan Carlos de Borbón inicia elecciones democráticas.
1978	Se escribe una nueva constitución democrática en España.
1980	Los sandinistas toman el poder en Nicaragua.
1982	Argentina pierde contra Inglaterra en la Guerra de las Malvinas. Gabriel García Márquez recibe el Premio Nobel de Literatura.
1984	Muere el escritor argentino Julio Cortázar.

1922	Federico García Lorca, «Canciones» (poesía).
1923	Pablo Neruda, «Crepusculario» (poesía). Rómulo Gallegos «Doña Bárbara» (narrativa).
1924	Pablo Neruda, «Veinte poemas de amor y una canción desesperada» (poesía).
1931	Federico García Lorca, «La zapatera prodigiosa» (drama).
1932	Federico García Lorca, «Romancero gitano» (poesía).
1933	Federico García Lorca, «Bodas de sangre» (drama).
1934	Jorge Icaza, «Huasipungo» (narrativa). Federico García Lorca, «Yerma» (drama).
1936	«La casa de Bernarda Alba» (drama).
1941	Ciro Alegría, «El mundo es ancho y ajeno» (narrativa).
1942	Camilo José Cela, «La familia de Pascual Duarte» (narrativa).
1944	Carmen Laforet, «Nada» (narrativa). Alejandro Casona, «La dama del alba» (drama). Jorge Luis Borges, «Ficciones» (narrativa).
1946	Miguel ingel Asturias, «El señor presidente» (narrativa).
1948	Ernesto Sábato, «El túnel» (narrativa).
1949	Jorge Luis Borges, «El Aleph» (narrativa).
1950	Gabriel García Márquez, «Ojos de perro azul» (narrativa). Antonio Buero Vallejo, «En la ardiente oscuridad» (drama).
1951	Julio Cortázar, «Bestiario (narrativa).
1953	Alfonso Sastre, «Escuadra hacia la muerte» (drama).

1986	España se une a la OTAN (Organización del Tratado del Atlántico Norte) y a la CEE (Comunidad Económica Europea.)	
1989	Camilo José Cela recibe el Premio Nobel de Literatura.	
1990	Octavio Paz recibe el Premio Nobel de Literatura.	
1992	El presidente Alfredo Cristiani y los guerrilleros del Frente Farabundo Martí firman un tratado de paz en El Salvador.	
1996	Se firma un tratado de paz en Guatemala, terminando la guerra civil que dura treinta y seis años.	
1998	Muere el escritor mexicano Octavio Paz.	

1954	Vicente Aleixandre, «Historia del corazón» (poesía).
1956	«Final del juego» (narrativa).
1958	Octavio Paz, «El sediento», «Libertad bajo palabra» (poesía).
1960	Alfonso Sastre, «La cornada» (drama).
	Ana María Matute, «Primera memoria» (narrativa).
1961	«Historias de la Artámila» (narrativa).
	Gabriel García Márquez, «El coronel no tiene quien le escriba» (narrativa).
1962	Carlos Fuentes, La muerte de Artemio Cruz (narrativa).
1963	Mario Vargas Llosa, «La ciudad y los perros» (narrativa).
1967	Gabriel García Márquez, «Cien años de soledad» (narrativa).
1970	Ariel Dorfman, «Imaginación y violencia en América» (ensayo).
	Juan Goytisolo, «La reinvindicación del conde don Julián» (narrativa).
	Rosario Ferré, «Papeles de Pandora» (narrativa).
	Rosario Castellanos, «Album de familia» (narrativa).
1981	Isabel Allende, «La casa de los espíritus» (narrativa).
1982	Rosario Ferré, «Fábulas de la garza desangrada» (narrativa).
1985	Gabriel García Márquez, «El amor en los tiempos del cólera», (narrativa)
1987	Isabel Allende, «Cuentos de Eva Luna» (narrativa).
	Antonio Muñoz Molina, «El invierno en Lisboa» (narrativa).

XXI	2002	Muere el escritor español Camilo José Cela.	2002	Gabriel García Márquez, «Vivir para contarla», (memorias)
	2010	Mario Vargas Llosa recibe el Premio Nobel de Literatura.		
	2014	El rey de España, Juan Carlos, abdica al trono. Muere el escritor colombiano Gabriel García Márquez.		